Unterwegs nach Emmaus

Hans-Georg Link

Unterwegs nach Emmaus

Ökumenische Erfahrungen
und Ermutigungen für evangelische
und katholische Gemeinden

EVANGELISCHE VERLAGSANSTALT
Leipzig

BONIFATIUS

Bibliographische Information der Deutschen Nationalbibliothek
Die Deutsche Nationalbibliothek verzeichnet diese Publikation
in der Deutschen Nationalbibliographie; detaillierte bibliographische
Daten sind im Internet über http://dnb.dnb.de abrufbar.

© 2014 by Evangelische Verlagsanstalt GmbH · Leipzig
und Bonifatius GmbH Druck – Buch – Verlag Paderborn
Printed in Germany · H 7829

Das Buch wurde auf alterungsbeständigem Papier gedruckt.

Cover: Kai-Michael Gustmann, Leipzig
Coverbild: © jock+scott / photocase.de
Layout und Satz: Steffi Glauche, Leipzig
Druck und Binden: CPI books GmbH, Leck

ISBN 978-3-374-03914-2   ISBN 978-3-89710-593-5
www.eva-leipzig.de   www.bonifatius.de

Für
Bärbel,
mit der ich seit 45 Jahren unterwegs bin
in Dankbarkeit und Zuneigung.

Mach in mir deinem Geiste Raum,
dass ich dir werd' ein guter Baum,
und lass mich Wurzel treiben.
Verleihe, dass zu deinem Ruhm
ich deines Gartens schöne Blum'
und Pflanze möge bleiben.

Paul Gerhardt

Vorwort

Es gehört zu den großen Geschenken meines Lebens, dass ich viele ökumenische Erfahrungen habe machen dürfen: beim Ökumenischen Rat der Kirchen in Genf, als Ökumene-Pfarrer des Evangelischen Kirchenverbandes Köln und Region, mit der Internationalen Ökumenischen Gemeinschaft (IEF) und auf zahlreichen Reisen in Deutschland, in Europa und darüber hinaus. Während meiner 18-jährigen Tätigkeit als Kölner Ökumene-Pfarrer standen die Beziehungen zwischen evangelischen und katholischen Ortsgemeinden im Vordergrund. Es hat viel Freude bereitet, sie zu besuchen, mit ihnen neue Formen der Zusammenarbeit zu entwickeln wie z. B. die Gemeindepartnerschaften am Ort und sie für gemeinsame Unternehmungen wie die Kölner Ökumene-Tage oder Brückenwege zu gewinnen. Ich bin zutiefst dankbar für die vielfältigen Begegnungen, Bereicherungen und Entdeckungen, die ich dabei gemacht habe.

Damit sie nicht verloren gehen, sondern auch anderen interessierten Menschen und Gemeinden zugutekommen, berichte ich darüber in diesem Buch. Eine erste »Ökumenische Rechenschaft 1987 bis 2004«[1] habe ich gleich zur Beendigung meiner offiziellen Kölner Tätigkeit zusammengestellt. Nach zehn Jahren spanne ich nun einen größeren und facettenreicheren Bogen, der vom Ökumenismusdekret 1964 bis zum Reformationsgedenken 2017 reicht. Ich verbinde ihn mit theologischen Überlegungen und ökumenischen Vorschlägen für Gemeinden, die aus meiner Sicht ihr Potential bei Weitem noch nicht ausgeschöpft haben. Das geschieht in erster Linie aus Kölner Perspektive. Daher stehen auch die evangelischen und katholischen Gemeinden im Vordergrund, die in Deutschland insgesamt die große Mehrheit von Christen ausmachen, aber die Leser werden schnell merken, dass ich auch orthodoxe und freikirchliche Gemeinden im Blick habe. Insgesamt wünsche ich mir Leserinnen und Leser, die neugierig sind auf neue ökumenische Impulse, und Lust haben, sich auf einen ökumenischen Emmaus-Weg von rückwärtsgewandter Trauer über Vergangenes zu vorwärtsgerichteter Freude auf Kommendes einzulassen.

Wie alle Themen so ist auch das Manuskript dieses Buches im ökumenischen Gespräch entstanden. Mit einer kleinen Gruppe ökumenischer Freunde haben wir wöchentlich umgeben von Weinranken, Goldfischen und Sommerblumen auf unserer Terrasse zusammengesessen und unsere ökumenischen Erfahrungen zu den sieben Themenbereichen zusammengetragen und miteinander ausgetauscht. Dazu gehören Diakonin *Anne Geburtig* aus Köln, Pfarrer *Oskar Greven*, früher aus Kleve, jetzt aus Köln, Pastor Dr. *Rudolf Weth* aus Neukirchen-Vluyn und Diplomtheologe *Clemens Wilken* aus Bad Münstereifel sowie meine Frau *Bärbel*. Sie sind alle seit Jahren in der ökumenischen Arbeit engagiert. Ich danke ihnen von Herzen für ihr Engagement, ihre Inspirationen, ihre Ermutigung und die Heiterkeit unserer Zusammenkünfte.

Im weiteren ökumenischen Horizont denke ich an Prof. *Jürgen Moltmann*, dessen bahnbrechende »Theologie der Hoffnung«[2] vor 50 Jahren erstmals erschienen ist; an Prof. *Konrad Raiser*, der gerade seinen 30-jährigen ökumenischen »Erfahrungsbericht«[3] veröffentlicht hat; und an Altpräses *Manfred Kock*, der sich auch in schwierigen Zeiten »wider die ökumenische Eiszeit«[4] zur Wehr gesetzt hat. Mit allen drei Theologen verbindet mich eine jahrzehntelange Weggenossenschaft; ohne sie ist mein ökumenischer Weg nicht denkbar.

Schließlich gedenke ich dreier ökumenischer Wegbegleiter, mit denen ich gerne zusammengearbeitet habe und die in diesem Sommer 2014 verstorben sind: Prof. *Johannes Brosseder* in Köln und Bonn, Prof. *Wolfhart Pannenberg* in München und Prof. *Otto Hermann Pesch*, zuletzt ebenfalls in München. Alle drei haben den ökumenischen Prozess in Deutschland und darüber hinaus maßgebend gefördert.

Danken möchte ich der Kommission für Glauben und Kirchenverfassung und ihrem damaligen Direktor, Prof. *Günther Gaßmann*, für die weltweite theologische Zusammenarbeit. Ich danke auch dem Evangelischen Kirchenverband Köln und Region und seinem damaligen Stadtsuperintendenten *Heinz Aubel* für die erstmalige Einrichtung der Ökumene-Pfarrstelle, die mir die ökumenische Basisarbeit ermöglicht hat. Und ich danke besonders der Evangelischen Verlagsanstalt Leipzig mit ihrer Leiterin, Frau Dr. *Annette Weidhas*, sowie dem Bonifatius Verlag in Paderborn mit seinem Leiter Dr. *Michael Ernst* für die bereitwillige Aufnahme dieses Buches in ihr Programm. Die Evangelische Kirche in Deutschland und die Evangelische Kirche im Rheinland haben durch Druckkostenzuschüsse zur preisgünstigen Gestaltung des Buches beigetragen.

Köln, am 21. Oktober 2014   *Hans-Georg Link*

Anmerkungen

1 Berichte – Übersichten – Zusammenfassungen, Kölner Ökumenische Beiträge Nr. 48, Köln 2004.
2 Untersuchungen zur Begründung und zu den Konsequenzen einer christlichen Eschatologie, München 1964; 2005 in 14. Auflage.
3 Ökumene unterwegs zwischen Kirche und Welt. Erinnerungsbericht über 30 Jahre im Dienst der ökumenischen Bewegung, Münster 2013.
4 Die Vision von der Einheit der Kirche, Neukirchen-Vluyn, 2006.

Inhalt

TEIL A »EVANGELISCHE« VERGEGENWÄRTIGUNGEN

Einführung:
Auf dem Weg nach Emmaus – Wo stehen wir heute ökumenisch?

I. Hin und Her zwischen Jerusalem und Emmaus – Eine ökumenische Meditation zu Lukas 24,13–35

1. *Zwei Männer* wenden sich ab vom Ort der Katastrophe in Jerusalem. Ihre Hoffnungen auf die Erlösung Israels sind zerstört. Aber keiner von ihnen verkriecht sich in seiner Trauer, sondern sie *gehen gemeinsam* und sprechen miteinander über die Ereignisse, die ihrem Hoffnungsträger den Todesstoß versetzt haben.

Ökumenisch denkende und lebende Christen erinnern sich an frühere Katastrophen der gespaltenen Christenheit, die das Gewand Christi zerrissen hat. Bei den Religionskämpfen in Konstantinopel 1204, im Schmalkaldischen Krieg 1547, im Dreißigjährigen Krieg von 1618 bis 1648 ist viel Blut geflossen. Tausende sind grausam zu Tode gekommen. Das sind schlimme Kreuzerfahrungen, deren Erinnerung bis heute nachwirkt. Orthodoxe, katholische und evangelische Nachfahren schotten sich deswegen manchmal noch heute voneinander ab. Da ist es gut, wenn Angehörige von zwei früher verfeindeten Traditionen, *evangelische und katholische Christen*, sich zusammentun, miteinander über die katastrophalen Entfremdungen voneinander reden und sich auf einen gemeinsamen Weg begeben.

2. Plötzlich kommt eine *dritte Person* zu den beiden Wanderern hinzu und begleitet sie ungefragt. Das verändert die

Ausgangslage, es entsteht eine neue Situation – eine *Dreier-konstellation*. Die den beiden unbekannte Person geht mit, stellt Fragen, hört aufmerksam zu.

Wodurch entsteht eine neue ökumenische Situation? Dadurch, dass *neue Personen* ins Spiel kommen, die mit ihren Fragen die bisherige Lage auflockern. Das kann eine ökumenische Delegation sein, die einer Kirche einen Teambesuch abstattet; das kann manchmal auch ein Papst sein wie *Johannes XXIII.* oder der gegenwärtige *Franziskus* mit seinen neuen Fragestellungen; das kann auch ein ökumenisch unerfahrener junger Mensch sein, der die schlichte Frage stellt: Warum feiern wir eigentlich nicht gemeinsam das Mahl Jesu? *Fragen von außen* können eingefahrene Situationen aufbrechen und helfen den Angesprochenen, ihre Lage zu überdenken und neue Antworten zu suchen.

3. Die beiden Männer bekommen Gelegenheit, ihre *trostlosen Erfahrungen* vor fremden Ohren auszubreiten. Da hat ein mächtiger Prophet Hoffnungen auf Befreiung und Erlösung geweckt. Aber noch mächtigere religiöse und politische Anführer haben diesen Mann Gottes und die Hoffnungen seiner Anhänger gewaltsam zunichtegemacht. Auch die Kunde von seinem leeren Grab, dass er leben soll, ohne dass man ihn gesehen und erfahren hat, jagt nur einen weiteren Schrecken ein. Es fehlt eine verändernde Erfahrung, die eine neue Perspektive eröffnet.

Trauer lähmt, sie lässt die Schritte langsam werden, schließlich bleibt man stehen und kommt nicht mehr vorwärts. Die Ermordung von Männern wie *Mahatma Ghandi* 1948, *Martin Luther King* 1968, *Roger Schutz* 2005, die viel bewegt und Hoffnungen geweckt haben, haben ihre Anhänger oft ratlos und mutlos gemacht. Wenn sich keine neue Perspektive auftut, die die gewalttätigen Erfahrungen bewältigen lässt, kommt es leicht zu neuen Gewaltausbrüchen. Wer sich in der Vergangenheit der »mächtigen Taten und Worte vor Gott und allem Volk« verbarrikadiert, z. B. in der Reformationszeit, und in der Gegenwart nur Verfall und Tod zu sehen vermag, gehört zu den *Unglückspropheten*, die Papst *Johannes XXIII.* zur Eröffnung des Konzils am 11. Oktober 1962 angesprochen hat: »Sie meinen nämlich, in den heutigen Verhältnissen der menschlichen Gesellschaft nur Untergang und Unheil zu erkennen … Sie benehmen sich so, als hätten sie nichts aus der Geschichte gelernt, die eine Lehrmeisterin des Lebens ist.«[1] *Kassandra-Rufer* einer früheren heilen Welt der einen Kirche, die Protestanten oder Katholiken oder Orthodoxe zerstört hätten, schauen zurück und entdecken in der Gegenwart keine neuen Chancen.

4. Jesus geht zu seinen Gesprächspartnern auf *Konfrontationskurs*. Er macht ihnen drei Vorwürfe: Sie haben die Geschichte nicht verstanden; sie besitzen ein träges Herz und sie vertrauen den Botschaften der Propheten nicht. Nach dieser Zurechtweisung legt er ihnen mit den drei Teilen der Schrift: der Tora, den Propheten und den Schriften auseinander, »was Christum treibet«[2]. Im Mittelpunkt steht dabei der notwendige *Lernprozess des Leidens*, dessen Kehrseite die göttliche Herrlichkeit eröffnet.

Das Ganze ist ein Musterbeispiel für einen *ökumenischen Dialog*. Er beginnt mit dem Mitgehen mit anderen, mit Schweigen und Zuhören der Leidensgeschichte der Gesprächspartner. Er bedeutet aber nicht, in das Klagelied miteinzustimmen oder mit den Wölfen zu heulen. Sich im gegenseitigen (Be-)Jammern zu bestätigen, manchmal sogar zu übertreffen, macht das Elend nur noch größer und liefert die Beteiligten der Macht des Negativen aus. Eine ehrliche Antwort, die gegebenenfalls den Mut zum Widerspruch aufbringt, ist oft der erste Schritt zur Problemlösung. Die entscheidende Hilfe im ökumenischen Dialog kommt häufig durch das *Befragen und Auslegen der Schrift,* bei dem man sich gegenseitig auf die Sprünge helfen kann.

5. Die drei Gesprächspartner sind ans *Ziel* ihres Dorfes *Emmaus* gekommen. Was nun? »Lieber fremder Begleiter, wir danken Ihnen für das Gespräch«? Oder: »Tut mir leid, mein nächster Termin wartet, ich muss weiter«? Stattdessen: Die beiden Wanderer laden den Fremden zu sich in ihr Haus ein; sie tun es intensiv, überzeugend. Sie bieten als erstes ihre Gastfreundschaft an.

Im Wort »Ökumene« steckt das griechische Wort für Wohnhaus, oikos. *Ökumene* meint wörtlich genommen, *sein Wohnhaus für andere zu öffnen*; und umfassend, die Erde als Wohnhaus für alle zu erfahren.

Der fremde Begleiter ist nicht einfach seiner Wege gegangen; er hat auf eine *Reaktion seiner Gesprächspartner* gewartet. Er wollte in Erfahrung bringen, ob er bleiben oder gehen soll. Als er merkt, dass die beiden es ernst meinen für sich – »bleibe bei uns« – und für ihn – »der Tag hat sich geneigt«, geht er bereitwillig auf ihr Angebot ein und bleibt mit ihnen zusammen.

6. Und dann geschieht *das Entscheidende*: im Haus, am Tisch, den die beiden Gastgeber vor- und zubereitet haben. Nach einer langen mehrstündigen Wanderung geschieht es bei einer Tischgemeinschaft: »Da nahm Jesus das Brot, dankte, brach es und gab es ihnen.« So hatte er es oft getan, öffentlich, etwa bei der Speisung der 4000 oder 5000 hungrigen Menschen, auch bei seinem letzten Beisammensein im vertrauten Kreis mit seinen Jüngern.[3] An dieser *göttlichen Bewegung von In-die-Hand-Nehmen, Danken, Brechen und Hingeben* erkennen die beiden Jünger ihren Meister wieder. Beim *Brechen des Brotes* werden ihre Augen geöffnet. Das ist der entscheidende *Durchbruch* zur Erkenntnis: der Ge-

kreuzigte lebt mitten unter uns. Der Auferstandene wird bei der Feier seines Mahles erkannt.

So war es am 13. August 1727 bei der Feier des Abendmahls, die die Gemeinschaft der *Herrnhuter Brüdergemeine* begründete; so war es am 31. Juli 1983 bei der Feier der *Lima-Liturgie* während der 6. Vollversammlung des Ökumenischen Rates der Kirchen in Vancouver; so ist es in vielen *Thomas-Messen* in Köln und anderswo, wenn Brot und Wein im Namen Jesu geteilt werden.

Ebenso plötzlich, wie Jesus aufgetaucht ist, wird er wieder *unsichtbar*. Nachdem er sich beim Brotbrechen offenbart hat, ist er verschwunden; der Gesehene wird unsichtbar; der geistlich Erkannte wird körperlich unerkennbar. »Selig sind, die (den Auferstandenen) nicht sehen und doch (an ihn) glauben« (Johannes 20,29).

7. Was ist die *Reaktion* der beiden Weggefährten auf ihr Erkennen des auferstandenen Gekreuzigten? Sie versuchen zunächst, im Gespräch miteinander über das Ereignete Klarheit zu gewinnen. Es ist ein *Öffnen* geschehen: Öffnen der Schrift, Öffnen des Hauses, Öffnen der Augen und schließlich ein Öffnen der Herzen. Auf dem Weg nach Emmaus sind durch die Begegnung mit dem lebendigen Jesus aus trägen *brennende Herzen* geworden.

Wofür brennen sie? Nicht für die eigene Glückseligkeit, sondern für das Zeugnis mit und für andere von dem auferstandenen Christus. Sie bleiben nicht in Emmaus für sich sitzen, sondern stehen auf und gehen »noch in derselben Stunde« wieder nach Jerusalem. Sie kehren zurück zum Zentrum des Geschehens, zum Ort der Katastrophe, aus dem nun ein Ort des neuen Lebens wird. Die Erfahrung des Auferstandenen bringt sie zurück in die Gemeinschaft der Apostel und der anderen Frauen und Männer mit ihnen. Sie kehren um zur *ersten österlichen Christengemeinde* und werden Glieder dieser Urgemeinde, der Keimzelle der Kirche.

Die Botschaft von dem Gekreuzigten, der lebt, kommt hier dreimal zur Sprache: zuerst indirekt durch den Bericht von Frauen, dann durch Simon Petrus, schließlich in der Erzählung der Emmaus-Jünger, *ein* Zeugnis in unterschiedlicher Bezeugung. Gerade in der *Erfahrung der Osterbotschaft* von dem neuen Leben aus dem Tod gibt es keinen Gleichschritt, sondern vielfältige Arten, Formen und Weisen der Begegnung.

So schildert die *Emmaus-Erzählung*, was auf dem Weg in der Begegnung mit dem auferstandenen Jesus von Nazareth geschehen ist: aus dem Stehenbleiben ist ein Aufstehen geworden, aus dem Trauerbericht von der Katastrophe ein Zeugnis von dem beim Brotbrechen erkannten Auferstandenen, aus dem Fluchtweg weg von der Katastrophe ein Rückweg hin zum Zentrum des Ostergeschehens. Es ist »*unterwegs nach Emmaus*« geschehen, dass träge in brennende Herzen verwandelt worden sind.

So ist *die ökumenischen Reise* ein Pilgerweg von der Trauer über die Katastrophe der gespaltenen Christenheit hin zur Freude über die neue Gemeinschaft im Namen des auferstandenen Christus. Auf diesem Weg möchte *dieses Buch* seine Leserinnen und Leser mitnehmen, führen und begleiten. Es ist vor allem für Gemeindeglieder, Gruppenangehörige und Pfarrerinnen und Pfarrer geschrieben, die traurig stehen bleiben, weil sie für sich und ihre Gemeinde keine hoffnungsvolle ökumenische Perspektive mehr entdecken, und es möchte ihnen den Emmaus-Weg zu neuer ökumenischer Gemeinschaft erschließen.

II. Die Aufgabe

1. Ortsgemeinden und ihr ökumenisches Potential

Wir befinden uns in Deutschland in der besonderen Lage, dass die beiden großen Konfessionen, die evangelische und die katholische Kirche, etwa gleich viele Mitglieder haben, z. Z. jeweils rund 25 Millionen. Außerdem sind in der Regel an jedem Ort, ob Stadt oder Land, beide Kirchen vertreten. Das gibt den *Ortsgemeinden*, der Basis-Ökumene, ein starkes Gewicht: Was sie tun, z. B. ökumenische Gottesdienste feiern, setzt sich durch; was sie bisher nicht tun, z. B. sich auf Pilgerwege begeben, bleibt eine Angelegenheit kleiner Gruppen. Angesichts gewisser ökumenischer Ermüdungserscheinungen in vielen Gemeinden möchte ich sie mit diesem Buch zu neuen Initiativen beflügeln.

Dabei geht es mir in keiner Weise um exotische Sensationen, wie man sie manchmal auf Kirchentagen erleben kann. Für die ökumenische Entwicklung in Gemeinden kommt es vor allem auf *Grundvollzüge* an, wie sie an jedem Ort anzutreffen sind: Überall, wo Christen leben, werden Gottesdienste gefeiert, wird getauft und Abendmahl gefeiert, kommt man irgendwie zusammen und vernetzt sich. Diese Themen wähle ich, um an ihnen, sozusagen im Alltag des Gemeindelebens zu verdeutlichen, wie sich das ökumenische Miteinander ausprägen und entfalten lässt. Es sind also einerseits bekannte, traditionelle Bereiche jeder Gemeinde, die ich aufgreife, andererseits versuche ich, sie auf ihr *ökumenisches Potenzial* hin abzuklopfen und ihnen Seiten abzugewinnen, die sie dann in neuem Licht erstrahlen lassen. Das geschieht natürlich exemplarisch, keineswegs vollständig.

Die Überschriften der beiden Teile des Buches setzen »*evangelisch*« und »*katholisch*« in Anführungszeichen. Warum? Diese Bezeichnungen greifen zunächst die konfessionelle Differenzierung auf, wie sie faktisch in unserem Land besteht. Die Anführungszeichen verweisen sodann auf den jeweiligen Grundsinn der Adjektive: auf das Evangelium und auf das Ganze bezogen.[4] Sie wollen auch darauf aufmerksam machen, dass die konfessionellen Selbstbezeichnungen eine inhaltliche Verarmung mit sich bringen, und stattdessen die theologische Bereicherung erschließen, die jede Gemeinde mit »*evangelischen Vergegenwärtigungen*« (Teil A) und »*katholischen Vernetzungen*« (Teil B) für sich entdecken kann.

Jedes der sieben *Kapitel* hat strukturell denselben Aufbau: 1. praktische Erfahrungen, 2. theologische Einsichten, 3. ökumenische Vorschläge. Ich beginne jeweils mit *praktischen Erfahrungen,* die entweder andere gemacht haben oder ich selbst gemacht habe, die also als ökumenischer Erfahrungsschatz bereits vorliegen und grundsätzlich von jedem Gemeindeglied ebenfalls gemacht werden können. Meine *theologischen Einsichten* setzen z. T. mit biblischen Erkenntnissen ein, befragen dann Erklärungen des Zweiten Vatikanischen Konzils und suchen nach entsprechenden Texten des Ökumenischen Rates, der Kommission für Glauben und Kirchenverfassung oder der evangelischen Tradition. Manchmal münden sie in Zusammenfassungen. Die *ökumenischen Vorschläge* knüpfen einerseits an die vorgestellten praktischen Erfahrungen an, andererseits greifen sie Modelle auf, die einzelne Gemeinden entwickelt haben oder in anderen Kirchen, z. B. in England, praktiziert werden. Gelegentlich habe ich auch eigene Vorschläge hinzugefügt.

2. Lage und Aufgabe

Wie stellt sich unsere gegenwärtige ökumenische *Lage und Aufgabenstellung* 50 Jahre nach dem Zweiten Vatikanischen Konzil und drei Jahre vor dem Reformationsgedenken im Jahr 2017 dar? Ich fasse sie unter sieben Gesichtspunkten zusammen:

(1) In den vergangenen 50 Jahren haben sich dermaßen viele *positive Veränderungen* zwischen evangelischen und katholischen Christen, Gemeinden und Kirchen ereignet, wie es sich vor 50 Jahren niemand hat vorstellen können. »Das ist vom Herrn geschehen und ist ein Wunder vor unseren Augen« (Psalm 118,23).

(2) Kurz nach dem Konzil meinten viele in der Zeit der ersten Liebe zueinander, die beiden Kirchen seien spätestens zur Jahrtausendwende wiedervereinigt, wenn nicht schon innerhalb der nächsten Dekade. Das hat sich als Selbsttäuschung erwiesen. Heute wissen wir nach mancher frustrierenden Erfahrung, dass sich *der Weg* zueinander wesentlich *länger, steiniger*, ja dornenvoller gestaltet als erwartet. Wüstenerfahrungen wie bei Israels 40-jähriger Wanderung durch die Wüste breiten sich aus: Hunger, Durst, Ärger, Aufruhr, Ermattung. Das hat für uns auch etwas mit den Verhärtungen der vergangenen 400 Jahre und mit den konfessionellen Sünden unserer Väter und Mütter zu tun. Wir wissen heute, dass sie sich nicht in wenigen Jahren bewältigen lassen, sondern mindestens Jahrzehnte benötigen.

(3) Durch die lange Dauer und Unübersichtlichkeit des ökumenischen Weges zueinander lauern heutzutage drei *besondere Gefahren*:

– Eine *Orientierungsschwäche*, wohin der Weg nun eigentlich führt. Die verantwortlichen Leiter sind sich darüber nicht einig und haben darüber oft selber keine klaren Vorstellungen.

– Eine *Gleichgültigkeit,* »weil sich ja doch nichts Entscheidendes bewegt«. Zu viele konfessionsverschiedene Familien haben diesen Weg bereits eingeschlagen, weil sie zu lange schon im Stich gelassen worden sind.

– Eine Abdrängung zu einer *Randlage,* die das Geschehen außerhalb und innerhalb der Kirchen nicht mehr beeinflusst: außerhalb, weil die Ökumene in der Gesellschaft, besonders von Jugendlichen, als unwichtig betrachtet wird; innerhalb, weil man sich mehr und lieber mit sich selbst als z. B. mit der 10. Vollversammlung des Ökumenischen Rates im Herbst vergangenen Jahres mit ihren wegweisenden Anstößen beschäftigt.[5]

(4) Angesichts dieser gefährlichen ökumenischen Lage in unserem Land lautet *das Gebot der Stunde: die ökumenische Gemeinschaft zwischen evangelischen und katholischen Christen ist heute nötiger denn je.* Wenn heutzutage evangelische Menschen aus der Kirche austreten, weil sie sich über einen katholischen Bischof oder den Papst geärgert haben, dann zeigt das, dass viele zwischen den Konfessionen nicht mehr unterscheiden können und wollen. In der politischen und kulturellen Gesellschaft werden die Kirchen, wenn überhaupt, nur wahrgenommen, wenn sie gemeinsam ihre Sache vertreten. Gemeinden bluten mehr und mehr aus und Mitglieder verlassen sie, wenn es nicht zu anregenden Bereicherungen von der anderen Seite kommt.

All das bestätigt: *ökumenisches Zusammenleben ist heute* kein Hobby mehr für Spezialisten, was es im Grunde auch nie gewesen ist, sondern *eine substantielle Notwendigkeit.* Der frühere Prior von Taizé *Roger Schutz* hat es einmal so formuliert: »Der Christ der Zukunft wird ökumenisch leben oder kein Christ mehr sein.« *Peter Beier,* der ehemalige rheinische Präses, hat die ökumenische Frage für das 21. Jahrhundert so gestellt: »Bist du Christ und wenn ja, woran merkt man das?«

(5) Was bedeutet die ökumenische Aufgabe für unsere *Gemeinden* am Ort und vor Ort? Es bedeutet, dass sie aus der Zufälligkeit und Unverbindlichkeit ihrer ökumenischen Beziehungen miteinander herauskommen und Wege für ein *verbindliches Miteinander* suchen und finden müssen. Denn wenn sich nicht ein neues ökumenisches Engagement in, an und auf der Gemeindebasis entwickelt, werden ökumenische Gruppen sich noch weiter von den Gemeinden entfernen, als es bereits geschehen ist, und Kirchenleitungen werden keine Nötigung zu ökumenischen Veränderungen verspüren. Jeder getaufte Christ ist mit Gaben beschenkt und jede christliche Ortsgemeinde hat mehr Begabungen unter ihren Gliedern und Spielräume im ökumenischen Miteinander, als sie meistens weiß, sieht und nutzt. Dieses Buch will unseren Gemeinden auf die ökumenischen Sprünge helfen und ihnen dazu auch Beine machen.

6. Was bedeutet die heutige ökumenische Aufgabe für *Kirchenleitungen*? Um mit Goethes Faust zu antworten: »Der Worte sind genug gewechselt, nun lasst uns endlich Taten sehen!« Die Gemeinden warten auf Beschlüsse statt Bevormundungen, auf Ermutigung statt Entmutigung, auf mutige Taten statt unentschlossener Beratungen. So wie es der anglikanische Bischof *David Sheppard* und der römisch-katholische Erzbischof *Derek Worlock* in Liverpool von Mitte der 1970er bis Mitte der 1990er Jahre mit ihrem Leitwort »Better Together« – Besser zusammen! – vorgelebt haben: mit gemeindlichen Bundesschlüssen, mit der Hoffnungsprozession, mit gemeinsamen Fußballstadion-Besuchen und, und, und.[6] In Deutschland warten wir noch auf ein solches kirchenleitendes ökumenischen Brüder- bzw. Geschwisterpaar, das mit ökumenischen Fahnen in der Hand vorangeht: »Wir haben uns getraut!«[7]

7. Auf uns alle kommt das *Jahr 2017* zu zum Gedenken, zum Reisen, zum Feiern der großen Ereignisse der Vergan-

genheit. Ich meine, wir sollten es auch für mutige ökumenische Schritte aufeinander zu nutzen. Denn: *(Fast) 500 Jahre Kirchenspaltung sind genug! Es ist Zeit, wieder in Kirchengemeinschaft miteinander einzutreten!*

Jeder Christ, jede Gemeinde, jede Kirche kann dazu etwas beitragen. Ich bedaure außerordentlich, dass es zu dem vorgesehenen 3. Ökumenischen Kirchentag im Jahr 2017 noch nicht kommen wird, sondern wohl erst im Jahr 2021. Weil das so ist, hat sich die deutsche Region der Internationalen Ökumenischen Gemeinschaft dazu entschlossen, das Ihre beizutragen und in Kooperation mit anderen ökumenischen Partnern vom 21. bis 28. August 2017 zu einer »*Wittenberger Ökumenischen Versammlung*« einzuladen. Andere Gruppen, Gemeinden und Kirchen können anderes tun, damit wir 2017 nicht im Rückblick auf das Vergangene stecken bleiben, sondern den Ausblick auf eine gemeinsame Zukunft fröhlich miteinander feiern können. Dieses Buch lädt Interessierte, Gemeinden und auch Kirchenleiter ein, sich auf einen *neuen ökumenischen Weg einzulassen* in Hoffnung auf und Erwartung von Ereignissen, wie sie damals auf dem Weg von Jerusalem nach Emmaus geschehen sind.

III. Versuch einer Standortbestimmung

1. Aufbruch – Rückschlag – Konsolidierung

Wenn man die Frage zu beantworten versucht, wo wir heute ökumenisch stehen, d. h. an welcher Stelle des ökumenischen Weges wir uns heute befinden, dann tut man gut daran, ein paar Schritte zurückzugehen und sich an *den Beginn des Weges* zu erinnern. Wann und wo hat er angefangen? Um mit einer möglichst unumstrittenen Markierung einzusetzen, nenne ich als Startpunkt den *21. November 1964*. Es ist der Tag, an dem vom Zweiten Vatikanischen Konzil in Rom die dogmatische Konstitution über die Kirche (Lumen Gentium) und das Dekret über den Ökumenismus (Unitatis Redintegratio) jeweils mit überwältigender Mehrheit verabschiedet worden sind.[8]

Vorher gab es seit 1948 mit der Gründung des Ökumenischen Rates der Kirchen in Amsterdam durchaus auch schon eine ökumenische Bewegung, aber ohne nennenswerte Beteiligung der römisch-katholischen Kirche. Heute ist es unbestritten, dass die entscheidende ökumenische Wende während des Zweiten Vatikanischen Konzils geschehen ist. Ihr folgte eine *über dreißigjährige Aufbruchszeit*, in der vor allem die evangelischen und katholischen Kirchen aufeinander zugegangen sind: bis zur Unterzeichnung der Gemeinsamen Erklärung zur Rechtfertigungslehre am 31. Oktober 1999.

Es lässt sich nicht bestreiten, dass die Veröffentlichung der vatikanischen Erklärung »Dominus Jesus« ein knappes Jahr später am 6. August 2000[9] zu einer erheblichen *Abkühlung* der evangelisch-katholischen Beziehungen in Deutschland geführt hat. Dadurch ist sie zur Beendigung der Aufbruchszeit und zum Beginn einer *ernüchterten* ökumenischen Phase geworden. Aber auch nach und seit dem Jahr 2000 hat sich ökumenisch so viel ereignet, das von einem Stillstand der Beziehungen in keiner Weise die Rede sein kann.

Insgesamt sind auf dem ökumenischen Weg der letzten 50 Jahre so *viele Stationen* zu nennen, dass ich mich dazu entschlossen habe, sie in tabellarischer Form aufzulisten, ohne auf Einzelheiten einzugehen. Im Anschluss daran ergeben sich hilfreiche Klärungen für unseren heutigen ökumenischen Standort.

2. Der ökumenische Weg – eine Übersicht

(1) Anfänge

1948

10. März: Gründung der Arbeitsgemeinschaft Christlicher Kirchen in Deutschland (ACK) in Kassel

23. August: *Gründung des Ökumenischen Rates der Kirchen* bei der 1. Vollversammlung in Amsterdam

1958

28. Oktober: Wahl von *Papst Johannes XXIII.*

1959

25. Januar: *Ankündigung des Zweiten Vatikanischen Konzils* durch Papst Johannes XXIII.

1960

30. Mai: Einrichtung des Sekretariats für die Einheit der Christen (SPCU)

1961

19. November bis 5. Dezember: 3. Vollversammlung des Ökumenischen Rates der Kirchen in *Neu-Delhi* (fünf offizielle römisch-katholische Teilnehmer, Beitritt der Russisch-orthodoxen Kirche, Erklärung zur Einheit der Kirche: »eine völlig verpflichtete Gemeinschaft«)

(2) Wende

1962

11. Oktober: *Eröffnung des Zweiten Vatikanischen Konzils* durch Papst Johannes XXIII. (Botschaft: »leidenschaftliche Erwartungen der vom Apostolischen Stuhl getrennten Christen«)

1963

3. Juni: Tod von Papst Johannes XXIII. (»Das erste Mal in der Geschichte beweinen die Protestanten einen Papst«, G. Casalis)

29. September: Eröffnung der 2. *Session durch Papst Paul VI.*
(»Wo immer uns eine Schuld an der Trennung zuzuschreiben ist, bitten wir demütig Gott um Verzeihung und bitten gleichfalls die Brüder um Vergebung.«)

1964
5. Januar: Begegnung von Papst Paul VI. mit dem Ökumenischen Patriarchen *Athenagoras* in Jerusalem
21. November: Verabschiedung der dogmatischen Konstitution über die Kirche und des Dekrets über den Ökumenismus

1965
7. Dezember: *Aufhebung der Exkommunikation zwischen Rom und Konstantinopel*

(3) Aufbrüche

1965
30. Juli: Öffentliches Podiumsgespräch zwischen *Präses Joachim Beckmann und Kardinal Lorenz Jäger* auf dem 12. Deutschen Evangelischen Kirchentag in der überfüllten Kölner Messehalle 4 zum Thema: »Katholiken und Protestanten angesichts des Konzils«

1967
Gründung der International Ecumenical Fellowship (IEF, Internationale Ökumenische Gemeinschaft) in Fribourg/CH

1969
Gründung der Arbeitsgemeinschaft Ökumenischen Kreise (AÖK) in Arnoldshain/Taunus

1971
3. bis 5. Juni: *Ökumenisches Pfingsttreffen in Augsburg* (»Nehmt einander an, wie Christus euch angenommen hat, zu Gottes Lob«, Römer 15,7)

1972

Gründung der deutschen Region der Internationalen Ökumenischen Gemeinschaft (IEF) in Altenberg bei Köln

1973

11. Januar: Erklärung der Landessynode der Evangelischen Kirche im Rheinland über die Zusammenarbeit der evangelischen und katholischen Kirche (»es soll niemand vom Abendmahl zurückgewiesen werden«)

16. März: Verabschiedung der »Konkordie reformatorischer Kirchen in Europa« in Leuenberg bei Basel/CH (»*Leuenberger Konkordie*«)

1974

Neukonstituierung der Arbeitsgemeinschaft Christlicher Kirchen (*ACK*) in Deutschland durch den *Beitritt der orthodoxen und römisch-katholischen Kirche*

Einberufung des *Konzils der Jugend* durch den Prior der Kommunität von Taizé/Frankreich Roger Schutz

1975

10. Oktober: Pastoral-theologische Handreichung der Generalsynode und Bischofskonferenz der Vereinigten Evangelischen-Lutherischen Kirche Deutschlands (VELKD) zur Frage einer Teilnahme evangelisch-lutherischer und römisch-katholischer Christen an Eucharistie- und Abendmahlsfeiern der anderen Konfession (»Ermöglichung einer wechselseitigen Teilnahme am Abendmahl in Ausnahmefällen«)

1977

25. Mai: Vereinbarungen der Konferenz der Kirchenleitungen in Hessen zur Taufe

1980

17. November: Erste Begegnung von *Papst Johannes Paul II. mit dem Rat der Evangelischen Kirche in Deutschland (EKD) in Mainz* (»Gemeinsame Ökumenische Kommission«, GÖK)

1982

12. Januar: Einstimmige Verabschiedung der **Konvergenz-erklärungen zu Taufe, Eucharistie und Amt** durch die Plenarkonferenz der Kommission für Glauben und Kirchenverfassung in *Lima* (mit orthodoxer und römisch-katholischer Zustimmung)

1983

6. Mai: Erklärung der internationalen evangelisch-lutherischen/römisch-katholischen Kommission zu»*Martin Luther – Zeuge Jesu Christi*«

6. Vollversammlung des Ökumenischen Rates der Kirchen in *Vancouver/Kanada*:

– 31. Juli: Feier der *eucharistischen Liturgie von Lima* unter der Leitung von Erzbischof Robert Runcie/Großbritannien

– Initiierung des *Konziliaren Prozesses* für Gerechtigkeit, Frieden und Bewahrung der Schöpfung durch deutsche Delegierte (Heino Falcke, Ulrich Duchrow u. a.)

1985

26. Oktober: Schlussbericht der Gemeinsamen Ökumenischen Kommission zur Frage der Lehrverurteilungen (»verbindlich aussprechen, dass die Verwerfungen des 16. Jahrhunderts den heutigen Partner nicht treffen«)

1989

12. bis 15. Mai: *1. Europäische Ökumenische Versammlung (EÖV) in Basel/CH*

1991

29. Januar und 2. Februar: Unterzeichnung der *Meißener Erklärung* zwischen dem Bund der Evangelischen Kirchen in der DDR (BEK), der Evangelischen Kirche in Deutschland (EKD) und der Kirche von England in London und Berlin

1992

1. Ökumenisches *Jahr der Bibel*

1993

12. Januar: Verabschiedung von drei Erklärungen durch die Landessynode der Evangelischen Kirche im *Rheinland* (EKiR):
– Das Verhältnis der EKiR zur römisch-katholischen Kirche und zu anderen Kirchen
– »Ein Herr, ein Glaube, eine Taufe« – Zur ökumenischen Bedeutung der Taufe
– »Lehrverurteilungen – kirchentrennend?«

1996

Februar: Wort zum 450. Todesjahr Martin Luthers aus der evangelischen und katholischen Kirche in Thüringen und Sachsen-Anhalt

26. März: Vereinbarung zwischen der Evangelischen Kirche im Rheinland und dem Erzbistum Köln sowie den Bistümern Aachen, Essen, Münster und Trier zur *gegenseitigen Anerkennung der Taufe*

26. bis 30. April: Erster ökumenischer Pilgerweg von Köln nach Trier

30. April: Wort an die katholischen Gemeinden des Bistums Trier und die Gemeinden der Evangelischen Kirche im Rheinland von *Bischof Spital und Präses Beier* am Tag der Ökumene im Rahmen der Heilig-Rock-Wallfahrt 1996

1997

23. bis 29. Juni: *2. Europäische Ökumenischen Versammlung in Graz/Österreich*

1999

30. Mai: Erste Unterzeichnung einer *ökumenischen Gemeindepartnerschaft am Ort* in Köln-Neubrück

31. Oktober: Unterzeichnung der Gemeinsamen Erklärung zur Rechtfertigungslehre durch Kardinal Idris Cassidy für den Vatikan und Landesbischof Christian Krause für den Lutherischen Weltbund in der Sankt Anna-Kirche in Augsburg

– Erste Zusammenkunft von Vertretern internationaler kommunitärer Bewegungen (später: Miteinander für Europa) im ökumenischen Lebenszentrum Ottmaring

(4) Rückschlag
2000
6. August: Veröffentlichung der Kongregation für die Glaubenslehre: Erklärung Dominus Jesus. Über die Einzigartigkeit und die Heilsuniversalität Jesu Christi und der Kirche (»sind nicht Kirchen im eigentlichen Sinn«, Z. 17)

(5) Konsolidierung
2001
20. April: Verabschiedung der »*Charta Oecumenica*. Leitlinien für die wachsende Zusammenarbeit unter den Kirchen in Europa«, durch die Konferenz Europäischer Kirchen (KEK) und den Rat der Europäischen Bischofskonferenzen (CCEE) in Augsburg

2003
2. Ökumenisches *Jahr mit der Bibel*
28. Mai bis 1. Juni: **1. Ökumenischer Kirchentag in Berlin** mit Unterzeichnung der Charta Oecumenica durch die Mitgliedskirchen der ACK

2004
8. Mai: 1. Versammlung »Miteinander für Europa« in Stuttgart

2005
16. bis 21. August: Weltjugendtag in Köln mit Begegnung von Papst Benedikt XVI. mit Vertretern der ACK und Besuch in der Kölner Synagoge

2007

29. April: Unterzeichnung der **gegenseitigen Anerkennung der Taufe** durch elf Mitgliedskirchen der ACK im Magdeburger Dom

10.–12. Mai: 2. Versammlung »Miteinander für Europa« in Stuttgart

4. – 9. September: *3. Europäische Ökumenische Versammlung in Sibiu/RU*

2010

12. bis 16. Mai: *2. Ökumenischer Kirchentag in München*

2011

23. September: Begegnung von *Papst Benedikt XVI. mit Präses Nikolaus Schneider* und Vertretern der EKD im *Augustiner-Kloster Erfurt*

2012

12. Mai: 3. Versammlung »Miteinander für Europa« in Brüssel

18.–20. Oktober: Konziliare Versammlung in Frankfurt/Main mit *Hans Küng*: »Zeichen der Zeit«

2013

30. Oktober bis 8. November: 10. Vollversammlung des Ökumenischen Rates der Kirchen in *Busan/Korea*

2014

30. April bis 4. Mai: Ökumenischen Versammlung in Mainz mit Verabschiedung der Mainzer Botschaft

17. bis 19. Oktober: Konziliarer Ratschlag in Frankfurt/Main: »Hoffnung und Widerstand«

21. November: Ökumenische Gottesdienste in den Kathedralen deutscher Bistümer zum **Gedenken an die Verabschiedung der Kirchenkonstitution und des Ökumenismusdekrets vor 50 Jahren**

3. Rückblick und Folgerungen

Was hat sich in den vergangenen 50 Jahren ökumenisch getan? Ich will versuchen, die Fülle und Vielfalt der Ereignisse zusammenzufassen:

1. Ökumenische *Gruppen* sind wie Pilze aus dem Boden geschossen; einige haben sich 1969 zur Arbeitsgemeinschaft Ökumenischer Kreise (AÖK) zusammengeschlossen.
2. *Gemeinden* haben sich entdeckt und kennengelernt. »Ökumene am Ort« war besonders in den 1970er Jahren das Thema; seit 1999 gibt es verbindliche Gemeindepartnerschaften am Ort.
3. Ökumenische *Bewegungen* sind entstanden: in Taizé, mit dem Konziliaren Prozess für Gerechtigkeit, Frieden und Bewahrung der Schöpfung, Weltjugendtagen und »Miteinander für Europa«.
4. Der *ACK* sind 1974 katholische und orthodoxe Kirchen beigetreten und haben ihr neues Gewicht verliehen.
5. Regionale *Kirchenleitungen* haben in Baden, Hessen und Rheinland Vereinbarungen zur Taufe und zu Gemeindepartnerschaften getroffen.
6. Die Evangelische Kirche im *Rheinland* hat mit dem Bistum *Trier* im Zusammenhang von Heilig-Rock-Wallfahrten einen ökumenischen Prozess durchlaufen.
7. Auf *internationaler* Ebene haben drei Europäische Ökumenische Versammlungen stattgefunden und die Gemeinsame Erklärung zur Rechtfertigungslehre ist bisher einmalig auf *Weltebene* vom Lutherischen Weltbund und Vatikan unterzeichnet worden.

Wo stehen wir heute? Wir haben nach dem Zweiten Vatikanischen Konzil Aufbrüche erlebt und um die Jahrtausendwende Rückschläge verkraften müssen. Dadurch ist die ökumenische Bewegung auch realistischer, reifer und stabiler geworden. Insbesondere sind hier die konziliaren Zusammenkünfte seit der Jahrtausendwende zu nennen.[10] Wir stehen *heute* zwischen dem *Rückblick auf das Zweite Vatikanische Konzil* mit alledem, was es ökumenisch angestoßen hat, und dem *Ausblick auf das Reformationsgedenken im Jahr 2017* mit der bis jetzt unbeantworteten Frage, was in jenem Jahr ökumenisch geschehen kann und soll. Die gegenwärtige ökumenische Lage in Deutschland ist durch Unsicherheit, Orientierungslosigkeit und eine gewisse *Unschlüssigkeit* gekennzeichnet.[11] Das bevorstehende Jahr 2017 bietet da die Chance, die z. Z. auseinander laufenden Kräfte wieder zu bündeln und in ein neues ökumenisches Stadium zu überführen. Dazu unterbreite ich am Schluss des Buches einige Vorschläge.[12]

IV. Schwerpunkte und Akzente

Aus dem Überblick über die vergangenen 50 Jahre ist schon deutlich geworden, dass zu unterschiedlichen Zeiten auch unterschiedliche Themen im Vordergrund standen. Als man in den 1960er Jahren um die konfessionsverschiedenen Ehen kämpfte, war an einen Konziliaren Prozess für Gerechtigkeit, Frieden und Bewahrung der Schöpfung noch nicht zu denken. Das Erstaunliche ist nun, dass die verschiedenen ökumenischen Akzentsetzungen einander nicht abgelöst haben, sondern neben-, z. T. auch miteinander weiterleben in verschiedenen Gruppen und Gebieten. Wir haben es einerseits mit einem ökumenischen *Anreicherungsprozess* zu tun, andererseits mit einem *Differenzierungsprozess* der Themen und Gruppen, weil niemand mehr alle Bereiche überblicken und zusammenhalten kann. Vielfalt ist reichlich vorhanden, ihre überzeugende Einheit jedoch noch nicht gefunden. Ich stelle kurz die *verschiedenen Schwerpunkte* vor:

1. Als man sich in den 1960er Jahren kennenlernte, stand die *Ökumene der Symbole* im Vordergrund: unterschiedliche liturgische Kleidung, unterschiedliche Kirchenräume, unterschiedliches Verhalten im Gottesdienst. Das brachte mehr Farbe und Abwechslung in die ökumenischen Begegnungen. Das protestantische Schwarz wird z. B. erträglicher, wenn ein katholisches Weiß daneben steht. Liturgische Erstarrungen geraten in Bewegung, wenn der Friedensgruß ausgetauscht wird. Sogar der reformierte Purismus wird durch ökumenische Begegnungen aufgeweicht: Kerzen und Blumen werden als Zeichen der Gegenwart und des Lobes Gottes entdeckt.

2. Nach dem Konzil begann die Zeit der *theologischen Dialoge*. Der evangelisch-lutherische mit dem römisch-katholischen Dialog ist ein Paradebeispiel, wie weit man damit kommen kann, nämlich bis zur weltweit gültigen Unterzeichnung der Gemeinsamen Erklärung zur Rechtfertigungslehre! In den 1980er Jahren hatte er um Luthers 500. Geburtstag herum seinen Höhepunkt. Inzwischen liegen die meisten Ergebnisse dieser *Ökumene der Dialoge* in vier dicken Bänden vor: Dokumente wachsender Übereinstimmung. Am bekanntesten sind die Lima-Erklärungen zu Taufe, Eucharistie und Amt von 1982 geworden. Manche Kritiker wollen dieser Ökumene des differenzierten Konsenses den Abschied geben, aber wir brauchen sie weiter für gemeinsame Erklärungen zum Abendmahl/Eucharistie und zur Kirche.

3. Nachdem das Konzil die Heilige Schrift für Katholiken wiederentdeckt hat, ist die *Ökumene der Bibel* immer mehr aufgeblüht. Sie ist nach wie vor eine der verheißungsvollsten Quellen der ökumenischen Verständigung. Evangelische Freikirchen haben hier einen besonderen Schwerpunkt, den sie 1992 und 2003 mit dem Jahr der Bibel wohltuend in das ökumenische Gespräch eingebracht haben. Wo Luther durch Entdeckungen im Römerbrief zu seiner reformatorischen Er-

kenntnis gelangt ist, wäre es nicht verkehrt, um das Jahr 2017 herum ein drittes Jahr mit der Bibel anzuberaumen.

4. Zwischen den Konfessionen hat es seit dem 16. Jahrhundert mehr als genug Verletzungen gegeben; sie belasten bis heute das ökumenische Klima. Die katholische Seite hat mit ihrem Martyrologium begonnen, der Blutzeugen des Evangeliums zu gedenken: die *Ökumene der Märtyrer* ist die überzeugendste. Nach wie vor geht es darum, die Wunden zu heilen, die Konfessionen einander zugefügt haben: Healing wounded History! Mitzuleiden, heute etwa mit den Christen im Irak, vertieft die Gemeinschaft der Christus-Nachfolger in der *Ökumene des Leidens*.

5. Evangelische Kirchenführer haben in den vergangenen Jahren versucht, die evangelische Kirche gegenüber der katholischen zu profilieren: Da war von der Ökumene der Profile, der Gaben, der Umkehr und der Herzen die Rede. Jeder Aspekt hat sein Gewicht und sein Recht; aber nicht jeder ist gleichermaßen hilfreich für unsere ökumenische Lage. Ich möchte jedenfalls die vom derzeitigen Ratsvorsitzenden der EKD *Nikolaus Schneider* eingeführte »*Ökumene der Gaben*« nachhaltig unterstreichen. Denn sie betont, dass jeder Christ und jede Konfession besondere Gaben erhalten hat, die es zum Wohl aller einzubringen gilt: die Gabe der Schriftauslegung und die Gabe der Traditionsvermittlung – wie gut können sie sich ergänzen und bereichern!

6. Taizé hat *die spirituelle Ökumene* populär gemacht: Schweigen, Gesänge und Gebete – das verbreitet sich immer mehr in Europa und darüber hinaus. Taizé-Gebete gibt es inzwischen an vielen Orten in Deutschland. In diesen Zusammenhang gehören auch die Gottesdienste der Internationalen Ökumenischen Gemeinschaft und die spirituellen Erfahrungen auf Kirchentagen. Je schwerer sich Theologen und Kirchenleitungen mit Erklärungen und Vereinbarungen tun, desto mehr beflügelt die spirituelle Ökumene die Menschen.

7. Schließlich kommt alles darauf an, was ökumenisch an der Basis der Gemeinden ankommt und umgesetzt wird. Die *Ökumene am Ort*, mit der nach dem Konzil der Siegeslauf der ökumenischen Annäherung begann, ist nach wie vor der Härtetest, den ökumenische Initiativen zu bestehen haben, wenn sie geerdet sein wollen. Hier geht es um die *Ökumene des all-täglichen Lebens*, wo es sich erweisen muss, was dem Zusammenleben vor Ort dienlich ist und was nicht. Darauf wird in diesem Buch der *Hauptakzent* gelegt.

Anmerkungen

1 In: M. von Galli/B. Moosbrugger, Das Konzil und seine Folgen (zit. KuF), Luzern/Frankfurt-Main 1966, 24.
2 So Martin Luthers hermeneutischer Schlüssel zum Umgang mit dem Alten Testament.
3 Mehr dazu s. u. Kap. IV, 147 ff.
4 Dazu s. u. Kap. I, 77 ff.
5 Dazu H.-G. Link/D. Heller/B. Rudolph/K. Raiser (Hg.), Gott des Lebens, weise uns den Weg zu Gerechtigkeit und Frieden. Offizieller Bericht der 10. Vollversammlung des Ökumenischen Rates der Kirchen vom 30. Oktober bis 8. November 2013 in Busan *(zit. Busan 2013)*, Leipzig/Paderborn 2014.
6 Dazu ihr gleichnamiges Buch: D. Sheppard/D. Worlock, Better Together. Christian Partnership in a hurt City, London 1988.
7 Zu Konkretionen s. u. den Schluss: »Ausblick auf das Jahr 2017«, 257 ff.
8 Zu den Einzelheiten vgl. O. H. Pesch, Das Zweite Vatikanische Konzil (1962 bis 1965)*(zit. 2VK)*. Vorgeschichte, Verlauf – Ergebnisse, Nachgeschichte, Würzburg (1993) 1994, 3. Auflage, 211 ff.
9 Kongregation für die Glaubenslehre (J. Ratzinger/T. Bertone), Erklärung Dominus Jesus. Über die Einzigkeit und Heilsuniversalität Jesu Christi und der Kirche,*(zit. DJ)*, VAS 148, Bonn 6. 8. 2000.

10 Dazu s. u. Kap. VII Konziliare Prozesse, 225 ff.

11 Das hat Konrad Raiser bereits vor 25 Jahren der ganzen ökumenischen Bewegung bescheinigt, in: Ökumene im Übergang. Paradigmenwechsel in der ökumenischen Bewegung?, KT 63, München 1989, 11 ff. Während die ökumenische Bewegung dieses Stadium mit seinem Höhepunkt bei der 8. Vollversammlung 1998 in Harare inzwischen längst hinter sich gelassen hat, wie die 10. Vollversammlung 2013 in Busan eindrucksvoll bestätigt hat, muss die ökumenische Szene in Deutschland dieses Stadium der Ratlosigkeit erst noch überwinden.

12 S. u. Ausblick auf das Jahr 2017, 266 ff.

I. Die ökumenische Grundlage: das Evangelium – Die Gemeinsame Erklärung zur Rechtfertigungslehre

1. Augsburg 1999, Martin Luther und heutige Erfahrungen

a) Die Unterzeichnung der Gemeinsamen Erklärung zur Rechtfertigungslehre in Augsburg

Als Tag der offiziellen Unterzeichnung der Gemeinsamen Erklärung zur Rechtfertigungslehre (GER) hatte man den *Reformationstag 1999*, 31. Oktober, glücklich gewählt; es war ein strahlender Herbstsonntag. Er begann mit einem ökumenischen Gottesdienst im *Augsburger* Dom, der schon ganz von Dank und Freude über das erreichte Ergebnis geprägt war. Die anschließende Prozession zur Sankt Anna-Kirche wurde von zahlreichen Passanten am Straßenrand willkommen geheißen. Das Fernsehen übertrug den Festakt der feierlichen Unterzeichnung. Die beiden Hauptverantwortlichen, Kardinal *Idris Cassidy* für den Vatikan und Bischof *Christian Krause* für den Lutherischen Weltbund hielten kurze Predigten zum Anlass. Nach gemeinsamer Tauferinnerung und Glaubensbekenntnis kam es zum Akt der Unterzeichnung. Zunächst wurden kurze Passagen aus der Gemeinsamen Erklärung (Z. 15 und 25) sowie die Gemeinsame Offizielle Feststellung verlesen. Dann schritten als erste die beiden Prediger zum Tisch mit den in Leder gebundenen Urkunden und unterzeichneten sie. Nachdem der Sekretär des Päpstlichen Rates zur Förderung der christlichen Einheit, damals Bischof *Walter*

Kasper, und der Generalsekretär des Lutherischen Weltbundes, der Afrikaner Dr. *Ishmael Noko*, ebenfalls unterschrieben hatten, gingen sie entschlossen aufeinander zu und umarmten sich. Das war der emotionale Höhepunkt der Feier, der einen spontanen minutenlangen frenetischen Beifall auslöste, bis auch der letzte der acht evangelisch-lutherischen Unterzeichner seine Unterschrift geleistet hatte. Auch der Friedensgruß unter allen Beteiligten wollte kein Ende nehmen; viele lagen sich in den Armen und es floss manche Träne der Ergriffenheit. So löste sich die Anspannung des Tages wie der vorangegangenen Monate und Jahre in einen herzerweichenden Jubel auf.

Etwa zur selben Zeit trat in *Rom Papst Johannes Paul II.* auf die Loggia des Petersdomes und würdigte das Augsburger Ereignis: »Es handelt sich um einen *Meilenstein* auf dem nicht leichten Weg der Wiederherstellung der vollen Einheit unter den Christen ... Das Dokument ist ... ein wertvoller Beitrag zur Reinigung des geschichtlichen Gedächtnisses und zum gemeinsamen Zeugnis ... Anlass zur Dankbarkeit ist zudem die Tatsache, dass dieses tröstliche Zeichen die Schwelle des Jahres 2000 berührt ... Die Christen kennen das Wort, dass der Engel am Tag der Verkündigung an Maria gerichtet hat: ›Bei Gott ist nichts unmöglich‹ (Lukas 1,37).«[1]

Am Nachmittag des 31. Oktober 1999 trafen sich Leiter ökumenisch orientierter Kommunitäten, unter ihnen *Chiara Lubich* für die Fokolare-Bewegung und *Andrea Riccardi* für die Gemeinschaft Sankt Egidio, im Ökumenischen Lebenszentrum *Ottmaring*, um zu beratschlagen, was der Meilenstein von Augsburg für die *ökumenischen Basisbewegungen* bedeutet. In diesen Stunden wurde der Grundstein gelegt für das »Bündnis der gegenseitigen Liebe« und die spätere internationale Initiative »Miteinander für Europa«.

In der *Kölner* Trinitatiskirche hielt noch an demselben Abend der Straßburger lutherische Theologe *Harding Meyer* einen Vortrag zum Thema und am nächsten Abend der Hamburger katholische Theologe *Otto Hermann Pesch* im Dom-Forum. Außerdem lud der evangelisch-katholische Arbeitskreis für Ökumene im Stadtbereich Köln zu einem *Lob- und Dank-Gottesdienst* in die Sankt Andreas-Kirche ein.

Seit den Auseinandersetzungen über die Frage der Rechtfertigung in der Reformationszeit, die mit dem letzten Religionsgespräch 1541 in Regensburg auf offizieller Ebene zum Erliegen kamen, ist es erst *nach über 400 Jahren* in der zweiten Hälfte des 20. Jahrhunderts zwischen den Konfessionen wieder zu einem Gespräch darüber gekommen. Am Ende dieses gut 40-jährigen Prozesses stand die Unterzeichnung der Gemeinsamen Erklärung zur Rechtfertigungslehre. Eine vielleicht zu kleine Arbeitsgruppe von Mitgliedern des Lutherischen Weltbundes und des Vatikans hatte sie im Verlauf von drei Jahren mit drei Fassungen ausgearbeitet.[2] Der endgültige Text wurde am 4. März 1997 veröffentlicht und löste auf beiden Seiten neben Zustimmung auch Irritationen bis hin zu Kontroversen aus. In einer nicht in jeder Hinsicht glücklichen Stellungnahme vom 25. Juni 1998 verlangte der Vatikan Klärungen zum Verständnis von Sünde, zum Verhältnis von Gnade und Glaube, auch zu der lutherischen Formulierung »gerecht und Sünder zugleich« (simul iustus et peccator) und zur Frage der guten Werke.

Es gab auch eine *ablehnende Kampagne*, die von Göttingen und Tübingen aus an Universitäten unter Professoren organisiert wurde, um die ganze Erklärung zu Fall zu bringen und ihre Unterzeichnung zu verhindern. Sie veröffentlichte eine Gegenerklärung, die das Verfahren und den inhaltlichen Konsens grundsätzlich in Frage stellte und die Folgenlosigkeit der GER monierte. Schlussendlich waren es über 200 deutsche evangelische Theologieprofessoren, die verschiedene Gegenerklärungen unterzeichnet hatten.[3] Es bedurfte des persönlichen Einsatzes des bayerischen evangelisch-lutherischen

Bischofs *Johannes Hanselmann* und des damaligen Kardinals *Joseph Ratzinger*, damit es zu einem die beiderseitigen Anfragen klärenden Anhang (Annex) kam sowie zu einer »Gemeinsamen Offiziellen Feststellung« vom 27. Mai 1999.

Zuvor waren alle evangelisch-lutherischen Kirchen weltweit vom Lutherischen Weltbund um ihr Votum zur Gemeinsamen Erklärung zur Rechtfertigungslehre gebeten worden. Es gab keine Gegenstimmen, auch in deutschen evangelisch-lutherischen Synoden nicht. Das macht die exzeptionelle Ausnahmerolle der deutschen evangelischen Theologieprofessoren in verschiedener Hinsicht deutlich. Sie haben dem Ansehen der deutschen evangelischen Theologie in der Öffentlichkeit und dem ökumenischen Brückenschlag von Augsburg keinen guten Dienst erwiesen. Es ist von ihnen nach Augsburg auch kein Alternativvorschlag vorgelegt worden; der Protest war mit dem Tag der Unterzeichnung beendet. Zurückgeblieben ist ein ungutes Gefühl und die Frage, warum und wieso als einzige auf der Welt deutsche evangelische Theologieprofessoren, die als Gruppe weder vorher noch hinterher je etwas zum Thema beigetragen haben, den Meilenstein der GER zu Fall bringen wollten.

Abschließend weise ich ausdrücklich darauf hin, dass es sich bei der GER um die *einzige* aller bisher erarbeiteten Dialog-Erklärungen handelt, die vom Vatikan offiziell und verbindlich ratifiziert worden ist. Das bedeutet, dass ein »*Konsens in Grundwahrheiten der Rechtfertigungslehre*« zwischen dem Vatikan und dem Lutherischen Weltbund erzielt worden ist, »in dessen Licht die entsprechenden Lehrverurteilungen des 16. Jahrhunderts heute den Partner nicht treffen«[4]. Angesichts der 400-jährigen Auseinanderentwicklung von evangelischer und katholischer Kirche und der 40-jährigen Zueinanderbewegung stellt diese erste verbindliche Vereinbarung über die Mitte des römisch-katholischen und reformatorischen

Christusglaubens ein großes Hoffnungszeichen dar. »Hätte die damalige Papstkirche erklärt, was heute von Lutheranern und Katholiken erklärt wird, dann wäre die Reformation kaum zur Kirchenspaltung geworden.«[5]

b) Luthers reformatorische Entdeckung

»Der wahre Schatz der Kirche ist das hochheilige Evangelium von der Herrlichkeit und Gnade Gottes.«[6] So lautet die 62. These von Martin Luthers berühmten 95 Thesen von 1517, mit denen er die reformatorische Bewegung auslöste. Was er unter dem Evangelium verstand und wie er es als befreiende Macht für sein Leben erfahren hat, hat er ein knappes Jahr vor seinem Tod in einem *Rückblick auf seine reformatorische Entdeckung 1545* so beschrieben: »Ein ganz ungewöhnlich brennendes Verlangen hatte mich gepackt, Paulus im Römerbrief zu verstehen; aber nicht Kaltherzigkeit hatte mir bis dahin im Weg gestanden, sondern ein einziges Wort, das im ersten Kapitel steht: ›Gottes Gerechtigkeit wird darin offenbart‹ (Römer 1,17). Denn ich hasste diese Vokabel ›Gerechtigkeit Gottes‹, die ich durch die übliche Verwendung bei allen Lehrern gelehrt war philosophisch zu verstehen von der sogenannten formalen oder aktiven Gerechtigkeit, mittels derer Gott gerecht ist und die Sünder und Ungerechten straft. Ich aber … hasste den gerechten und die Sünder strafenden Gott und war im stillen, wenn nicht mit Lästerung, so doch allerdings mit ungeheurem Murren empört über Gott … Bis ich, dank Gottes Erbarmen, unablässig Tag und Nacht darüber nachdenkend, auf den Zusammenhang der Worte aufmerksam wurde, nämlich: ›Gottes Gerechtigkeit wird darin offenbart, wie geschrieben steht: Der Gerechte lebt aus Glauben.‹ Da begann ich, die Gerechtigkeit Gottes zu verstehen als die, durch die als durch Gottes Geschenk der Gerechte lebt, nämlich aus Glauben, und dass dies der Sinn sei: Durch das Evangelium werde Gottes Gerechtigkeit offenbart, nämlich die passive, durch die uns der barmherzige Gott gerecht macht durch den Glauben, wie geschrieben ist: ›Der Gerechte lebt aus Glauben.‹ Da hatte ich das Empfinden, ich sei geradezu von neuem geboren und durch geöffnete Tore in das Paradies selbst eingetreten … Wie sehr ich vorher die Vokabel ›Gerechtigkeit Gottes‹ gehasst hatte, so pries ich sie nun mit entsprechend großer Liebe als das mir süßeste Wort. So ist mir diese Paulus-Stelle wahrhaftig das Tor zum Paradies gewesen.«[7]

An diesem Selbstzeugnis des späten Luther sind für unser Thema *drei Gesichtspunkte* bemerkenswert: Erstens handelt es sich bei der Frage nach dem Evangelium in erster Linie nicht um eine dogmatische, sondern um eine *persönliche, existentielle Angelegenheit.* Luther denkt »unablässig Tag und Nacht darüber nach«. Zweitens geht es inhaltlich beim Verständnis des Evangeliums um das Thema »*Gerechtigkeit Gottes*«, das schon im Alten Testament eine wichtige Rolle spielt. Die entscheidende reformatorische Erkenntnis liegt darin, Gerechtigkeit nicht »philosophisch«, »formal« oder »aktiv« zu verstehen, »mittels derer Gott gerecht ist und die Sünder und Ungerechten straft«, sie also »bedroht«, sondern Gerechtigkeit als »passive«, schenkende Gabe Gottes zu erfassen, »durch die uns der barmherzige Gott gerecht macht«. Mit Augustinus versteht Luther Gottes Gerechtigkeit »als die, mit der uns Gott bekleidet, indem er uns rechtfertigt«.[8] Dieser reformatorische Durchbruch wirkt sich in Luthers Leben so aus, dass er aus seiner Hölle von elendem Verlorensein, Hass und Empörung gegen Gott »durch geöffnete Tore in das Paradies selbst« eintritt. Drittens gewinnt Luther dieses reformatorische Verständnis des Evangeliums dadurch, dass er Gerechtigkeit Gottes nicht mehr für sich, isoliert und abstrakt betrachtet, sondern auf den Zusammenhang der Worte von

Römer 1,17 achtet, die *Gerechtigkeit und Glauben* miteinander in Verbindung bringen. Die objektive Gerechtigkeit Gottes und der subjektive, existentielle Glaube gehören im Rechtfertigungsgeschehen untrennbar zusammen. Luthers bildkräftige und emotionale Sprache lässt noch nach Jahrzehnten im Rückblick erkennen, was für eine befreiende und bahnbrechende Erfahrung für ihn die Entdeckung dieses wahren Evangeliums gewesen und geblieben ist.

Er hat sie wenige Jahre später in einem seiner schönsten *Lieder* poetisch und kompositorisch verarbeitet, das noch heute gern am Reformationstag gesungen wird:

> *Nun freut euch, lieben Christen g'mein,*
> *und lasst uns fröhlich springen,*
> *dass wir getrost und all in ein*
> *mit Lust und Liebe singen,*
> *was Gott an uns gewendet hat*
> *und seine süße Wundertat;*
> *gar teu'r hat er's erworben.*«[9]

An diesem *Christus-Bekenntnis* hat Luther zeitlebens bis zu seinem letzten Wort auf dem Sterbebett festgehalten.[10] In den Schmalkaldischen Artikeln sagte er, dass man davon »in nichts weichen oder nachgeben kann, mag Himmel und Erde oder was nicht bleiben will, einfallen«[11]. Es ist nach reformatorischem Verständnis der Artikel, *mit dem die Kirche steht und fällt.*[12] Weil es sich dabei nicht um irgendeinen wichtigen Aspekt neben anderen handelt, sondern um »das liebe Evangelium unseres Herrn und Heilandes Jesus Christus«, also um Kern und Stern des Christseins, hat Luther von dieser Mitte seiner reformatorischen Erkenntnis aus seine Theologie entfaltet und die Kirche gestaltet: Schrift, Predigt, Taufe, Abendmahl, Buße, Gottesdienst, Ämter, Gemeinde, Kirche, Visitation, Ethik, geistliches und weltliches Reich.

Dass es von diesem Ansatz aus zu *Konflikten* mit dem damaligen Ablasshandel, dem Papsttum und der Kirchengestalt seiner Zeit kommen musste, liegt auf der Hand. Ein einziges Zitat aus Luthers Adelsschrift »Von des christlichen Standes Besserung« steht stellvertretend für unzählige: »Denn was aus der Taufe gekrochen ist, das kann sich rühmen, dass es schon zum Priester, Bischof und Papst geweiht sei, obwohl es nicht jedem ziemt, solches Amt auszuüben.«[13]

Wenn es nun um das Evangelium als *gemeinsame ökumenische Grundlage* geht, dann muss zuerst an dieser Stelle, dem Christus- und Rechtfertigungsgeschehen, eine Verständigung zwischen evangelischen und katholischen Christen gesucht und gefunden werden. So hat es auch der ökumenische Arbeitskreis evangelischer und katholischer Theologen verstanden, der sich in den 1980er Jahren um die Aufarbeitung der gegenseitigen Lehrverurteilungen bemüht hat: »Eine Verständigung in den Lehrdifferenzen der Rechtfertigungslehre bringt uns … auch Jesus Christus und einander näher. Die Rechtfertigungslehre stellte aber die Grunddifferenz dar, an der im 16. Jahrhundert die Wege auseinandergehen. Ihre Behandlung bleibt daher die entscheidende Aufgabe für jede theologische Verständigung zwischen der römisch-katholischen Kirche und den Kirchen der Reformation. Jeder andere Konsens ist auf Sand gebaut, wenn nicht ein echter Konsens in der Rechtfertigungslehre ihn trägt.«[14]

c) Heutige Erfahrungen von Rechtfertigung

Wie und wo kann man heute etwas vom Evangelium der Rechtfertigung erfahren? Der GER ist vorgeworfen worden, ihr Inhalt sei zu schwierig zu verstehen, als dass man durch sie ein befreiter Christ werden könne. Hier muss man unterscheiden zwischen einer theologischen *Rechtfertigungser-*

klärung und dem existenziellen *Rechtfertigungsgeschehen*: beide sind wichtig, aber sie sind nicht dasselbe. Wenn für Luther seine Rechtfertigungserfahrung die Pforte zum Paradies war und für die evangelische Kirche das Evangelium von der Rechtfertigung des Sünders der Artikel ist, mit dem die Kirche steht und fällt, dann muss es möglich sein, auch heute Erfahrungen von befreiender Rechtfertigung zu machen.

Worum geht es *inhaltlich* bei dem rechtfertigenden Evangelium? Der Wiener katholische Theologe *Paul Zulehner* sagt es so: »*Wir sind von Gott geliebt – vor aller Leistung und trotz aller Schuld!*« Diese drei Schlüsselworte mit ihren Gegensatzpaaren bringen uns in das heutige Umfeld von Rechtfertigung: Liebe statt Hass, Geschenk statt Leistung, Vergebung von Schuld. In unserer heutigen Leistungsgesellschaft, in der manchmal schon Kindergartenkinder um ihre Kindheit und Heranwachsende um ihre Spielräume gebracht werden, ist es überlebenswichtig für das Menschsein, dass jedes einzelne Leben als Geschenk bejaht wird. Nur wer die Realität von Vergebung kennt, kann es sich leisten, mit Fehlern menschlich umzugehen und nicht unter dem Diktat der Unfehlbarkeit unmenschlich zu werden. Aus der Angst, nicht geliebt zu werden, befreit uns das Evangelium durch die Annahme von Gott. Erfahrene Rechtfertigung erlöst aus Teufelskreisen von Angst, Schuld und Leistungsdiktat zu einem Leben in Urvertrauen, Annahme und gegenseitiger Akzeptanz. Darum geht es im Evangelium von unserer Rechtfertigung durch Jesus Christus, das den Kirchen als befreiende Botschaft geschenkt und aufgetragen ist.

(1) Reformatorische Predigt
Wo sind nun die *Orte*, an denen sie erfahren werden kann? Hier kommt es darauf an, sie in ökumenischer Gemeinschaft wiederzuentdecken und mit Lebenskraft zu erfüllen. Für Lu-

ther waren es an erster Stelle die Orte der *Predigt* und der *Sakramente*. Wenn Kirchen heute nicht ihre Botschaft und ihre Gottesdienste und damit sich selbst aufgeben wollen, dann müssen sie sie erneut als Erfahrungsorte befreiender Rechtfertigung entdecken und gestalten und nach neuen Erfahrungsfeldern suchen.

Wie steht es um das *gepredigte* Evangelium von unserer Rechtfertigung? Im November 2013 habe ich in *Seoul/Südkorea* an einem Sonntagnachmittag an einem Jugendgottesdienst der pfingstlichen Full-Gospel-Church mit etwa 10 000 jungen Menschen teilgenommen. Es gab Musik, Lieder, Tänze, Gebete und vor allem eine gut halbstündige Predigt des jugendlichen Pfarrers. Sein Thema: Danken und Vertrauen; sein Predigttext: Römer 1,17: »Der Gerechte lebt aus Glauben.« Seine Botschaft: Gerechtes Leben heißt richtiges Leben. Das gelingt nur im Vertrauen auf den Gott, der uns auch dann nicht fallen lässt, wenn wir im Bodenlosen zu versinken drohen. Halleluja – dankt und haltet euch an diesen Retter in der Not. Es war eindrucksvoll, wie locker, heiter und mit gelungenen Scherzen der Pfarrer dieses Evangelium weitergab und die jungen Menschen zum Nachdenken und zum Lachen brachte. Nachher habe ich mich gefragt, wann ich zuletzt eine solche reformatorische Predigt in meiner evangelischen Kirche gehört habe und worüber wir an unseren Reformationstagen eigentlich reden.

Wie die *Taufe* Heranwachsender eine Erfahrung von Annahme und weltweiter Familie Gottes vermitteln kann, versuche ich in Kapitel III darzulegen. Wie *eucharistische Gastfreundschaft* zwischen unseren Kirchen mit gegenseitiger Akzeptanz zusammenhängt, soll im darauffolgenden Kapitel IV zur Sprache kommen. Luther sagt dazu: »Wo Vergebung der Sünden ist, da ist auch Leben und Seligkeit.«[15]

(2) Salbung und Segnung

In der *Thomas-Messe*, einem seit 20 Jahren auch in Deutschland sich einbürgernden Gottesdienst »für Zweifler und andere gute Christen«, gibt es den Mittelteil mit verschiedenen geistlichen Angeboten. Dort sind es besonders Segnung und Salbung, die die Menschen ansprechen. Man geht zu einer segnenden oder salbenden Person, kann ein persönliches Anliegen vorbringen und empfängt eine ausführliche Segenszusage, die mit Handauflegung auf den Kopf zugesprochen wird, oder eine Salbung auf Stirn und Hände. In dieser persönlich berührenden Form erfahren Menschen etwas von der annehmenden und aufrichtenden Kraft des Evangeliums.

(3) Beichte und Schuldabnahme

In der katholischen Kirche gibt es das Sakrament der Versöhnung und in der evangelischen müssten *Beichte und Lossprechung* wiederentdeckt werden, nicht nur auf Kirchentagen. In Luthers Kleinem Katechismus gibt es ein Kapitel »Vom Amt der Schlüssel und von der Beichte«, das als drittes Sakrament praktiziert wurde: Zu binden und zu lösen, Sünden zu erlassen und zu behalten sind Vollmachten, die Christus nicht einer bestimmten Person, sondern seiner Kirche insgesamt anvertraut hat. Luther macht deutlich, dass es dabei mehr auf die Vergebung als auf die Sünden ankommt: »Die Beichte begreift zwei Stücke in sich: erstens, dass man die Sünden bekennen, das andere, dass man die Absolution oder Vergebung vom Beichtiger empfange als von Gott selbst und ja nicht daran zweifle, sondern fest glaube, die Sünden seien dadurch vergeben vor Gott im Himmel.«[16] Hier ist der persönliche Ort, Schuld zu bearbeiten und *Schuldabnahme* zu erfahren. In evangelischen Ordinationsformularen heißt es dazu sinngemäß: Das Beichtgeheimnis gilt unverbrüchlich, auch wenn man dafür ins Gefängnis gehen muss, wie mir mein Ordinator erläuterte. Dieses Bekennen und Erlassen von Schuld ist nach evangelischem Verständnis auch kein einseitiger, vielmehr ein wechselseitiger Vorgang, in dem einer dem anderen zum Christus wird, wie Luther sagt: der wechselseitige Trost, den Christen einander zusprechen.[17]

Im katholischen Bereich haben Beichte und Absolution noch heute teilweise ihren seelsorgerischen und sakramentalen Ort. In einem Gespräch auf Augenhöhe kann Angst ausgesprochen werden und die Botschaft Jesu von der ausgestreckten Hand Gottes zum Zuge kommen. *Eugen Drewermann* hat in diesem Zusammenhang *»die Entängstigung des Religiösen«* als eine der Errungenschaften der Reformation erfasst.[18] Ein katholischer Geistlicher schreibt dazu im Blick auf Krankenseelsorge und die Begleitung von Sterbenden: »Nach einer Lebensbeichte haben Schwerkranke im Angesicht des Todes das Gefühl der Befreiung. Im Glauben an die Verzeihung und Versöhnung durch Jesus Christus können sie ruhiger dem Ende ihres irdischen Lebens entgegensehen.«[19] Die Zeit ist offenbar gekommen, das heilende, therapeutische Gespräch über den Umgang mit Schuld in unseren Kirchen wieder mehr zu pflegen und es nicht länger nur den Psychotherapeuten zu überlassen.

(4) Befreiungshandlung

Es gibt auch entlastende *Zeichenhandlungen,* wie sie Teilnehmende an meditativen ökumenischen Tagen zu Karfreitag und Ostern in Altenberg bei Köln manchmal erfahren können. Das ist eine besondere Zeit und auch ein besonderer Ort, sich über Fragen unseres Lebens auszutauschen, wie Leidenserfahrungen oder Glaubenszweifel, über die man sonst selten ins Gespräch kommt. Dort haben wir gelegentlich eine *Befreiungshandlung* vollzogen: Belastende Erfahrungen wie Ängste, Enttäuschungen, Schuld werden auf Zettel geschrieben, die niemand zu lesen bekommt. Sie werden in eine Metallschale gelegt, mit der die Gruppe schweigend zu einem

Steinkreuz auf der Wiese vor dem Chor des Altenberger Domes geht. Dort wird nach einem kurzen Moment der Stille ein Beichtgebet gesprochen. Dann werden alle Zettel in der Schale am Fuß des Kreuzes entzündet. Wenn alle verbrannt sind, wird ein Taizé-Lied gesungen und die Gruppe kehrt an ihren Ort im Alten Brauhaus zurück. Dort besteht dann noch das Angebot eines persönlichen Gesprächs und/oder einer Segnung bzw. Salbung. Eine solche Zeichenhandlung erfordert ein hohes Maß an Sensibilität, damit wirklich Befreiung – und nicht neue Belastung – erfahren werden kann.

(5) Bekenntnis und Versöhnung

Schließlich geht es heute im Umgang mit Schuld und Versöhnung nicht nur um den persönlichen Bereich, sondern auch um die Beziehungen zwischen *Gemeinden und Kirchen*, die einander Unrecht getan und Schuld auf sich geladen haben. Das sogenannte *Stuttgarter Schuldbekenntnis* vom 19. Oktober 1945 hat damals in Deutschland einen Sturm der Entrüstung hervorgerufen, während es der Evangelischen Kirche in Deutschland (EKD) den Zugang zur internationalen ökumenischen Gemeinschaft eröffnet hat.[20] Auch um das Schuldbekenntnis, das *Papst Johannes Paul II.* zur Jahrtausendwende für die katholische Kirche abgelegt hat, gab es innerhalb wie außerhalb Roms erhebliche Turbulenzen. Glücklicherweise gibt es auch zumindest *ein* positives Beispiel. Der *Lutherische Weltbund* hat auf seiner letzten Weltkonferenz in Stuttgart 2010 eine offizielle Versöhnung mit der *Mennonitischen Weltkirche* vollzogen. Schuld wurde öffentlich bekannt, und um Vergebung gebeten, die von mennonitischer Seite angenommen wurde.[21] Mit dieser lutherisch-mennonitischen Versöhnung besitzen wir nun ein Modell, wie auch Kirchen zueinander finden, in Christi Namen einander Vergebung schenken und sich als gleichrangige Glieder am Leib Christi gegenseitig anerkennen können.

2. Theologische Einsichten

Form und Inhalt der Gemeinsamen Erklärung zur Rechtfertigungslehre (GER) von 1999

(1) Aufbau

Die GER besteht aus einer Präambel (Z. 1–7) und fünf Teilen:
1. Biblische Rechtfertigungsbotschaft (Z. 8–12), 2. die Rechtfertigungslehre als ökumenisches Problem (Z. 13), 3. das gemeinsame Verständnis der Rechtfertigung (Z. 14–18), 4. die Entfaltung des gemeinsamen Verständnisses der Rechtfertigung (Z. 19–39) und 5. die Bedeutung und Tragweite des erreichten Konsenses (Z. 40–44).[22]

Die *Präambel* weist auf Bedeutung und Problematik der Thematik hin (Z. 1–2) und erläutert die Vorgeschichte der Erklärung (Z. 3–7). Daraus wird ihre Charakteristik deutlich: Sie zieht Bilanz, fasst die Ergebnisse der Dialoge zusammen, ist also »keine neue und selbstständige Darstellung« (Z. 6), sondern eine reife Frucht der bisherigen Arbeit.

Indem die eigentliche Erklärung mit einem *biblischen Teil* beginnt, folgt sie dem reformatorischen Formalprinzip, die Schrift als oberste Norm der Erkenntnis an die erste Stelle zu setzen. Dabei fällt auf, dass auch das Zeugnis des *Alten Testaments* einbezogen wird, insbesondere der Glaube Abrahams (Genesis 15,6), auf den sich Paulus mehrfach beruft (Galater 3,6; Römer 4,3–9). Ebenfalls mit Paulus wird eine Verbindung zur Taufe in den Blick genommen: Rechtfertigung »geschieht im Empfangen des Heiligen Geistes in der Taufe als Eingliederung in den einen Leib« (Z. 11). Damit ist die Beziehung zur Kirche als Leib Christi von vornherein mitgegeben.

Das *ökumenische Problem* der Rechtfertigungslehre liegt darin, dass sie im 16. Jahrhundert zu gegenseitigen *Lehrver-*

urteilungen geführt hat, »die bis heute gültig sind und kirchentrennende Wirkung haben« (Z. 1). »Für die Überwindung der Kirchentrennung ist darum ein gemeinsames Verständnis der Rechtfertigung grundlegend und unverzichtbar.« Der entscheidende Durchbruch gelingt dieser Erklärung dadurch, dass sie einen »Konsens in Grundwahrheiten der Rechtfertigungslehre« formuliert, »in dessen Licht die entsprechenden Lehrverurteilungen des 16. Jahrhunderts heute den Partner nicht treffen« (Z. 13). *Methodisch* wird dabei unterschieden zwischen dem »Konsens in den Grundwahrheiten« und »unterschiedlichen Entfaltungen in den Einzelaussagen« (Z. 14), die »in ihrer Verschiedenheit offen aufeinander hin« bezogen und deshalb miteinander »vereinbar« und »tragbar« (Z. 40) sind. Darin besteht der für diese Erklärung grundlegende »differenzierte Konsens«, ohne dessen Beachtung man den gesamten Text nicht richtig versteht.

(2) Gemeinsames Verständnis

Deshalb ist Abschnitt 3 die wichtigste Passage der Erklärung, weil er das »*gemeinsame Verständnis der Rechtfertigung*« formuliert. Er tut das mit Hilfe von drei reformatorischen solus (allein)-Aussagen: »allein aus Gnade« (sola gratia, Z. 15), »Christus allein« (solus Christus, Z. 16,18) und »Gottes Barmherzigkeit allein« (sola misercordia, Z. 17). Die verschiedenen Gesichtspunkte werden mit dem bündelnden Schlusssatz zusammengefasst: »Lutheraner und Katholiken haben gemeinsam das Ziel, in allem Christus zu bekennen, dem allein über alles zu vertrauen ist als dem einen Mittler, durch den Gott im Heiligen Geist sich selbst gibt und seine erneuernden Gaben schenkt.« Weil das gilt, darum ist die Lehre von der Rechtfertigung »ein unverzichtbares *Kriterium*, das die gesamte Lehre und Praxis der Kirche unablässig auf Christus hin orientieren will« (Z. 18). Dieser maßgebende Stellenwert der Rechtfertigungslehre für »die Kirche« wird im »Anhang«

(Annex) vom Mai 1999 noch einmal verstärkt unterstrichen: »Die Rechtfertigungslehre ist Maßstab oder Prüfstein des christlichen Glaubens. Keine Lehre darf diesem Kriterium widersprechen ... Als solche hat sie ihre Wahrheit und ihre einzigartige Bedeutung im Gesamtzusammenhang des grundlegenden trinitarischen Glaubensbekenntnisses der Kirche.«[23] Deutlicher kann man die zentrale »einzigartige« Bedeutung der Rechtfertigungslehre nicht mehr zum Ausdruck bringen.

Ihre »Grundwahrheiten« werden dann im Einzelnen mit unterschiedlichen katholischen und lutherischen Akzenten entfaltet, bei denen das *Verfahren des differenzierten Konsenses* angewandt wird: Der 1. Absatz beginnt jeweils mit »wir bekennen gemeinsam«, im 2. Absatz kommen dann lutherische und im 3. katholische Gesichtspunkte zur Sprache. Das wird in dieser Weise für *folgende sieben Themen* durchbuchstabiert: Sünde, Gerechtmachung, Glaube und Gnade, das Sündersein des Gerechtfertigten, Gesetz und Evangelium, Heilsgewissheit und gute Werke. Im erwähnten Anhang werden noch zusätzliche Erläuterungen gegeben zu weiteren Fragen nach dem Sündersein des Gerechtfertigten, der Sünde und »Konkupiszenz«, zu Gnade und Glaube, guten Werken sowie Lohn und Gericht.

(3) Folgerungen
Der fünfte und letzte Abschnitt der GER zieht dann *sieben Schlussfolgerungen*:
1. Zwischen Lutheranern und Katholiken besteht ein *Konsens in Grundwahrheiten* der Rechtfertigungslehre.
2. Die verbleibenden *Unterschiede* in Sprache, Theologie und Akzentsetzungen sind tragbar.
3. Die gegenseitigen *Lehrverurteilungen* des 16. Jahrhunderts zum Thema Rechtfertigung treffen nicht die hier jeweils vorgelegte lutherische und katholische Lehre.

4. Diese Lehrverurteilungen behalten die Bedeutung von heilsamen *Warnungen*.
5. »*Unser Konsens in Grundwahrheiten der Rechtfertigungslehre muss sich im Leben und in der Lehre der Kirchen auswirken und bewähren.*« (Z. 43)
6. Dazu gibt es weiteren *Klärungsbedarf* im Blick auf das Verhältnis von Wort Gottes und kirchlicher Lehre, die Lehre von der Kirche und die Beziehung zwischen Rechtfertigung und Sozialethik. (Z. 43)
7. Diese Erklärung ist ein *entscheidender Schritt* zur Überwindung der Kirchenspaltung.

(4) Gemeinsame Offizielle Feststellung (GOF)

Angesichts der Auseinandersetzungen im Vorfeld der Unterzeichnung der Erklärung wurde im Mai 1999 zusammen mit dem »Anhang« eine »*Gemeinsame Offizielle Feststellung*« formuliert, die die Einsichten der Erklärung bestätigt und drei Verpflichtungen eingeht:

1. Die *biblischen Grundlagen* der Lehre von der Rechtfertigung sollen vertieft werden.
2. Zu den genannten *offenen Fragen* (Z. 43) ist ein weiterer Dialog erforderlich, »um zu voller Kirchengemeinschaft, zu einer Einheit in Verschiedenheit zu gelangen, in der verbleibende Unterschiede miteinander versöhnt würden und keine trennende Kraft mehr hätten«[24].
3. In »gemeinsamem Zeugnis« soll die Rechtfertigungslehre *individuell und sozial relevant* für Menschen unserer Zeit ausgelegt werden.

Von diesen drei Verpflichtungen ist bisher nur die erste eingelöst worden mit einer Veröffentlichung zu »Biblische Grundlagen der Rechtfertigungslehre«[25].

(5) Ergebnisse

Was hat die GER für die Verständigung zwischen evangelischen und katholischen Christen und Kirchen *zuwege gebracht?* Zumindest folgende drei Errungenschaften:

1. Sie hat dem Heilshandeln Gottes in Jesus Christus und
   dem entsprechenden *Christusglauben* den höchsten Rang
   zuerkannt.
2. Sie hat der Lehre von der Rechtfertigung im Gefüge von
   Theologie und Kirche die Funktion eines *Kriteriums* ein-
   geräumt, dem keine Lehre widersprechen darf.
3. Sie hat die gegenseitigen *Lehrverurteilungen* aus dem
   16. Jahrhundert zum Thema Rechtfertigung außer Kraft
   gesetzt.

Das ist in der Tat ein »entscheidender Schritt zur Überwindung der Kirchenspaltung«, für den die Erklärung abschließend mit Recht Gott Dank sagt (Z. 44). In Ländern, in denen
die Mehrheit der Bevölkerung zur katholischen Kirche gehört
wie in Italien, Ungarn oder Argentinien, ist aufgrund der
GER eine spürbare Verbesserung in der Beziehung zu evangelischen Kirchen eingetreten.

Was hat die GER nicht erreicht? Sie hat das Thema Rechtfertigung weitestgehend nur auf der individuellen Ebene erör-
tert. Die in *Ziffer 43* in den Blick genommenen Auswirkungen
auf Leben und Lehre der Kirchen sind bislang ausgeblieben.
In *theologischer* Hinsicht zählen dazu die Verbindung zwischen dem persönlichen Geschehen der Rechtfertigung zu
dem kirchlichen Initiationssakrament der Taufe, die Verän-
derung der Lehre von der Kirche angesichts des Kriteriums
der Rechtfertigungslehre und die Auswirkungen auf den sozialen Bereich, also die Beziehung zwischen persönlicher
Rechtfertigung und umfassender Gerechtigkeit. In *pastoraler*
Hinsicht hat die GER, soweit ich sehe, in unserem Land wenig
greifbare Auswirkungen für das nähere Zusammenkommen

der Gemeinden gezeitigt, z. B. im gottesdienstlichen und gemeinschaftlichen Leben. Damit ist sie »die Wahrheit des Evangeliums«, wie Paulus sie im konkreten alltäglichen Zusammenleben versteht und einfordert (Galater 2,14), bis jetzt schuldig geblieben. Wenn und wo es in der Rechtfertigungslehre um »Maßstab oder Prüfstein des christlichen Glaubens« insgesamt geht, muss man es skandalös nennen, wenn und dass die *Gemeinden* beider betroffenen Kirchen von »diesem entscheidenden Schritt zur Überwindung der Kirchenspaltung« bis jetzt kaum etwas zu sehen, zu hören und zu spüren bekommen (haben). Bis heute sind die beiden unterzeichnenden Kirchen der von der GER selbst beanspruchten und in den Blick genommenen »Tragweite des erreichten Konsenses« nicht gerecht geworden.

3. Ökumenische Vorschläge

a) Rezeption, Reformationstag und Pfingsten

(1) Rezeption

Seit der offiziellen verbindlichen Unterzeichnung der GER befinden sich die evangelische und katholische Kirche mit ihren Gliedern in einer *ökumenisch neuen Situation*. Da sie in der Mitte des christlichen Glaubens, im Verständnis des Evangeliums, zueinander gefunden haben, überwiegt das qualitativ Gemeinsame nun das quantitativ Trennende und die Begründungszusammenhänge kehren sich um: Nicht mehr das Gemeinsame muss begründet werden, sondern das noch Trennende. Evangelische und katholische Christen sind füreinander nicht mehr Fremdlinge, vielmehr sind sie miteinander zu Gottes Hausgenossen geworden (vgl. Epheser 2,19).

Damit ist die ökumenische Bewegung in ein *neues Stadium* eingetreten. Früher standen die gegenseitigen Forderungen aneinander im Vordergrund: Erst müssen Katholiken den Vorrang der Schrift anerkennen, dann ... erst müssen Protestanten den Papst anerkennen. Inzwischen haben beide Seiten gelernt, dass solche Maximalforderungen den Weg zueinander eher verbauen als ebnen. Heute geht es darum, die »verbleibenden Unterschiede« nicht nur zu ertragen, sondern sie vielmehr als gegenseitige Bereicherung zu entdecken. Die *alte* ökumenische Fragestellung lautete: Was müssen die anderen von uns übernehmen, damit wir sie anerkennen können? Die *neue* ökumenische Fragestellung lautet nun: Was können wir von den anderen übernehmen, damit wir miteinander zu einem größeren Reichtum innerhalb des Leibes Christi kommen? Früher stand die Abgrenzung im Vordergrund, heute suchen wir nach Gemeinschaft, ohne die eigene Identität zu verleugnen. Da wir miteinander von Gottes heilsamen Gaben in der Rechtfertigung leben, suchen wir auch beieinander die Gaben, mit denen wir uns gegenseitig beschenken und bereichern können. An die Stelle einer sich voneinander abgrenzenden »Ökumene der Profile« ist die sich gegenseitig ergänzende »Ökumene der Gaben« getreten, wie Präses *Nikolaus Schneider* sie oft genannt hat.

In England spricht man in diesem Zusammenhang gern vom »*Receptive Ecumenism*«, einer Ökumene der Aufnahme bzw. der Annahme: »Nehmt einander an, wie Christus euch angenommen hat, zu Gottes Lob« (Römer 15,7). Es geht also um »*Rezeption*« der Angehörigen anderer Kirchen und ihrer Erfahrungen, auch um die Annahme ihrer Erkenntnisse und Erklärungen. Das ist vielmehr ein emotionaler als ein intellektueller Vorgang.

Wie können nun *Gemeinden vor Ort* das Evangelium von der Rechtfertigung miteinander zur Sprache bringen und umsetzen? Wenn sich ihre biblischen, ökumenischen oder

leitenden Gesprächsgruppen (Kirchengemeinderat, Presbyterium) für das Thema interessieren, können sie inzwischen
auf einen reich gedeckten Tisch an *gediegener Literatur* zu-
greifen. Nachdem sehr viel für und gegen die GER gesprochen
worden ist und wird, ist es nicht verkehrt, sie selbst erst
einmal zur *Kenntnis* zu nehmen und zu besprechen.[26]

(2) Ökumenischer Reformationstag

In vielen evangelischen Gemeinden wird seit Langem der Reformationstag am 31. Oktober in Erinnerung an den Beginn
der Reformation durch die Veröffentlichung von Luthers 95
Thesen mit Gottesdiensten oder öffentlichen Vortragsveran-
staltungen begangen. Früher geschah das gern und häufig
mit einem antikatholischen Akzent zur Hebung des eigenen
protestantischen Selbstbewusstseins. Seit der gemeinsamen
Unterzeichnung der Rechtfertigungserklärung vor 15 Jahren
ist ein solches Verstehen und Gestalten des Reformationstages
ein ökumenischer Anachronismus geworden. Denn seitdem
geht es darum, die Errungenschaften wie auch die problematischen Seiten der Reformation gemeinsam zu bedenken und
öffentlich zur Sprache zu bringen. Daher sind keine protestantischen Jubel- oder Trauerfeiern mehr zeitgemäß, sondern
eine *ökumenische Gestaltung des Reformationstages*. Das
erste, was in dieser Hinsicht zu tun ist, besteht darin, den
katholischen Partner am Ort zur Mitfeier einzuladen. Nach
jahrhundertelangen evangelischen Festreden zu diesem Anlass ist es heute naheliegend und interessanter zu erfahren,
was eine katholische Person zu Reformation und Rechtfertigung zu sagen hat. Das kann in Form einer Predigt oder eines
Vortrages geschehen, sollte aber zumindest ein ausführliches
Grußwort sein. Wenn es am jeweiligen Ort einen Ökumene-
kreis gibt, findet er in der Gestaltung einer gemeinsamen
Reformationsveranstaltung ein reiches Betätigungsfeld. Er
braucht dazu nur eine offizielle Beauftragung, in diesem Fall

von evangelischer Seite, die dadurch Entlastung erfahren kann, allerdings meistens auch von dem hohen Ross ihres protestantischen Überlegenheitsgefühls heruntersteigen muss. Erfreulicherweise gibt es inzwischen evangelische Gemeinden, die am Reformationstag zu ökumenischen Gottesdiensten einladen. Wenn man die katholische Partnergemeinde als Mitveranstalterin gewinnt, steigt oft nicht nur die Beteiligung, sondern auch das Niveau.

(3) Pfingsten – das Fest der Gemeinschaft

Das dritte christliche Hauptfest im Kirchenjahr, *Pfingsten*, führt in unseren Breiten nach wie vor ein Schattendasein im Vergleich zu den beiden anderen Festen. Es sind schon Stimmen laut geworden, die den zweiten Pfingsttag abschaffen wollen. Das ist ein Alarmsignal, das alle ökumenisch engagierten Christen auf den Plan ruft. Denn zu Pfingsten feiern wir zugleich mit der Ausgießung des Heiligen Geistes »auf alles Fleisch« den Geburtstag der Kirche. Es ist das Fest der christlichen Gemeinschaft par excellence. Die acht Präsidenten des Ökumenischen Rates der Kirchen veröffentlichen seit Jahrzehnten eine *ökumenische Pfingstbotschaft*, um das Bewusstsein für die Zusammengehörigkeit der weltweiten Christenheit zu stärken. Abgesehen davon, dass diese Botschaft in den Pfingstgottesdiensten der verschiedenen Kirchen verlesen werden will, können sich von ihr auch örtliche Geistliche anregen lassen, ihrerseits ein gemeinsames Wort für ihre Gemeinden zu verfassen, in dem sie jeweils einen besonderen Aspekt zur Sprache bringen. Dasselbe kann auf Kirchenkreis- und Dekanatsebene bzw. für den landeskirchlichen und diözesanen Bereich geschehen.

In manchen katholisch geprägten Regionen wie dem Rheinland kennt man die *Pfingstnovene*, die von Christi Himmelfahrt bis zum Samstag vor Pfingsten reicht. In letzter Zeit bringt dazu das katholische Hilfswerk für Osteuropa Renovabis jährlich ein kleines kostenloses liturgisches Heft unter einem bestimmten Thema heraus, das für jeden Tag der Novene Texte, Lesungen und Lieder enthält. Die tägliche Andacht der Novene hat folgenden einfachen Aufbau[27]:

Liturgische Eröffnung – Lied – Impuls zum Leitgedanken des Tages – Schrifttext – Stille Meditation – Fürbitten – Vater unser – Tagesgebet – Lied – Gedanken/Fragen für den Tag – Segen.

Man kann sich an jedem Abend der Novene im Gemeindehaus oder einer Kapelle für eine halbe Stunde zur gemeinsamen Besinnung treffen. Man kann aber auch, wie es sich in unserer Kölner Gemeinde einzubürgern beginnt, abends in Wohnungen und Häusern von Gemeindegliedern zusammenkommen, deren Anschriften im Gemeindebrief bekannt gemacht werden. Das hat den Vorteil des persönlichen Rahmens, der Hausgemeinde, des Einander-Näherkommens. Angeboten wird dabei nichts außer Mineralwasser. So kommt eine kleine ökumenische Christengemeinde zusammen, die sich miteinander auf das Pfingstfest vorbereitet und um das Kommen des Geistes »zu uns« betet und sich in der Fürbitte mit der weltweiten Christenheit zusammenschließt.

Wie zu Weihnachten und Ostern so gibt es auch eine *Pfingstvigil* am Vorabend des Festes. Während sie zu Weihnachten (Christvesper) überfüllt ist und zu Ostern (Osternachtfeier) gut besucht wird, findet sie zu Pfingsten in den meisten Gemeinden gar nicht statt. Wir haben sie in den neunziger Jahren im Rahmen von ökumenischen Pfingsttagen im Altenberger Dom wieder eingeführt und sehr bewegende Erfahrungen dabei gemacht.

(4) Pfingstmontag: Tag der ökumenischen Begegnung

Was geschieht am *zweiten Pfingsttag*? Nach dem katholischen liturgischen Kalender endet die Osterzeit mit dem Pfingstsonntag. Pfingstmontag beginnt die normale Zeit im Jahreskreis. Da gibt es Spielraum in der liturgischen Gestaltung. Evangelische Gottesdienste am Pfingstmontag leiden, soweit ich sehe, vielfach an Auszehrung und werden deshalb z. T. nicht mehr angeboten. Das ist mit Sicherheit das falsche Signal. Wenn die Pfingstgottesdienste insgesamt schlecht besucht werden, weil Gemeindeglieder verreisen, einen Kurzurlaub einlegen oder wenig mit Pfingsten anzufangen wissen, dann ist es höchste Zeit, sich über Verbürgerlichung, Wohlstand, Verweichlichung bis hin zur geistlichen Verwahrlosung der Kirchengemeinden kritisch Gedanken zu machen.

Auf dem Hintergrund solcher Erfahrungen mache ich den Vorschlag, aus der Not eine Tugend werden zu lassen und den Pfingstmontag als »*Tag der ökumenischen Begegnung*« zu begehen, zu gestalten und gemeindlich, landeskirchlich bzw. diözesenweit, schließlich auch bundesweit offiziell einzuführen. Im Blick auf die Gestaltung liegt nichts näher, als den Pfingstmontag mit einem ökumenischen Festgottesdienst zu beginnen oder ausklingen zu lassen. Als wir im Neubaugebiet und sozialen Brennpunkt Köln-Finkenberg erstmals zu einem ökumenischen Open-Air-Gottesdienst einluden, rechneten wir mit etwa 100 Teilnehmenden, es kamen aber fast 300. Sinnvoll ist es, wo vorhanden, den Gottesdienst und den ganzen Tag mit ausländischen christlichen Migrantengemeinden zu verbringen. An den Vormittagsgottesdienst schließt sich zwanglos ein gemeinsames Mittagessen an, zu dem alle etwas beitragen. Nachmittags kann man gemeinsam singen, tanzen, spielen, aber auch einen ökumenischen Gast einladen oder ein Thema von gemeinsamem Interesse ansprechen. Eine andere Möglichkeit besteht darin, eine bestimmte Gemeinde am Ort zu besuchen, um ihre Räume, Mitglieder und Probleme näher kennenzulernen. Schließlich kann man sich auch gemeinsam auf einen Taufbecken-, Pilger- oder Brückenweg begeben.[28] In manchen Städten – wie

z. B. in Berlin – wird zu Pfingsten auch ein Tag bzw. eine »Nacht der offenen Kirchen« angeboten.

Drei Gesichtspunkte scheinen mir für das Gelingen eines solchen *pfingstlichen »Tag(es) der ökumenischen Begegnung«* wichtig zu sein:

1. Der Tag braucht jeweils ein *Thema*, das mit (Kirchen-)Gemeinschaft zu tun hat.

2. Er braucht eine *kreative Gestaltung*, die die Bewegung des Geistes in geeigneter Form zum Ausdruck bringt. In Liverpool findet z. B. alle zwei Jahre am Pfingstsonntag die Hope-Procession durch die Hope-Street statt, die die katholische Metropolitan- mit der anglikanischen Liverpool-Cathedral verbindet. Hunderte bis tausende Menschen beteiligen sich daran.

3. Der pfingstliche »Tag der ökumenischen Begegnung« braucht *Regelmäßigkeit*, also: Verlässlichkeit, damit die Menschen am Ort sich darauf einstellen und einlassen können.

Je mehr durch die Gestaltung dieser Tag den Charakter eines Festes annimmt, desto besser ist es. Das braucht nicht nur an Pfingsten so zu sein. Es ist auch zu anderen Zeiten und Anlässen im Kirchenjahr eine gute Sache, *ökumenische Gemeindefeste* miteinander zu feiern, für die das eben Ausgeführte entsprechend Anwendung finden kann. Seit der Unterzeichnung der GER stimmt es mehr denn je: Was uns miteinander verbindet, ist mehr und stärker, als das, was uns noch trennt. Dieser ökumenische Grund- und Glaubenssatz muss sichtbare Gestalt gewinnen, sonst verkommt er zu einem billigen Allgemeinplatz. Es wird Zeit, dass wir dem Pfingstmontag ein ökumenisches Gesicht geben und der Freude über den sich unter uns ausbreitenden Geist der Gemeinschaft eine anziehende Gestalt verleihen.

b) Heilung der Erinnerungen

Während seiner Ansprache am Reformationssonntag zur Würdigung der Unterzeichnung der GER hat *Papst Johannes Paul II.* auch davon gesprochen, dass »das Dokument ... außerdem ein wertvoller Beitrag zur *Reinigung des geschichtlichen Gedächtnisses* und zum *gemeinsamen Zeugnis*« ist.[29] Er hatte schon in seiner Enzyklika Ut Unum Sint die »*notwendige Läuterung der geschichtlichen Erinnerung*« angesprochen: »Durch die Gnade des Heiligen Geistes sind die Jünger des Herrn, beseelt von der Liebe, vom Mut zur Wahrheit und von dem aufrichtigen Willen, einander zu verzeihen und sich zu versöhnen, aufgerufen, *ihre schmerzvolle Vergangenheit* und jene Wunden, die diese leider auch heute noch immer hervorruft, *gemeinsam neu zu bedenken*. Von der stets jungen Kraft des Evangeliums werden sie eingeladen, gemeinsam aufrichtig und völlig objektiv die begangenen Irrtümer sowie die Begleiterscheinungen anzuerkennen, die am Beginn ihrer unglückseligen Trennung standen.« Die Ökumene-Enzyklika schließt mit der »Hoffnung auf den Geist, der uns von den Gespenstern der Vergangenheit, von den schmerzlichen Erinnerungen der Trennung abzubringen vermag«[30]. Dieser geschichtsbewusste Pole hat mit dem Schuldbekenntnis und der Vergebungsbitte vom 12. März 2000 seinen eigenen Beitrag zur Überwindung der Schatten der Vergangenheit beigetragen.[31]

(1) Historische Wunden

Damit es zu einer Heilung kommen kann, muss man sich vor Augen führen, welche Verwundungen die katholische wie die evangelische Seite einander und anderen im Verlauf von mehr als 400 Jahren zugefügt haben. Das Unheil begann mit der feierlichen *Exkommunikation Martin Luthers* aus der römisch-katholischen Kirche durch die Bulle von Papst

Leo X. Decet Romanum Pontificem am 3. Januar 1521. Dazu hat die katholische Kirche bis heute kein offizielles Wort gesagt. Und so eitert diese Wunde fort und fort. Erinnert werden muss in diesem Zusammenhang an die Vertreibung von Waldensern, Hugenotten und Salzburgern aus ihren angestammten Gebieten um ihres reformatorischen Glaubens willen. Der *Jesuiten-Orden* spielte in der Zeit der Gegenreformation eine so unrühmliche Rolle, dass er in der Schweiz vollends verboten wurde. Bis heute ist der *Dreißigjährige Krieg* im 17. Jahrhundert das düsterste Kapitel für beide Konfessionen mit seiner Verquickung von Religion, Politik, Macht und Brutalität – ein europäischer Kreuzzug gegeneinander, der der christlichen Glaubwürdigkeit bis heute schweren Schaden zufügt. Im 19. Jahrhundert war es der *preußische Kulturkampf*, der viele Angehörige der katholischen Kirche zu Menschen zweiter Klasse degradierte und zu einer großen Entfremdung zwischen den Konfessionen führte. Wie schnell alte gegenseitige Vorurteile reaktiviert werden können, hat sich um die Jahrtausendwende gezeigt, als es ein einziger Satz der Erklärung *Dominus Jesus* schaffte, die gesamte GER vom vorhergehenden Jahr emotional in den Schatten zu stellen.[32]

(2) Verletzungen in Gemeinden

Was können *Ortsgemeinden* dazu beitragen, dass Heilung der Erinnerungen geschehen kann? Unter der Überschrift »Aufeinander zugehen« empfiehlt Abschnitt 3 der Charta Oecumenica: »Im Geiste des Evangeliums müssen wir gemeinsam die Geschichte der christlichen Kirchen aufarbeiten, die durch viele gute Erfahrungen, aber auch durch Spaltungen, Verfeindungen und sogar durch kriegerische Auseinandersetzungen geprägt ist.«[33] Der neuesten Veröffentlichung der Internationalen Kommission von 2013 »Vom Konflikt zur Gemeinschaft« ist es wenigstens ansatzweise gelungen, erstmals »eine historische Skizze der lutherischen Reformation und der katholischen Antwort« gemeinsam zu verfassen.[34] Für Ortsgemeinden geht es um die Beantwortung der Frage: *Welche Ereignisse in der Vergangenheit stehen unserer ökumenischen Gemeinschaft vor Ort heute im Wege?* Das können weit zurückliegende Auseinandersetzungen um die Wegnahme oder Verweigerung kirchlicher Gebäude sein; es kann sich um Konflikte aus der Zeit des Nationalsozialismus handeln; es können auch öffentliche Zurückweisungen oder Bevorzugungen sein. Die Schulhof-Kämpfe sind noch aus der Nachkriegszeit in Erinnerung.

Oft spielt das arrogante oder verletzende Verhalten von leitenden Geistlichen eine wichtige Rolle. In *Köln* ist es mir z. B. nicht gelungen, auch nur ein einziges Mitglied des Domkapitels dafür zu gewinnen, sich an der Aufarbeitung des Kölner Reformationsversuchs von 1543 nach 450 Jahren im Jahr 1993 zu beteiligen. Das Domkapitel verweigerte sich insgesamt der Einladung, die Ausstellung zum Thema im Historischen Archiv »Zwischen Reform und Reformation« auch nur anzusehen. Erfreulicher verlief eine öffentliche Veranstaltung in *Wuppertal* zur Auseinandersetzung über den erwähnten diskriminierenden Satz der Erklärung Dominus Jesus aus dem Jahr 2000. Vor mehreren Hundert Teilnehmenden bat der Stadtdechant für das »unglückselige Verhalten« seiner Kirche um Verzeihung. Ich habe in den siebziger Jahren in meiner *Kölner* Gemeinde ein Seminar über »Christen im sogenannten Dritten Reich« veranstaltet. Während eines der Abende bekannte ein emeritierter Pfarrer nach 40 Jahren sein damaliges Fehlverhalten. Es kommt also darauf an, in und zwischen Gemeinden eine *Atmosphäre der Versöhnung* zu schaffen, die verhindert, dass bei neu aufkommenden Problemen alte unbeglichene Rechnungen aufgemacht werden, die den gemeindlichen Frieden (zer-)stören!

(3) Konfessionsverschiedene Ehepaare

Konfessionsverschiedene Ehepaare und Familien sind bis heute Opfer der noch nicht überwundenen Kirchenspaltung. Hier ist es wichtig, Raum zu schaffen, wo die Betroffenen erzählen und sich von kirchlichem Druck entlasten können und wo Personen da sind, die ihnen zuhören. Bei einem Wochenende für konfessionsverbindende Paare in Altenberg erzählte eine evangelische Frau, wie tief es sie verletzt hat, bei der Kommunionausteilung in der katholischen Kirche ihres Mannes zurückgewiesen worden zu sein. Es war nach Jahrzehnten das erste Mal, dass sie darüber sprach und dabei in Tränen ausbrach. Wir brauchen in unseren Gemeinden solche Refugium-Orte, wo man in vertrauter und verschwiegener Runde aussprechen kann, was einen verwundet hat, damit Heilung der Erinnerungen möglich wird. Hier kann das Sakrament der Versöhnung eine wichtige neue Bedeutung gewinnen.

(4) Friedensdekade

Im November, dem Monat des Totengedenkens und des Volkstrauertages, findet seit vielen Jahren die *Friedensdekade* statt. Sie bietet Gelegenheit, Konfessions- und Religionskriege in Vergangenheit und Gegenwart zu bedenken, zu bearbeiten und zu bewältigen. Im Jahr 2014 stand die Aufarbeitung des Ersten Weltkriegs vor 100 Jahren an, der »Urkatastrophe« des 20. Jahrhunderts, und der beschämenden Rolle, die beide Konfessionen mehr zur Begeisterung als zur Beendigung des Krieges gespielt haben. Der *Buß-und Bettag* ist eine geeignete Gelegenheit, eigenes und fremdes Versagen vor Gott auszubreiten, damit es vergeben und bewältigt werden kann. Wenn die Botschaft von der Rechtfertigung besagt, dass Gott mit uns rebellischen Menschen einseitig Frieden geschlossen hat, dann ist es Aufgabe jeder christlichen Gemeinde, zur Ausbreitung dieses Friedens nach innen wie nach außen beizutragen. »*There is no way to peace, peace is the way*«, sagte

Martin Luther King: Es gibt keinen Weg zum Frieden, Friede ist der Weg.

c) Vorbereitungen für ein Fest der Versöhnung

(1) Das Jahr 2017

Die Reformation, deren Beginn wir 2017 erinnern, begann mit Luthers Kampf gegen den Ablasshandel und seiner Verkündigung eines gerecht machenden statt eines strafenden Gottes. Aber sie war nicht nur ein religiöses Ereignis, sondern auch ein politisches, wissenschaftliches und kulturelles – das macht sie zu einem *Weltereignis,* dessen nicht nur von Kirchen, sondern auch von kulturellen und staatlichen Stellen gedacht werden wird. Für die sogenannten Reformationsstädte – die meisten liegen in der ehemaligen DDR – ist es eine einmalige Chance, ihre Sehenswürdigkeiten zu restaurieren und den Tourismus zu fördern – ein ökonomischer Nebeneffekt. Es wird auch große Ausstellungen zum Reformationsbeginn geben.

Was haben die Kirchen, die ersten Adressaten des Reformationsgeschehens, für 2017 geplant? Zumindest drei Ereignisse zeichnen sich schon heute ab. Am 16. April 2017 feiern westliche und östliche orthodoxe Kirchen das *Osterfest* wieder einmal an demselben Datum, das übrigens mit dem 6. Tag des jüdischen Pessach-Festes zusammenfällt. Ob sie diese Tatsache zu einem gemeinsamen Oster-Zeugnis in und für die Öffentlichkeit nutzen werden, bleibt abzuwarten. Vom 24. bis 28. Mai findet über Christi Himmelfahrt und zu Beginn des Ramadan-Monats der *36. Deutsche Evangelische Kirchentag* zunächst in Berlin und dann am Wochenende in Wittenberg statt. Der ursprünglich vorgesehene 3. Ökumenische Kirchentag ist bedauerlicherweise nicht zustandegekommen, und welche ökumenischen Akzente der Evangelische Kirchentag setzen wird, ist noch nicht abzusehen. Das einzige heute schon feststehende ökumenische Ereignis wird vom 21. bis 28. August die »*Wittenberger Ökumenische Versammlung*« (WÖV) sein, die unter der Verantwortung der deutschen Region der Internationalen Ökumenischen Gemeinschaft (IEF) zusammen mit anderen ökumenischen Kooperationspartnern zum Thema durchgeführt wird: »Das Evangelium: der wahre Schatz der Kirche(n) – Von der Spaltung zur Gemeinschaft.«

Wie aber werden die Gemeinden vor Ort das Gedenkjahr 2017 begehen und wie bereiten sie sich darauf vor? Dazu kann man den Grundsatz aufstellen: Was heute nicht in die Wege geleitet wird, wird 2017 auch nicht stattfinden. Deshalb unterbreite ich hier drei weitere ökumenische Vorschläge:

(2) Versöhnungsgebet

Der Prior von Taizé, *Frère Alois*, hat im Rahmen eines Taizé-Gebets während der 10. Vollversammlung des Ökumenischen Rates der Kirchen im südkoreanischen Busan ausgerechnet am Reformationstag 2013 eine Ansprache zum Thema gehalten: »Vertrauen auf Gott und Versöhnung miteinander«. Um die Mauern auf dem Weg des Vertrauens, die Spaltungen zu überwinden, empfiehlt *Frère Alois*: »Wagen wir einen Schritt nach vorne! Laden wir einmal im Monat, mindestens aber einmal im Vierteljahr, die Menschen unserer Stadt oder Region zu einem *Abendgebet der Versöhnung* ein! Bereits in einem einfachen Gebet führt uns der Heilige Geist zusammen und wir stellen fest, wie sehr wir aufeinander angewiesen sind.«[35]

Auf diesem Weg werden gegenseitiges Misstrauen und gemeindliche Lethargie überwunden und es wächst eine Atmosphäre von Vertrauen und Zuversicht, die die Voraussetzung dafür ist, sich auf einen gemeinsamen Weg in Richtung 2017 zu begeben. Es braucht vor allem den gemeinsamen

Willen, zu einem solchen regelmäßigen *Versöhnungsgebet* zusammenzukommen. Man kann es jeweils in einer anderen Kirche veranstalten und ein kleiner ökumenischer Vorbereitungskreis muss es in die Hand nehmen. In Köln laden wir seit nunmehr 25 Jahren an jedem letzten Sonntagabend im Monat zu einem Ökumenischen Abendgebet in die evangelische Antoniter-City-Kirche mit anschließendem Beisammensein ein. Natürlich gab und gibt es im Laufe der Jahre ein Auf und Ab, aber das Wichtigste ist dabei, dass in der bekanntesten Kölner Citykirche in der Fußgängerzone an der Schildergasse ein regelmäßiger Ort und eine Zeit für ein gemeinsames Gebet von Christen fest etabliert ist. Wenn man ein vierteljährliches Versöhnungsgebet einrichten will, bieten sich dafür an: Aschermittwoch, Pfingstmontag, Tag der Verklärung und der Hiroshima-Katastrophe (6. August) sowie der Buß- und Bettag. *Frère Alois* schließt seine Ansprache mit dem Hinweis: »Wir suchen die sichtbare Einheit nicht, um gemeinsam stärker zu sein, sondern um unseren Glauben an den dreieinigen Gott in letzter Konsequenz zu leben.«

(3) Versöhnungsarbeit

Der alte Grundsatz ora et labora – bete und arbeite – besagt im Blick auf 2017, dass es auch eines örtlichen gemeindlichen *Weges der Begegnung* bedarf. Er kann mit gegenseitigen Gemeindebesuchen zu bestimmten Anlässen beginnen, um vor Ort Freuden und Nöte miteinander zu teilen. Dazu gehören auch ausländische Migrantengemeinden, die in Großstädten oft ein Mauerblümchen-Dasein fristen. Angesichts der sattsam bekannten Ausländerfeindlichkeit können christliche Gemeinden sich als Orte von Begegnung und Verständigung zur Verfügung stellen. Wenn aus einem kommunalen sozialen Brennpunkt ein gemeindlicher sozialer Treffpunkt geworden ist, ist am Ort ein Stück *Versöhnungsarbeit* gelungen. Wichtig sind in diesem Zusammenhang konkrete gemeinsam verantwortete örtliche Projekte für Kinder, Jugendliche, Senioren oder Menschen mit Behinderungen (Inklusion!), die ein gemeinsames christliches Zeugnis im säkularen Umfeld darstellen.[36] Es geht bei solchen und weiteren sozialen Initiativen darum, im kirchlichen wie kommunalen Umfeld vor Ort ein Klima von Verständigung und gegenseitiger Akzeptanz zu schaffen, das allen Beteiligten zugutekommt und der Nährboden für weitergehende Versöhnungsinitiativen ist.

(4) Versöhnungszeugnis

Schließlich stehen vor allem evangelische Gemeinden vor der konkreten Frage: *Was wollen wir bei uns am Ort im Jahr 2017 gemeinsam mit unserem/n katholischen Partner/n bedenken, erreichen oder sogar feiern?* Was könnte oder sollte sich vor Ort ereignen? Es könnte bzw. sollte ein *gemeinsames Zeugnis* sein, das zu erkennen gibt, dass die Gemeinden 50 Jahre nach dem Ökumenismusdekret und 500 Jahre nach dem Beginn der Reformation positiv und negativ etwas gelernt haben: positiv, dass es mehr Freude macht, miteinander statt neben- oder gar gegeneinander als Christen an einem Ort zusammenzuleben; negativ, dass schon viel zu viel Schaden durch die getrennten Wege angerichtet worden ist.

Worin kann ein solches *gemeinsames christliches Zeugnis* bestehen? Es kann ein örtlicher Ökumenetag sein, den man heute planen muss, wenn er in drei Jahren zustande kommen soll. Es kann ein Taufbeckenweg, ein Brückenweg oder ein singender Weg der Gemeinden durch ihr Dorf oder ihren Stadtteil sein.[37] Es kann ein gemeinsam gestaltetes Pfingstfest 2017 sein. Es brauchen aber keineswegs nur *Ereignisse* zu sein, man kann auch neue *Strukturen* schaffen, z. B. einen ökumenischem Gesprächs- oder Arbeitskreis am Ort einrichten, eine örtliche Arbeitsgemeinschaft Christlicher Kirchen (ACK) ins Leben rufen. Man kann einen regelmäßigen ökumenischen Treffpunkt schaffen, z. B. einen ökumenischen

Frühschoppen oder einen ökumenischen Stammtisch oder beides wie in unserer Gemeinde in Köln-Finkenberg. In Köln-Stammheim gibt es ein Café Lichtblick zum Sich-Begegnen mit Spielecke für Kinder und Beratungsangeboten für Erwachsene. Ich hoffe immer noch auf ein ökumenisches Begegnungszentrum in der Kölner Innenstadt, um das ich mich seit vielen Jahren erfolglos bemüht habe.

Der Sinn solcher Aktionen liegt darin, auf die eine oder andere Weise in der Öffentlichkeit am eigenen Ort deutlich werden zu lassen, dass wir nach 500 Jahren *gelernt haben*, dass *Rechtfertigung* eine hilfreiche und erfreuliche Gotteserfahrung ist, die alle Menschen zu ihrem Recht kommen und ihnen Gerechtigkeit widerfahren lassen will; dass wir 50 Jahre nach dem Ökumenismusdekret erfasst haben, dass Christen entweder gemeinsam eine oder getrennt keine Chance haben; dass wir über 1600 Jahre nach dem ökumenischen Glaubensbekenntnis von 381 endlich verstanden haben, wozu der Geist die Gemeinden beflügeln will: zur Verwirklichung der einen, heiligen, katholischen und apostolischen Kirche. Niemand kann heute sagen, ob es 2017 zu einem offiziellen und verbindlichen Akt der Versöhnung zwischen unseren Kirchen kommen wird. Aber jede Gemeinde kann heute beginnen, etwas dazu beizutragen, dass es an ihrem jeweiligen Ort 2017 zu einem *Fest der Versöhnung* kommt. Je mehr Christen an der Basis sich dafür engagieren, je mehr davon im Vorfeld öffentlich sichtbar wird, desto eher werden unsere Kirchenleiter Mut fassen, auch ihrerseits etwas für die Versöhnung unserer Kirchen zu tun. Die umgekehrte Reihenfolge gelingt nicht – auch das ist die Erfahrung der vergangenen 50 Jahre.

4. »Evangelisch« und »Katholisch«

Was heißt *evangelisch*? Was heißt *katholisch*? Allzu lange haben wir uns daran gewöhnt und damit zufriedengegeben, diese beiden Grundworte des Christseins in einem oberflächlichen konfessionellen Sinn zu verstehen und zu verwenden. Noch schlimmer ist es, wenn man unter Evangelisch-Sein versteht, nicht katholisch zu sein, und unter Katholisch-Sein versteht, nicht den protestantischen (Irr-)Weg zu gehen. Unser Sprachgebrauch verrät, wie stark wir noch in der *babylonischen Gefangenschaft des Konfessionalismus* eingeschlossen sind, und das oftmals, ohne es überhaupt zu bemerken.

a) Evangelisch

Ursprünglich bezieht sich das Adjektiv »*evangelisch*« natürlich auf das Substantiv »Evangelium«. In der Luther-Bibel kam früher das Wort »evangelisch« nur an einer einzigen neutestamentlichen Stelle vor und dabei ist der Zusammenhang aufschlussreich. Der Paulusschüler *Timotheus* wird ermahnt: »Du aber sei nüchtern in allen Dingen, leide willig, tu das Werk eines *evangelischen* Predigers, richte dein Amt redlich aus« (2. Timotheus 4,5). Heute steht an der entsprechenden Stelle: »Tu das Werk eines Predigers des Evangeliums.« Timotheus soll sich vom Zeitgeist weder nach rechts noch nach links bewegen lassen, sondern das Evangelium von Jesus Christus verkünden. Dessen Ausweis ist kein protestantisches Überlegenheitsgefühl, sondern die Bereitschaft zur Leidensnachfolge Christi. In diesem Sinne hat auch *Martin Luther* das Evangelium verstanden, wenn er in These 62 seiner 95 Thesen von 1517 sagt: »Der wahre Schatz der Kirche ist das hochheilige Evangelium von der Herrlichkeit und Gnade Gottes.« Evangelisch zu sein und zu leben bedeutet demnach,

Gottes Gnade in der Rechtfertigung der Gottlosen zu erkennen und darin die Herrlichkeit Gottes zu preisen.

Mit anderen Worten: »Evangelisch« ist von Hause aus kein konfessionelles, vielmehr ein *existenzielles, christusbezogenes Wort.* Wenn ich den ersten Teil dieses Buches unter die Überschrift stelle: »›Evangelische‹ *Vergegenwärtigungen*«, dann besagen die Anführungszeichen, dass mit »evangelisch« nicht das landläufige konfessionelle, sondern das existenziell-theologische Verständnis gemeint ist. Im Sinne des humanistisch-reformatorischen Fanals ad fontes, zu den Quellen, sollen im ersten Teil die »evangelischen« Quellen des ökumenischen Engagements vergegenwärtigt werden.

b) Katholisch

Das Wort »katholisch« kommt im Neuen Testament noch nicht vor. Für unsere Überlegungen ist die Formulierung im 3. Artikel des Ökumenischen Glaubensbekenntnisses von 381 maßgebend: »die eine, heilige, katholische und apostolische Kirche«. Von vornherein ist damit deutlich: »katholisch« gehört zu den Kennzeichen der, jeder (!) Kirche, ist also ein *ekklesiologisches* Wort. Man kann »katholisch« im Sinne von »an allen Orten und zu allen Zeiten«, also geographisch und historisch verstehen. Wenn der orthodoxe Patriarch von Konstantinopel den Beinamen »ökumenisch« trägt und in der Zeit der antiken Reichskirche die Konzile »ökumenisch« genannt wurden, dann ist damit die horizontale *geographische* Dimension von »katholisch« gemeint. Die Ökumene ist die ganze bewohnte Erde: ökumenisch heißt katholisch. In vertikaler *historischer* Hinsicht heißt »katholisch« das, was sich durch die Zeiten hindurch auf die Apostel berufen kann: apostolisch heißt katholisch.

Der ursprüngliche Sinn von »katholisch« geht jedoch über diese beiden Dimensionen hinaus und bezeichnet als Adverbialform des Begriffs *holos* das *Ganze* im Unterschied zu den Teilen. Katholisch ist also ursprünglich »ein *substantiell-qualitativer* und kein geographisch-quantitativer Begriff«. Wenn die Kirche im Ökumenischen Glaubensbekenntnis von Nizäa-Konstantinopel »katholisch« genannt wird, dann ist damit nicht nur ihre weltweite Ausdehnung gemeint, sondern zuerst ihre auf das Ganze des Evangeliums bezogene Qualität. »Die Teilnahme an dieser Ganzheit macht die Kirche katholisch in aller Welt und in der Gemeinde, in der das Ganze vergegenwärtigt wird.«[38] »Wo Jesus Christus ist, ist auch die katholische Kirche.«[39] Wenn der zweite Teil dieses Buches unter der Überschrift steht: »›katholische‹ Vernetzungen« dann soll damit die Verbindung jeder einzelnen Gemeinde zum Ganzen der christlichen Gemeinschaft in den Blick genommen werden.

c) Rückkehr zum ursprünglichen Wortlaut der Bekenntnisse

Auf diesem Hintergrund sollte es möglich sein, im deutschen Wortlaut des Apostolikums und des Nizänums zum Wort »*katholisch*« zurückzukehren, so wie im englischen Sprachgebrauch auch bei Anglikanern selbstverständlich von der Catholic Church gesprochen wird. Wenn es gelingt, im Jahr 2017 offiziell diesen *ursprünglichen Wortlaut* der altkirchlichen Bekenntnisse zurückzugewinnen, wird damit nicht nur eine sprachliche ökumenische Barriere geschliffen, sondern auch das konfessionelle Verständnis von »katholisch« überwunden und die ursprüngliche ganzheitliche Dimension der Kirche wiedergewonnen.

Evangelisch sein und leben heißt, sich an dem Evangelium von Jesus Christus zu orientieren. *Katholisch* sein und leben heißt, sich an der ganzen Wahrheit des Christseins und nicht nur an Teilen zu orientieren.

Weiterführende Literatur

F. Hauschildt u.a. (Hg.), Die Gemeinsame Erklärung zur Rechtfertigungslehre. Dokumentation des Entstehungs- und Rezeptionsprozesses, Göttingen 2009, 1115 S.

Gemeinsame römisch-katholische/evangelisch-lutherische Kommission (Hg.), Kirche und Rechtfertigung. Das Verständnis der Kirche im Licht der Rechtfertigungslehre, Frankfurt/Main – Paderborn 1994, 151 S.

H. Schäfer, Die Botschaft von der Rechtfertigung. Eine Einführung in ihr biblisch-reformatorisches Verständnis, im Auftrag der VELKD, Hannover 1997, 47 S.

W. Greive (Hg.), Rechtfertigung in den Kontexten der Welt, LWB-Dokumentation Nr. 45, Genf 2000, 242 S.

H.-G. Wirtz (Hg.), Die Gemeinsame Erklärung zur Rechtfertigungslehre. Konsequenzen für das Leben und Handeln der Kirchen, Weimar 2003, 90 S.

W. Klaiber (Hg.), Biblische Grundlagen der Rechtfertigungslehre. Eine ökumenische Studie zur Gemeinsamen Erklärung zur Rechtfertigungslehre, Leipzig/Paderborn 2012, 75 S.

Evangelisch-lutherische/römisch-katholische Kommission für die Einheit (Hg.), Vom Konflikt zur Gemeinschaft. Gemeinsames lutherisch-katholisches Reformationsgedenken im Jahr 2017, Leipzig/Paderborn 2013, 102 S.

Anmerkungen

1 In: Kölner Ökumenische Nachrichten *(zit. KÖN)*, 4/9, Oktober bis Dezember 1999, gelbe Blätter Nr. 5; *Hervorhebungen* im Text stammen in der Regel von mir.

2 Text in: F. Hauschild u. a. (Hg.), Die Gemeinsame Erklärung zur Rechtfertigungslehre *(zit. GER)*. Dokumentation des Entstehungs- und Rezeptionsprozesses, Göttingen 2009, 273 ff.

3 In: GER 492 ff., 944 ff.

4 Z. 13, GER 277.

5 E. Jüngel zur GER, in: KÖN 4/9, gelbe Blätter Nr. 9.

6 Disputation zur Erläuterung der Kraft des Ablasses. 95 Thesen von 1517, in: K. Bornkamm/G. Ebeling, Martin Luther. Ausgewählte Schriften I *(zit.: Luther I)*, Frankfurt/Main 1983, 2. Auflage, 33.

7 Vorrede zum 1. Band der Wittenberger Ausgabe der lateinischen Schriften Luthers, 1545, in: Luther I, 22 ff.

8 Luther I, 24.

9 Evangelisches Gesangbuch *(zit. EG)* Nr. 341; Text und Melodie von 1523. In zehn Strophen beschreibt und bedenkt Luther im Ich-Du-Stil seine Erfahrungen mit dem Evangelium; vgl. auch seine Auslegung des Zweiten Glaubensartikels in: Der Kleine Katechismus Doktor Martin Luthers *(zit. KKL)*. Revidierte Fassung, GTB 1000, Gütersloh (1958), 1987, 23. Auflage, 9. Vgl. auch Frage 1 des reformierten Heidelberger Katechismus: »Was ist dein einziger Trost im Leben und im Sterben?«, In: Heidelberger Katechismus. Revidierte Ausgabe, Neukirchen-Vluyn 1997, 7 f.

10 Vgl. M. Brecht, Martin Luther *(zit. ML)*, Bd. 3, Stuttgart 1987, 369.

11 In: H. G. Pöhlmann (Hg.), Unser Glaube *(zit. UG)*. Die Bekenntnisschriften der evangelisch-lutherischen Kirche. Ausgabe für die Gemeinde *(zit. UG)*, Gütersloh (1986), 1991, 3. Auflage, 451.

12 Articulus stantis et cadentis ecclesiae.

13 An den christlichen Adel deutscher Nation. Von des christlichen Standes Besserung 1520, in: Luther I, 156 f.

14 K. Lehmann/W. Pannenberg, Lehrverurteilungen – kirchentrennend? I *(zit. LVK I)*, DdK 4, Freiburg i. B./Göttingen 1986, 43.

15 KKL, 5. Hauptstück: Das Sakrament des Altars oder das heilige Abendmahl, 16.

16 KKL 17.

17 Mutua consolatio fratrum et sororum; vgl. Von der Freiheit eines Christenmenschen, Z. 27, Luther I, 260.

18 450 Jahre verweigerte Reformation. Vortrag in der Kölner Messe am 30. 11. 1992, in: H.-G. Link (Hg.), Vielfältiges Bedenken. Beiträge zur Geschichte und Aufarbeitung des Kölner Reformationsversuchs 1543–1993, Kölner Ökumenische Beiträge (zit. KÖB) Nr. 36, Köln Januar 1996, 75 ff.

19 Clemens Wilken in einem Schreiben zum »Erlebnis der Rechtfertigung« vom 29. Juli 2014.

20 Dazu: H.-G. Link, Ein neuer Anfang. Die Stuttgarter Erklärung in ökumenischer Sicht, Ökumenische Rundschau (zit. ÖR) 34,4/1980, 484 ff; ÖR 35,1/1986, 40 ff.

21 Dazu: Heilung der Erinnerungen – Versöhnung in Christus. Bericht der internationalen lutherisch-mennonitischen Studienkommission, Genf 2010.

22 In: GER 273-285.

23 GER 922.

24 GER 920.

25 Hg. v. W. Klaiber, Eine ökumenische Studie zur Gemeinsamen Erklärung zur Rechtfertigungslehre, Leipzig/Paderborn 2012.

26 Das Straßburger Institut für ökumenische Forschung hat schon 1997 ein Heft mit Wortlaut, Einleitung und Kommentar zur GER herausgebracht: Die Gemeinsame Erklärung zur Rechtfertigungslehre. Ein Kommentar (ISBN 3-90 67 06-55-9). Außerdem ist zu empfehlen: U. Swarat u. a. (Hg.), Von Gott angenommen – in Christus verwandelt. Die Rechtfertigungslehre im multilateralen ökumenischen Dialog, Beihefte zur Ökumenischen Rundschau (zit. BÖR) Nr. 78, Frankfurt/Main 2006; W. Greive (Hg.), Rechtfertigung in den Kontexten der Welt. LWB-Dokumentation Nr. 45, Genf/Stuttgart 2000; E. Moltmann-Wendel, L. Schottroff u. a., in: Evangelische Theologie (zit. EvTh) 60, 5/2000, 331 ff; N. Schneider (Hg.), Rechtfertigung und Freiheit. 500 Jahre Reformation 2017. Ein Grundlagentext des Rates der EKD, Gütersloh 2014. Vgl. auch die »Weiterführende Literatur« am Ende des Kapitels.

27 Pfingstnovene 2013, bei: Renovabis, Domberg 27, 85354 Freising, www.renovabis.de.

28 Dazu s. u. Kap. VI., 215 ff.

29 KÖN 4/9, 1999, gelbe Blätter Nr. 5.

30 Über den Einsatz für die Ökumene (zit. UUS), Bonn 25. Mai 1995, Verlautbarungen des Apostolischen Stuhls *(zit. VAS)* Nr. 121, Z. 2, 6; Z. 102, 72.

31 In: Lange Wege ..., Bonn 22. Juni 2009, AH 227, 191 ff.

32 Er lautet: »Die kirchlichen Gemeinschaften hingegen, die den gültigen Episkopat und die ursprüngliche und vollständige Wirklichkeit des eucharistischen Mysteriums nicht bewahrt haben, *sind nicht Kirchen im eigentlichen Sinn* ...«, in: Über die Einzigkeit und die Heilsuniversalität Jesu Christi und der Kirche *(zit. DI)*, Bonn 6. August 2000, Z. 17, 23 (Hervorhebung von mir).

33 Konferenz Europäischer Kirchen (KEK)/Rat der Europäischen Bischofskonferenzen (CCEE), Charta Oecumenica. Leitlinien für die wachsende Zusammenarbeit unter den Kirchen in Europa, Genf/St. Gallen 2001, Z. 3, 6.

34 KzG, a. a. O. 26 ff.

35 In: H.-G. Link u. a. (Hg.), Gott des Lebens, weise uns den Weg zu Gerechtigkeit und Frieden. Offizieller Bericht der 10. Vollversammlung des Ökumenischen Rates der Kirchen in Busan, Leipzig/Paderborn 2014, 132 ff.

36 Dazu mehr unter Kap. V.: Gemeindepartnerschaften am Ort, s. u. 184 ff.

37 Dazu mehr unter Kap. VI.: Pilgerwege zu spirituellen Orten, s. u. 215 ff.

38 A. Kallis, Orthodoxie. Was ist das? Mainz (1979) 1988, 4. Auflage, 15.

39 Ignatius von Antiochia, Brief an die Smyrner 8,2.

TEIL A

»EVANGELISCHE« VERGEGENWÄRTIGUNGEN

II. »Die Seele der ganzen ökumenischen Bewegung«: die geistliche Ökumene

1. Geistliche Erfahrungen im Kölner Bereich

a) Gespräche: Grosche – Encke, Beckmann – Jaeger und Gesprächsgruppen

In Köln haben neben vielen gemeindlichen Initiativen vor allem *vier Gruppen* die Ökumene beflügelt:

(1) Robert Grosche und Hans Encke

Am 18. Januar 1945, als sich die militärische Lage im Weichselbogen zuspitzte, im Westen das Frontschießen bedrohlich zunahm und auf Köln wieder einmal Bomben abgeworfen wurden, schrieb der Kölner Stadtdechant Dr. *Robert Grosche* in sein Tagebuch: »Die Wiedervereinigungsfrage darf auch jetzt im Krieg nicht außer Acht gelassen werden. Der Krieg hat neue Begegnungen herbeigeführt. Vorher war es jahrzehntelang eine theologische Begegnung … Jetzt ist es eine persönliche Begegnung vor allem der Geistlichen beider Konfessionen … Dann aber auch eine Begegnung des Kirchenvolkes …«[1] Es war der erste Tag der Gebetswoche für die Einheit der Christen, an dem Grosche mitten im Zusammenbruch des sogenanten Dritten Reiches diese Gedanken zu Papier brachte. Während dieser Woche machte er Besuche im Krankenhaus, meditierte über Messtexte, führte viele Gespräche, hielt eine Bibellesung mit Kaplänen und sprach am 24. Januar auf einer Pastoralkonferenz »über die psychologischen Voraussetzungen der Wiedervereinigung: Abbau der Missverständnisse, Überwindung des Hochmuts, ehrliche Anerkennung der bei den anderen vorhandenen Werte, Eingeständnis des durch die Kirchenspaltung bei uns selbst eingetretenen Verlustes an natürlicher Substanz.«[2] Gut drei Monate vor der deutschen militärischen Kapitulation, in einer Zeit, in der es für die meisten Menschen nur noch um das nackte Überleben ging, dachte Robert Grosche über die Wiedervereinigung der Christen nach! Diese kleinen Tagebuchnotizen geben etwas von der ökumenische Gesinnung, von der Weite und Souveränität seines theologischen Denkens und Handelns zu erkennen.

Grosche, der schon in den dreißiger Jahren Karl Barth kennengelernt hatte, verfolgte seine Überlegungen zur »Wiedervereinigung« der Kirchen nicht nur während dieser einen Woche. Er hielt auch Vorträge darüber vor katholischen Akademikern und nahm Kontakt auf zu dem evangelischen Kölner Stadtsuperintendenten *Hans Encke*. Auch er hatte seine ersten ökumenischen Begegnungen im Krieg erlebt: Ich denke an »die schweren und doch so beglückenden Erfahrungen beider Kirchen im Dritten Reich, nicht zuletzt im Kriege. Dort haben wir wieder gelernt zu beten, in Angst und Todesnot, in kleinsten Kreisen und in großen Scharen, in Kellern und Luftschutzbunkern zusammengepfercht. So haben viele von uns es erfahren und nicht vergessen.«[3]

(2) Robert-Grosche-Kreis

Aus dieser Verbindung zwischen Grosche und Encke ging schon Anfang 1946 die Gründung eines »ökumenischen Arbeitskreises« hervor, der sich die gemeinsame Auslegung neutestamentlicher Schriften zur Aufgabe machte. »Wir beginnen am 22. Januar, 10:00 Uhr, im Pfarrhaus Mariä Himmelfahrt, Marzellenstraße 26, mit der Auslegung von 1. Korinther 1,1–9.«[4] Damit war ein gutes halbes Jahr nach Kriegsende in Köln der erste ökumenische Gesprächskreis aus der Taufe gehoben – eine Pioniertat!

Dieser ökumenische Arbeitskreis aus anfänglich je sechs evangelischen und katholischen Pfarrern kam über 20 Jahre lang unter der Leitung von Stadtdechant Grosche und Stadtsuperintendent Encke regelmäßig monatlich zusammen, um miteinander die neutestamentlichen Briefe an die Korinther, Epheser und Hebräer zu besprechen, auch das Markusevangelium u. a. kam an die Reihe. Hans Encke erinnerte sich: »Uns allen, die wir es erlebt haben, (bleibt) unvergesslich, wie Grosche nach Beendigung der ersten Auslegung das Vaterunser betete und hinzufügte: Wo Christen gemeinsam im Glauben dieses Gebet beten, da ist die Una Sancta Ecclesia.«[5] Grosche war ebenfalls beeindruckt von den Erfahrungen, die er in den jahrzehntelangen Gesprächen machte: »Diese Gespräche haben gezeigt, mit wie viel Gewinn auf beiden Seiten man unter Theologen auch die heißesten Eisen anfassen kann. Man kann heute mit evangelischen Theologen nicht nur über die Rechtfertigung, über die Tradition, über das kirchliche Amt, über die Eucharistie als Opfer, über die Mutter Gottes, sondern sogar über den Papst reden.«[6]

Nach Grosches Tod 1967 übernahm der Kreis seinen Namen und nannte sich fortan »Robert-Grosche-Kreis«, wie das offizielle »Kölner ökumenische Bibelgespräch« bis heute inoffiziell genannt wird.[7] Dieser ökumenische Bibelgesprächskreis, längst um Frauen und Laien bereichert, trifft sich bis zum heutigen Tage – seit einigen Jahren sogar wieder in der Marzellenstraße 26, wo heute die erzbischöfliche Bibel- und Liturgieschule untergebracht ist –, um nach wie vor biblische Texte miteinander zu besprechen, und macht dabei wie eh und je erstaunliche und beglückende Erfahrungen.[8]

(3) Präses Beckmann und Kardinal Jäger

Knapp 20 Jahre nach der Gründung des Grosche-Encke-Kreises kam es während des 12. Deutschen Evangelischen Kirchentages in Köln zu einem epochalen ökumenegeschichtlichen Ereignis, als am 30. Juli 1965 der Präses der Evangelischen Kirche im Rheinland, Professor Dr. *Joachim Beckmann*, und der Paderborner Erzbischof Kardinal *Lorenz Jaeger* ein öffentliches Podiumsgespräch zum Thema führten: »Katholiken und Protestanten angesichts des Konzils«. Was uns heute nicht mehr spektakulär vorkommt, wurde damals von der Presse so kommentiert: »Seit dem Streitgespräch zwischen Cajetan und Luther in der Reformationszeit war es das erste Mal, dass ein römisch-katholischer Kardinal und Wissenschaftler mit einem evangelischen Theologieprofessor und Kirchenführer vor breitester Öffentlichkeit und auf höchster Ebene freimütig diskutierte.«[9] Im Unterschied zu damals (1518) ging es nach 447 Jahren zwischen den Gesprächspartnern freundlich und verständnisvoll zu. Präses Beckmann schrieb im Rückblick: »Hier ist ein neuer Anfang …Wir (haben) angefangen, aus einer abgewandten Situation eine zugewandte zu machen, d. h., wir fangen wieder an, miteinander zu sprechen, was wir 400 Jahre fast nicht mehr getan haben«.[10] Es ging in diesem programmatischen Gespräch um die Themen Kirche, Taufe, Papst, Gottesdienst, Hierarchie der Wahrheiten, Schrift und Tradition und die Abendmahlsfrage.[11] Inhaltliche Ergebnisse hatte von einem derartigen ersten offiziellen Dialog vermutlich niemand erwartet, aber der ökumenische »Geist von Köln« hinterließ seine Spuren, die der Moderator des Gesprächs, der WDR-Intendant Klaus von Bismarck, so zusammenfasste: »Weil dies Gespräch in einer solchen Atmosphäre der Herzlichkeit und Sachlichkeit geführt worden ist, kann es, so meine ich, Modell sein für den ökumenischen Dialog.« Er schloss mit dem Wunsch, dass eine neue Hinwendung zum Evangelium die Konfessionen von einem »unbußfertigen Konfessionalismus« zu einem »gläubigen Ökumenismus« beflügelt.[12]

(4) Arbeitsgemeinschaft Christlicher Kirchen in Köln (ACK)

Das Zweite Vatikanische Konzil (1962–1965) wirkte sich wie an vielen Orten so auch im Kölner Bereich auf das Zueinander der Konfessionen ausgesprochen positiv aus. Bereits im Eröffnungsjahr des Konzils wurde 1962 ein »*Ökumenischer Arbeitskreis der Kirchen in Köln*« ins Leben gerufen, aus dem nach 27 Jahren im Herbst 1989 die »*Arbeitsgemeinschaft Christlicher Kirchen in Köln*« *(ACK)* hervorgegangen ist. Sie agiert seit nunmehr 25 Jahren als offizielles Koordinationszentrum der Kölner ökumenischen Initiativen. Außer regelmäßigen ökumenischen Gottesdiensten zu Beginn jedes Jahres während der Gebetswoche für die Einheit der Christen hat die Kölner ACK erstmals zum 750-jährigen Jubiläum der Grundsteinlegung des Domes 1998 und dann zu besonderen Anlässen immer wieder »Kölner ökumenische Brückenwege« inszeniert, bei denen unter einem bestimmten Motto sich hunderte Christen auf den Weg über die Kölner Rheinbrücken machen. Bundesweit bekannt wurde die Kölner ACK mit ihrem aus Regenbogenfarben gestalteten, sechs Meter hohen Ökumenekreuz, das in seiner mehrdimensionalen Form auch als Taube des Heiligen Geistes gesehen wird und auf Kirchen-und Katholikentagen einen willkommenen spirituellen Blickfang bietet.

(5) Evangelisch-katholischer Arbeitskreis

Anfang der achtziger Jahre ergriffen der Kölner Stadtsuperintendent *Heinz Aubel* und Stadtdechant Dr. *Johannes Westhoff* die Initiative und gründeten den »Evangelisch-katholischen Arbeitskreis für Ökumene im Stadtbereich Köln«. Ihm sind die »*Kölner Ökumenetage*« zu verdanken, die zu aktuellen ökumenischen Themen Vorträge, Gespräche, Gottesdienste und Erklärungen anbieten. Der erste Ökumenetag fand im Herbst 1984 zu den sogenannten Lima-Erklärungen von 1982 statt, Motto: »Zusammenwachsen in Taufe, Eucharistie und Amt«. Der vorerst letzte und 12. Kölner Ökumenetag wurde am Pfingstmontag, 28. Mai 2012, unter der Überschrift veranstaltet: »Ökumene lebt vom Aufbruch – jetzt!«[13]. Der nächste ist bereits in Vorbereitung und soll im Jahr 2016 zu einem reformatorischen Thema stattfinden.

(6) Kölner Ökumenischer Studienkreis

Als vierter und letzter Gesprächskreis für den gesamten Kölner Bereich ist der »*Kölner ökumenische Studienkreis*« zu nennen, den der Köln-Bonner katholische Theologieprofessor *Johannes Brosseder* und ich vor über 25 Jahren ins Leben gerufen haben. Der Studienkreis setzt sich während der Winterhalbjahre anhand eines erhellenden Buches mit wichtigen ökumenischen Gegenwartsfragen auseinander wie »das Papsttum als ökumenisches Problem«, »Maria und die Heiligen« oder »Mahl des Herrn«. Oft fasst er zum Abschluss eines Halbjahres seine Erkenntnisse in einem veröffentlichten Text zum jeweiligen Thema, manchmal auch mit einer öffentlichen Erklärung zusammen.[14] Im Jahre 1993 hat er sich maßgeblich um die Aufarbeitung des *Kölner Reformationsversuchs* vor 450 Jahren – 1543 – bemüht und dazu den »Kölner Appell 93« veröffentlicht: »Spaltung beenden – Gemeinschaft beginnen«[15]. Darüber hinaus haben wir in Köln dieses Gedenkjahr 1993 zum Anlass genommen, das damals Zerbrochene mit Vortragsreihen, dem 6. Kölner Ökumenetag, einer Studienreise, einer ökumenischen Woche (»Geistesblitze nach 450 Jahren«), mit Gottesdiensten, Gesprächen und Konzerten bis hin zu einer Ausstellung im inzwischen eingestürzten Historischen Archiv Köln (»Zwischen Reform und Reformation«) in ökumenischem Geist zu überwinden.[16] Es ist uns vielleicht ansatzweise gelungen.

b) Begegnungen in der Kölner Innenstadt

(1) Ökumenisches Abendgebet in der Antoniterkirche

Um nicht nur am Rande, sondern auch im Zentrum der Kölner Innenstadt einen ökumenischen Begegnungsort zu gewinnen, habe ich im Herbst 1989 in der evangelischen Antoniter-City-Kirche an der Schildergasse das *ökumenische Abendgebet* eingerichtet, das bis heute an jedem letzten Sonntagabend im Monat dort gehalten wird. Seine Grundidee besteht darin, mit einer Gruppe engagierter Mitstreiter und Mitstreiterinnen für die Kölner ökumenische Szene im Zentrum einen monatlichen Treffpunkt zu schaffen, an dem man geistlich aufgerichtet wird und anschließend bei geselligem Beisammensein ökumenische Ideen miteinander austauschen und sich so gegenseitig inspirieren kann. Uns geht es dabei nicht so sehr um spektakuläre Personen, Ereignisse oder Aktionen, vielmehr um ein kontinuierliches Zueinander und Miteinander der ökumenisch interessierten Menschen in unserer Stadt. Einen besonderen Akzent legen wir dabei auf Musik, Zeichenhandlungen und Feiern.

(2) 750 – Jahrfeier des Domes 1998

Anlässlich der 750-Jahrfeier der Grundsteinlegung des Domes gab sogar die *Hohe Domkirche* ihre ökumenische Zurückhaltung auf und lud im Jahr 1998 zu insgesamt sieben ökumenischen Feiern ein. Die Reihe begann mit einem in der Tat spektakulären Ereignis, als zum Weltgebetstag am 6. März zum ersten und bisher einzigen Mal eine Frau die Kanzel des Kölner Domes bestieg, Pfarrerin Almuth Voss, und vor Tausenden über »fihavanana« predigte, das Band, das Menschen im Indischen Ozean und Christen auf der ganzen Welt verbindet. Zu Beginn des eigentlichen Domjubiläums predigte Präses Kock in einem weiteren ökumenischen Gottesdienst in der Kathedrale zum Thema »*Versöhnung braucht Begegnung*«.

Erstmals lag eine Luther-Bibel aus der evangelischen Trinitatis- Kirche auf dem Hauptaltar des Kölner Domes. Als dann ein eigens angefertigter überdimensional großer Herrnhuter Stern an Seilwinden dicht über dem Altar hochgezogen wurde und dort zum Motto des Jubiläums »Wir haben seinen Stern gesehen« erleuchtet hängen blieb, da breitete sich Ergriffenheit unter den tausenden Teilnehmenden aus und manches Auge wurde feucht. Das war vielleicht der bisherige emotionalste Höhepunkt auf dem Emmaus-Weg der Christen in Köln.

(3) Weltjugendtag – Kirchentag – Eucharistischer Kongress

Nach der Jahrtausendwende gab es große kirchliche Ereignisse in Köln, bei denen die ökumenische Annäherung jedoch eher eine beiläufige als programmatische Rolle spielte. So war es während des *Weltjugendtages 2005*, als viele evangelische Christen für katholische Gäste ihre Wohnungen öffneten, ein Brückenweg durch die Innenstadt führte und die Trauer um die Ermordung des Taizé-Priors Roger Schutz Menschen zusammenschloss. Zwei Jahre später kam es während des *31. Deutschen Evangelischen Kirchentages* in Köln auf dem überfüllten Roncalliplatz neben dem Dom zu einem denkwürdigen musikalischen Brückenschlag zwischen der bundesweit bekannten und beliebten Kölner Band Black Föös und evangelischen Posaunenchören. Zum nationalen *Eucharistischen Kongress* Anfang Juni 2013 in Köln steuerten dann die beiden Stadtakademien »ökumenische Interventionen« bei mit dem programmatischen Wort: »Nehmt und esst alle davon!«

Wenn man die fast 70 Jahre seit 1945 Revue passieren lässt, dann kann man die beachtliche Wegstrecke ermessen, die Christen im Kölner Bereich zueinander und miteinander zurückgelegt haben: von den ersten 12 Geistlichen um *Robert*

Grosche bis zu überfüllten Messehallen, Kirchen und Plätzen. Ähnlich wird der Weg an anderen Orten verlaufen sein. Inzwischen hat sich die katholische Kirche »unumkehrbar dazu verpflichtet, den Weg der Suche nach der Ökumene einzuschlagen und damit auf den Geist des Herrn zu hören, der uns lehrt, aufmerksam die Zeichen der Zeit zu lesen.«[17] Insofern können und sollten alle, die sich an dem bisherigen geistlichen Weg zueinander beteiligt haben, dankbar sein für das, was sie schon bisher haben erleben und erfahren dürfen, vor allem, wenn sie es zu dem ins Verhältnis setzen, was in Jahrhunderten zuvor auseinandergelaufen ist.

2. Theologische Einsichten

Geistliche Ökumene in der katholischen Kirche

(1) Papst Paul VI.

Welche Grundlagen hat die geistliche Ökumene in der katholischen Kirche? *Papst Paul VI.* hat in seiner Eröffnungsrede zur 2. Session des Konzils am 29. September 1963 im Blick auf die anwesenden Delegierten der von der katholischen Kirche getrennten christlichen Gemeinschaften u. a. gesagt: »Wenn uns eine Schuld an dieser Trennung zuzuschreiben ist, so bitten wir demütig Gott um Verzeihung und bitten auch die Brüder um Vergebung, wenn sie sich von uns verletzt fühlen. Was uns betrifft, sind wir bereit, der Kirche zugefügtes Unrecht zu verzeihen und den großen Schmerz ob der langen Zwietracht und Trennung zu vergessen.«[18] Das waren Worte, wie sie die nicht-katholischen Christen aus dem Mund eines Papstes zuvor noch nie vernommen hatten. Auch auf katholischer Seite begann die Hinwendung zu anderen Christen mit dem Eingeständnis eigener Schuld, und das von höchster

Stelle. Die Worte von Papst Paul VI. haben bei evangelischen Christen und Kirchen in Deutschland zu einem emotionalen Durchbruch in den evangelisch-katholischen Beziehungen geführt. Der *Rat der EKD* hat darauf mit einem »Wort … zum derzeitigen Gespräch zwischen den Konfessionen« vom 19. März 1964 geantwortet. Darin steht nun als Antwort zu lesen: »So lassen wir, die wir uns mit Freuden evangelische Christen nennen, uns auch im Gespräch zwischen den Konfessionen mit ganzem Ernst zur fünften Bitte des Vater Unsers rufen: Vergib uns unsere Schuld, wie wir vergeben unseren Schuldigern. Jeder einzelne prüfe sich, wo er im Umgang mit dem römisch-katholischen Mitchristen Verzeihung erbitten oder gewähren muss.«[19] In beiderseitiger Rückbesinnung auf die fünfte Bitte des Vater Unsers und ihre Anwendung auf die gegenseitigen Beziehungen hat das evangelisch-katholische Verhältnis in Deutschland 1963/64 eine erste geistliche Grundlegung erhalten.[20]

Dass es sich bei den Worten von Papst Paul VI. nicht nur um eine Captatio benevolentiae zu Beginn eines neuen Pontifikats gehandelt hat, zeigen ähnliche Sätze im *Ökumenismusdekret* vom 21. November 1964 ein gutes Jahr später: »Auch von den Sünden gegen die Einheit gilt das Zeugnis des heiligen Johannes: Wenn wir sagen, wir hätten nicht gesündigt, so machen wir ihn zum Lügner, und sein Wort ist nicht in uns' (1. Johannes 1,10). In Demut bitten wir also Gott und die getrennten Brüder um Verzeihung, wie auch wir unseren Schuldigern vergeben.«

(2) »Getrennte Brüder«, »getrennte Kirchen und Gemeinschaften«

Das *Ökumenismusdekret* ist insgesamt vom Geist der Zuwendung zu den »*getrennten Brüdern*« geprägt. Schon in seinen ersten Sätzen des Vorworts kommt es auf die längst im Gang befindliche ökumenische Bewegung zu sprechen, es erkennt in ihr die Wirksamkeit des Heiligen Geistes und greift Formulierungen der Basis des Ökumenischen Rates auf: »Diese Einheitsbewegung, die man als ökumenische Bewegung bezeichnet, wird von Menschen getragen, die den dreieinigen Gott anrufen und Jesus als Herrn und Erlöser bekennen …«[21] Noch ausführlicher geht das Ökumenismus-Dekret in seinem dritten Teil bei der Erörterung der »getrennten Kirchen und kirchlichen Gemeinschaften im Abendland« auf die Formulierung von Neu-Delhi 1961 ein und gibt damit die beginnende *Verzahnung* des Ökumenischen Rates der Kirchen in Genf mit dem Konzil in Rom zu erkennen: »Unser Geist wendet sich zuerst (!) den Christen zu, die Jesus Christus als Gott und Herrn und einzigen Mittler zwischen Gott und den Menschen offen bekennen zur Ehre des einen Gottes, des Vaters und des Sohnes und des Heiligen Geistes.« Als geistliche Brücke erweist sich hier wie in der »Basis« von Neu-Delhi der *Christusglaube*: »Wir freuen uns, wenn wir sehen, wie die getrennten Brüder zu Christus als Quelle und Mittelpunkt der kirchlichen Gemeinschaft streben.« Gleichzeitig wird erstmals die evangelische Hochschätzung der Heiligen Schrift positiv gewürdigt, sogar die reformatorische Kernstelle Römer 1,16 zitiert und die Bedeutung der Bibel im Dialog als »ausgezeichnetes Werkzeug in der Hand Gottes«[22] hervorgehoben. Diese erkennbare Wertschätzung der reformatorischen Tradition schließt auch weitere selbstkritische Bemerkungen ein, wenn von den »Spaltungen« zwischen Kirchen die Rede ist: »Es kam zur Trennung recht großer Gemeinschaften von der vollen Gemeinschaft der katholischen Kirche, oft nicht ohne Schuld der Menschen auf beiden Seiten … Es wird dadurch auch für die Kirche selber schwieriger, die Fülle der Katholizität unter jedem Aspekt in der Wirklichkeit des Lebens auszuprägen.«[23]

Schließlich anerkennt das Ökumenismusdekret im Blick auf die »*getrennten Kirchen und Gemeinschaften*«, dass »der

Geist Christi … sich gewürdigt (hat), sie als Mittel des Heiles zu gebrauchen«[24]. Diese Sicht entspricht der Kirchenkonstitution, wo von »vielfältigen Elementen der Heiligung und der Wahrheit« die Rede ist, die »außerhalb«[25] der katholischen Kirche zu finden sind. Damit ist deutlich geworden, dass die geistliche Grundlage der katholischen Kirche im Zweiten Vatikanischen Konzil und insbesondere im Ökumenismusdekret der Christusglaube ist, der einerseits zum Bekennen der eigenen Schuld, andererseits zur Anerkennung anderer Christen und Kirchen die Tür geöffnet hat.

(3) Geistliche Ökumene im Ökumenismusdekret

Geistliche Ökumene orientiert sich also an der Autorität der Worte Jesu wie seinem Gebetswunsch: »Alle sollen eins sein« (Johannes 17,21). Sie vollzieht eine Umkehrbewegung von persönlicher wie kirchlicher Selbstbezogenheit hin zu gemeinsamer Orientierung an dem einen Gott und schließt persönliches wie öffentliches Schuldeingeständnis ein. Ihr Zentrum ist der gemeinschaftliche Glaube an Jesus Christus und den dreieinigen Gott. Sie orientiert sich grundsätzlich am Maßstab der Heiligen Schrift: »So versucht ökumenische Spiritualität biblischer Weite zu entsprechen … Zu dem einen Gott gehören die eine Schöpfung und die eine Menschheit, die ihm mit ihrem jeweiligen Sosein die Ehre geben.«[26] Geistliche Ökumene geschieht in den *vier Dimensionen* von Erneuerung und Umkehr, Gebet und Gottesdienst, Theologie und Dialog, Caritas und Diakonie. In diesem Sinne ist sie »die Seele der ganzen ökumenischen Bewegung«[27]. Wer sich von geistlicher Ökumene leiten lässt, beherzigt den Grundsatz: »Finde dich niemals ab mit dem Skandal der Spaltung unter den Christen, die alle so leicht die Nächstenliebe bekennen und doch getrennt bleiben. Habe die Leidenschaft für die Einheit des Leibes Christi.«[28]

3. Ökumenische Vorschläge

Es gibt ungezählte Wege, die geistliche Ökumene umzusetzen und wirksam werden zu lassen. Man braucht hier das Rad nicht neu zu erfinden. Das Problem besteht vielmehr darin, dass aus einem falsch verstandenen »Durst nach Neuem« *altbewährte spirituelle Erfahrungen* als antiquiert abgetan, nicht weitergeführt und schließlich vergessen werden. In unserer Zeit ökumenischer Stagnation und Orientierungslosigkeit heißt daher das Leitmotto wie in der Reformationszeit: *Zurück zu den Quellen* – ad fontes! Ich beschränke mich hier auf drei Schneisen zur geistlichen Ökumene für Ortsgemeinden, die nicht neu, aber nach wie vor verheißungsvoll sind: (1) das Bibelgespräch in kleiner Runde, (2) das öffentliche Gebet, (3) der ökumenische Wortgottesdienst.

a) Das Bibelgespräch in kleiner Runde

In der theologischen Besinnung ist deutlich geworden, dass die Bibel heute für evangelische wie katholische Christen zur Grundlage und zum Maßstab der ökumenischen Orientierung geworden ist. Eines der Merkmale, die von »Altprotestanten« der Schrift zugeschrieben wurden, ist ihre *Unausschöpflichkeit* (inexhaustabilitas). Heutzutage kann man besonders bei manchen katholischen Christen eine Entdeckerfreude an der Bibel beobachten, die sie aus früheren dogmatischen Engführungen befreit, während erstaunlicherweise manchen evangelischen Christen das Interesse an der Schrift verloren zu gehen scheint – aus dem Fehlurteil, sie bereits zu kennen, oder dem Vorurteil, nichts Wichtiges in ihr zu erfahren.

(1) Bibel-Teilen

Ein guter Weg, über die Bibel miteinander ins Gespräch zu kommen, ist das sogenannte *Bibel-Teilen*. Es ist in Ländern der südlichen Erdhälfte entwickelt worden. Kleine Nachbarschaftsgruppen in Afrika haben die Bedeutung der Bibel für ihr alltägliches Leben entdeckt. In ihren oft schwierigen Lebensverhältnissen wenden sich die Menschen Schrifttexten zu, um die eigene Situation besser verstehen und bewältigen zu können. Das südafrikanische Lumko-Institut hat die sogenannte Sieben-Schritte-Meditation erstmals veröffentlicht.

Einen ähnlichen Weg hat die Gemeinschaft der Bauern von Solentiname in Nicaragua eingeschlagen. Ihr spiritueller Leiter *Ernesto Cardenal* schreibt darüber: »In Solentiname, einer abgeschiedenen Inselgruppe im großen See von Nicaragua mit rein bäuerlicher Bevölkerung, hören wir in der Sonntagsmesse keine Predigt, sondern unterhalten uns ganz einfach über das Evangelium. Die Auslegungen der Bauern sind oft von größerer Tiefe als die vieler Theologen, aber gleichzeitig von genauso großer Einfachheit wie das Evangelium selbst ... (Der) wirkliche Verfasser dieses Buches ... ist der Geist, der ihnen ihre Worte eingab ... Es ist der Heilige Geist, der Geist Gottes, eingegangen in die Gemeinschaft.«[29]

Die Besonderheit der *7-Schritte-Meditation* liegt darin, dass sie den Alltag, die Beziehungen der Beteiligten und den Bibeltext gut miteinander in Verbindung bringt. Sie ist für sogenannte Laien und jüngere Menschen besonders gut geeignet. Die Leitung einer solchen Meditationsgruppe kann jeder mit Gesprächsführung Vertraute übernehmen. Eine derartige Gesprächseinheit dauert zwischen 30 und 60 Minuten.

Die *7 Schritte* des Bibel-Teilens werden vom Missionswerk Missio so beschrieben:

(1) *Einladen*: Wir laden den auferstandenen Herrn zu uns ein (Gebet oder Lied).

(2) *Lesen:* Wir lesen den Text (einzeln oder reihum versweise).

(3) *Verweilen:* Wir suchen einzelne Worte heraus und lesen sie laut vor (auch mehrfach, mit kurzen Pausen, ohne Kommentar).

(4) *Schweigen:* Wir lassen Gott in der Stille zu uns sprechen (stille Meditation, 5–10 Minuten).

(5) *Austauschen:* Wir teilen einander mit, was uns besonders berührt hat (Austausch, ohne zu »predigen« oder zu diskutieren).

(6) *Handeln:* Wir besprechen miteinander, was Gott von uns will (Gespräch über Erfahrungen, Aufgaben, Schritte).

(7) *Beten:* Wir beten (Lob, Dank, Bitten, Fragen mit eigenen Worten; Abschluss mit einem gemeinsamen Gebet oder Lied).[30]

Das Bibel-Teilen eignet sich für überschaubare Gruppen (ca. zehn Personen). Man kann sich dazu in Privatwohnungen treffen. Daraus können Hauskreise und Hausgemeinschaften entstehen, die auch zu anderen Anlässen zusammenkommen, z. B. zur Pfingstnovene oder zum Hausgebet im Advent. Diese Sieben-Schritte-Meditation hat sich als ein guter Weg erwiesen, Sprachlosigkeit in Glaubensfragen zu überwinden.

(2) Bibelgespräch

In den »Erfahrungen« habe ich zu Beginn dieses Kapitels von dem ältesten ökumenischen Gesprächskreis in Köln berichtet, dem *Kölner Ökumenischen Bibelgespräch,* das seit Anfang 1946 mit nur geringfügigen Unterbrechungen bis zum heutigen Tag zusammenkommt. Was tun wir? Wir treffen uns regelmäßig am zweiten Mittwoch im Monat vormittags von 10:00 Uhr bis maximal 12.30 Uhr in einem katholischen Haus; einzige Ausnahme ist der Ferienmonat August. Oft greifen wir eine aktuelle Fragestellung auf, mit der wir uns längere Zeit auseinandersetzen und stellen dazu biblische Texte zusammen. Gegenwärtig befassen wir uns mit der Frage nach den dunklen Seiten Gottes;[31] davor haben wir uns mit Wundergeschichten, Gleichnissen Jesu vom Reich Gottes und alt- wie neutestamentlichen Psalmen beschäftigt. Einer der acht bis zehn Teilnehmer führt jeweils in einen Bibeltext ein, meistens ist es ein Laie, manchmal ein Fachmann. Nach einer kurzen Kaffeepause entspinnt sich in aller Regel ein höchst interessantes Gespräch. Häufig haben wir dann den Eindruck, zu den Emmaus-Jüngern zu gehören: »Brannte nicht unser Herz in uns, als er mit uns redete auf dem Weg und uns die Schrift öffnete?« (Lukas 24,32)

b) Das öffentliche Gebet

(1) Konfessionelle Sonntagsgottesdienste

Damit meine ich zunächst und in erster Linie das Gebet in den *Sonntagsgottesdiensten* der verschiedenen Konfessionen, für das in aller Regel die jeweiligen Ortspfarrer die Verantwortung tragen. Man erfährt meistens schon nach den ersten fünf Minuten eines Gottesdienstes, nämlich nach der Begrüßung der Gemeinde, ob er konfessionell oder ökumenisch ausgerichtet ist, je nachdem, ob Christen anderer Konfessionen, z. B. konfessionsverschiedene Ehepartner, angesprochen werden oder nicht. Diesem Beginn des Gottesdienstes entspricht dann meistens sein Verlauf, einschließlich des *Fürbitte-Gebetes*, das zu jedem Gottesdienst dazugehört. Dabei macht sich häufig eine gewisse konfessionelle Blickverengung bemerkbar. Auch wenn durchaus für Christen »in aller Welt« gebetet wird, geschieht es in evangelischen wie katholischen Gottesdiensten fast nie, dass für die jeweiligen Partnergemeinden am eigenen Ort Fürbitte gehalten wird. So käme jedoch der jeweiligen konfessionell versammelten Gemeinde zu Bewusstsein, dass sie an ihrem Ort nicht die einzige Versammlung von Christen ist, sondern mit anderen zugleich und für andere vor Gott eintritt. Hier, in der sonntäglichen konfessionellen Gottesdienstgemeinde, muss zuallererst durch die regelmäßige Fürbitte füreinander das ökumenische Bewusstsein am Ort und für den jeweiligen Ort geweckt werden.

(2) Gemeinsame Gebetstexte

In diesem Zusammenhang ist es wichtig, einen Grundbestand *gemeinsamer Gebete* zu entwickeln, die in beiden Konfessionen gesprochen werden. Am wichtigsten ist und bleibt das Vaterunser mit Doxologie und ohne Zwischentext davor. Im Neuen Testament gibt es aber noch eine Reihe anderer Texte, die sich für ökumenisches Beten anbieten: »Es wird *eine* Herde und *ein* Hirte sein« (Johannes 10,16), mit dem selbstverständlich Christus und niemand sonst gemeint ist. »Alle sollen eins sein« (Johannes 17,21 mit dem ganzen Zusammenhang von Vers 11 bis 23). »Gelobt sei Gott …, der uns gesegnet hat mit allem geistlichen Segen im Himmel durch Christus«: der große trinitarische Lobpreis zu Beginn des Epheserbriefes (1,3–14), der schon 1980 von der Gemeinsamen Arbeitsgruppe von Genf und Rom als gemeinsame »doxologische Erklärung des Glaubens« empfohlen worden ist[32]. »Ein Herr, ein Glaube, eine Taufe«: die trinitarische Begründung der »Einigkeit im Geist durch das Band des Friedens« (Epheser 4,3–6). Hinzuweisen ist hier ebenfalls auf Psalmen, die in Gottesdiensten beider großen Kirchen gebetet werden: der Vertrauenspsalm 23: »Der Herr ist mein Hirte«; der Abschiedspsalm 121: »Ich hebe meine Augen auf zu den Bergen«; der Segenspsalm 133: »Siehe, wie fein und lieblich ist es, wenn Brüder einträchtig beieinander wohnen«.

(3) Gabenbereitung und Bitte um Einigkeit

Darüber hinaus sollte in Abendmahlsgottesdiensten und bei Eucharistiefeiern zur *Gabenbereitung* das altkirchliche Gebet aus der Didache (9,4) gesprochen werden, um die umfassende konfessionsübergreifende Perspektive nicht aus dem Blick zu verlieren: »Wie die Körner, einst verstreut in den Feldern, und die Beeren, einst zerstreut auf den Bergen, jetzt auf diesem Tisch vereint sind in Brot und Wein, so, Herr, lass deine ganze Kirche bald versammelt werden von den Enden der Erde in deinem Reich; denn dein ist die Herrlichkeit und die Macht durch Jesus Christus in Ewigkeit. Amen.«[33]

Schließlich ist auch an *Martin Luthers Gebet* aus seinem Betbüchlein (1522) zu erinnern: »… Du wollest durch den Heiligen Geist alles Zertrennte zusammenbringen, das Geteilte vereinigen und ganz machen und uns geben, dass wir zu deiner Einigkeit umkehren …«[34]

(4) Weltgebetstag und Ökumenischer Fürbittkalender

Eines der ältesten öffentlichen Gebete ist der schon im späten 19. Jahrhundert ins Leben gerufene »*Weltgebetstag*«, der an jedem ersten Freitag im März gehalten wird. Er wird jedes Jahr von einer Frauengruppe aus einem anderen Land vorbereitet, das mit ausführlichen Informationen vorgestellt wird. So lernt man die Länder der Erde kennen und aus ihrer Sicht für die Anliegen der Menschen zu beten. Inzwischen laden »Frauen aller Länder und Konfessionen« auch Männer zu den öffentlichen Gebeten ein.

Der Ökumenische Rat hat bereits 1979 mit dem »*Ökumenischer Fürbittkalender*« die Initiative ergriffen, »um ein weltweites regelmäßiges Gebet aller christlichen Kirchen für- und miteinander anzuregen«[35]. Inzwischen liegt eine dritte Ausgabe vor: »Gemeinsam Beten für die Welt«, mit zahlreichen Länderinformationen, Anregungen für Dank und Fürbitte sowie Originalgebeten aus allen Regionen der Erde.[36] Es gibt auch einen ökumenischen *Fürbittkalender für Kinder*, der nach der zweiten Vorlage von 1989 gestaltet ist.[37] Jeder ökumenische Fürbittkalender »ermöglicht es, die Einheit der Christen, zu der die Kirchen unterwegs sind, schon heute Woche für Woche im Gebet vorwegzunehmen, etwas von ihrem Segen zu erfahren und so schrittweise auf sie zu und in sie hinein zu wachsen. Gleichzeitig erweitert er den Horizont jeder Gemeinde, er bereichert ihren Gottesdienst und bewahrt sie vor sektiererischer Selbstgenügsamkeit.«[38] Heutzutage ist es besonders dringlich, verfolgte Christen in Ägypten, im Irak, in Indien, Nordsudan und wo immer sie unterdrückt werden, in die Fürbitte jeder christlichen Gemeinde einzuschließen.

(5) Wöchentliche ökumenische Gebetszeit

Schließlich möchte ich anregen, eine *wöchentliche Gebetszeit* einzuführen, in der Christen allein oder gemeinsam miteinander, füreinander und besonders für die Verfolgten unter ihnen Fürbitte tun, und zwar am *Donnerstagabend, 18:00 Uhr*. So geschieht es bereits in mancher Kommunität wie z. B. Grandchamp/CH. Je mehr Menschen sich ihnen anschließen, desto wirksamer wird die Fürbitte sein.

c) Ökumenische Wortgottesdienste mit Zeichenhandlungen

Bei den ersten *ökumenischen Gottesdiensten* in den sechziger Jahren waren die Kirchen oft überfüllt: der Reiz des Neuen zog die Menschen an. Heute, fünfzig Jahre später, leiden dieselben Gottesdienste unter Mangel an Beteiligung und Phantasielosigkeit ihrer Gestaltung. Oft fehlt bei den dafür Verantwortlichen Zeit und Sorgfalt der Vorbereitung. Der Reiz des Neuen ist verflogen und eine ansprechende, nicht langweilende Gestaltung ökumenischer Gottesdienste (noch) nicht gefunden.

(1) Vespergottesdienst

Auf diesem Hintergrund schlage ich vor, den Ablauf des *Vespergottesdienstes* zur Grundstruktur ökumenischer Gottesdienste zu machen. Die Vesper, das Abendgebet der Kirche, ist einer der ältesten Tagzeiten-Gottesdienste. Sie hat sich in allen kirchlichen Haupttraditionen bis heute erhalten. In der anglikanischen Kirche heißt das maßgebende Gottesdienstbuch nach den am Anfang stehenden Morning Prayer und Evening prayer seit 1548 »The Book of Common Prayer«. Hier ist das Abendgebet bis heute am meisten verbreitet, häufig in der besonders schönen Form des Even-Song.

Der Vespergottesdienst hat folgende *drei Teile und sieben Strukturelemente*:

I Anbetung
  (1) Eröffnung und Lied
  (2) Psalm mit Leitvers und Doxologie
II Verkündigung
  (3) Lesung mit Antwort-Gesang
  (4) Ansprache oder stille Meditation
  (5) Lobgesang der Maria:Magnificat
III Gebet
  (6) Fürbitten und Vater Unser
  (7) Lied, Segen und Entlassung

Dieses Strukturgerüst bietet in seinem Mittelteil genug Spielraum zur Entfaltung eines Themas oder Anlasses. Zugleich gewährleistet es einen angemessenen Wechsel von vertrauten und neuen liturgischen Elementen.

(2) Kölner Ökumenisches Abendgebet

In der *Kölner* Antoniter-City-Kirche wird seit 25 Jahren an jedem letzten Sonntagabend im Monat ein »*ökumenisches Abendgebet*« nach diesem Modell gefeiert. Es steht jeweils unter einem bestimmten Thema und wird grundsätzlich von einer kleinen verantwortlichen Gruppe vorbereitet. Im Laufe der Jahre haben sich drei besondere Akzente herauskristallisiert.

Erstens spielen *Musik und Singen* wie beim anglikanischen Even-Song eine große Rolle. Man steht zum Singen gerne auf, besonders beliebt sind mehrstimmige Kanon-Gesänge. Häufig werden Chöre ausländischer Gemeinden eingeladen, mit denen dann auch das Thema gestaltet wird. Neben der Orgel ist die Querflöte zum Lieblingsinstrument avanciert. Singen ist nicht nur eine gute Beteiligungsform, es nimmt die Singenden auch ganzheitlich in Anspruch. Luther sagt: Qui cantat bis precat – wer singt, betet zweifach.

Der zweite Schwerpunkt ist der abschließende *Gebetsteil.* Denn zum gemeinsamen Beten versammeln sich die Teilnehmenden um den Altar herum zu einem Gebetskreis, der oft genug in den Gemeindebereich hineinreicht und für Sitzenbleibende geöffnet bleibt. Die Gebete werden meistens zum jeweiligen Thema vorbereitet und von verschiedenen Personen vorgetragen. Je nach Zeit und Situation werden die Gottesdienstteilnehmenden auch eingeladen, zum Mikrofon zu gehen und eigene Gebete – Dank oder Fürbitten – vorzubringen, auf die die Gemeinde mit entsprechenden Halleluja- bzw. Kyrie-Gesängen antwortet. Das gelingt mal intensiv, mal nicht so überzeugend. Immer wird der ausführliche Gebetsteil mit dem Vaterunser abgeschlossen, bei dem man sich als Zeichen der Verbundenheit die Hände reicht und sie zur Doxologie erhebt, so dass ein offener Siegeskranz entsteht.

Damit ist der dritte Akzent schon angesprochen: die *Zeichen-handlung*. Sie ist das sensibelste, aber oft auch das tief gehendste Element des Abendgebets, denn sie führt vom sprachlichen zum körperlich sensitiven Bereich. Sie will sehr bedacht eingeführt sein und hat oft bei der Vorbereitung die längste Zeit und größte Mühe in Anspruch genommen. Hier ist der Ort, wo ökumenische Gottesdienste am weitesten in Neuland vorstoßen können. Dabei gilt das Kriterium der Angemessenheit. Es geht um Inkarnation, also Verleiblichung des jeweiligen Themas.

Die *Körpersprache* im Gottesdienst beginnt mit dem Wechsel von Stehen, Sitzen, Knien oder Liegen. Von orthodoxen Kirchen und Liturgien können wir westlichen Christen lernen, unser bürgerlich bequemes Sitzen zu überwinden. Es geht weiter mit Gesten der Zuwendung wie dem Handgeben bei Begrüßung, Friedensgruß, Vaterunser, Segen oder Verabschiedung. Die Bibelprozession unterstreicht die Bewegung des Wortes zu uns hin. Der meditative Tanz lässt unsere Körper sich gemeinsam in die Botschaft des Evangeliums einschwingen. Mit Kerzen, Brot, Steinen, Öl, Weihrauch u. a. kann man in wohl überlegten Handlungen das jeweilige Thema verdeutlichen bzw. vertiefen, wie es Worte allein selten zustandebringen. Hier gibt es ein weites, größtenteils noch unbearbeitetes Feld ganzheitlicher spiritueller Erfahrungen zu entdecken.

Zusammen mit dem früheren Abt der Trierer Benediktiner Abtei Sankt Matthias, *Laurentius Klein*, habe ich für sieben Anlässe bzw. Themen im Kirchenjahr ökumenische Gottesdienst-Entwürfe zusammengestellt, die jeweils auch eine entsprechende Zeichenhandlung beschreiben und empfehlen.[39]

(3) Hand- bzw. Fußwaschung

Ein ganz besonderes Zeichen ist die *Hand- oder Fußwaschung*, wie Jesus sie praktiziert hat (Johannes 13,4 ff). Denn sie verdeutlicht, dass es im Christsein nicht um Herrschen und Machtkämpfe geht, sondern um Dienen zum Wohl des Nächsten. Dieses Zeichen haben wir bisher nicht im Kölner Ökumenischen Abendgebet eingesetzt, wohl aber regelmäßig in der Form der Handwaschung bei meditativen ökumenischen Tagen zu Karfreitag und Ostern in Altenberg bei Köln. Der Generalssekretär des Ökumenischen Rates hat im abschließenden Morgengottesdienst der 10. Vollversammlung am 8. November 2013 im südkoreanischen Busan einem der tausenden Teilnehmenden die Füße gewaschen und damit eine Kettenreaktion in Gang gebracht, die damals höchste Aufmerksamkeit erregte. Man kann sich Gedanken darüber machen, ob die Hand- und Fußwaschung nicht das angemessene *ökumenische Sakrament* ist und werden soll, das die daran Beteiligten im Zeichen des gegenseitigen Sich-zur-Verfügung-Stellens miteinander verbindet.

(4) Taizé-Gebete

Eine weitere Form ökumenischer Wort- und Zeichengottesdienste sind die *Taizé- Gebete*. Sie leben von drei Elementen: den Gesängen, der Stille und dem Gebet. Taizé-Gesänge – kurz, einfach und leicht vierstimmig zu singen – erfreuen sich zumindest hierzulande immer größerer Beliebtheit und haben inzwischen auch Eingang in das Evangelische Gesangbuch von 1996 und das katholische Gotteslob von 2013 gefunden. Die 10- bis 15-minütige Stille nach dem Schriftvortrag, die an die Stelle der herkömmlichen Predigt getreten ist, beeindruckt jüngere Menschen in besonderer Weise, vielleicht weil sie einem Übermaß an Reizüberflutung ausgesetzt sind. Die Gebete werden in aller Regel frei formuliert und von Gesängen eingerahmt bzw. begleitet mit angehaltenem

Schlussakkord, was eine besonders intensive Gebetsatmosphäre hervorruft. Ein Taizé-Gebet benötigt praktisch keinen Leiter, geschweige denn einen Ordinierten, sondern lediglich eine Person, die Lieder und Texte aussucht. Die Zeichenhandlung bei Taizé-Gebeten ist einerseits die meditative Stille, die z. B. evangelische Christen aus ihren Gottesdiensten so nicht kennen, andererseits das Beten an bzw. auf einem am Boden liegenden Taizé-Kreuz. Die Erfahrung belegt, dass Teilnehmende an Taizé-Gebeten nicht nur gern zum Ursprungsort im französischen Burgund fahren, sondern auch am eigenen Ort zu einer verbindlichen ökumenischen Gemeinschaft zusammenwachsen (können).

(5) Gemeinsame Wortgottesdienste

Schließlich möchte ich auf eine Möglichkeit ökumenischer Wortgottesdienste hinweisen, die aus einer konfessionellen Verlegenheit eine ökumenische Gelegenheit machen kann. Angesichts des Priestermangels in der katholischen Kirche müssen immer häufiger Messfeiern ausfallen und die Gemeinden sich mit Wortgottesdiensten und gegebenenfalls Kommunionausteilung ohne Eucharistiefeier zufrieden geben. Diese notvolle Situation hat in meinen Augen Aufforderungscharakter an die evangelischen Partnergemeinden, in solchen Fällen die katholischen Gemeindeglieder zu *gemeinsamen Wortgottesdiensten* einzuladen. Das ist allemal besser, als Gottesdienste ganz ausfallen zu lassen oder in getrennten Kirchen dasselbe zu tun, was man dann sinnvollerweise gemeinsam besser tun kann: miteinander am Sonntagvormittag Wortgottesdienste zu feiern, wie es sich in der evangelischen Tradition seit Jahrhunderten bewährt hat.

Weiterführende Literatur

D. Bonhoeffer, Gemeinsames Leben, 1938

L. Klein/H.-G. Link, Gemeinsam Feiern. Ökumenische Gottesdienste im Kirchenjahr, 1993

Gruppe von Dombes, Für die Umkehr der Kirchen. Identität und Wandel im Vollzug der Kirchengemeinschaft, 1994

Papst Johannes Paul II., Enzyklika Ut Unum Sint über den Einsatz für die Ökumene, 25. Mai 1995

Walter Kardinal Kasper, Wegweiser Ökumene und Spiritualität, 2007

Ökumenischen Rat der Kirchen, In Gottes Hand. Gemeinsam beten für die Welt. Gebete aus der weltweiten Ökumene, 2008

Anmerkungen

1 Kölner Tagebuch 1944–1946, Hg. v. M. Steinhoff, Koln ²1992, 93.

2 A. a. O. 96 f.

3 In: H.-G. Link (Hg.), Kölner Ökumenisches Bibelgespräch. 60 Jahre Robert Grosche-Kreis 1946–2006, Kölner Ökumenische Beiträge *(zit. KÖB)* Nr. 52, Köln 2006, 15.

4 Brief von R. Grosche am 11. 01. 1946, a. a. O. 15.

5 A. a. O. 16.

6 A. a. O. 15.

7 Vgl. a. a. O. 17.

8 Zu den Themen: Bergpredigt, Maria, Petrus, Abraham, Bund, Gott und sein Volk – das Volk und sein Gott, und deren Ergebnissen vgl. a. a. O. 21–82.

9 Zit. bei H.-G. Link, Die Auswirkungen des Zweiten Vatikanischen Konzils auf die Evangelische Kirche im Rheinland, in: K. Borsch/ J. Bündgens (Hg.), Konzil und Bistum. Das Zweite Vatikanische Konzil und seine Wirkung im Bistum Aachen und bei den Nachbarn. Festgabe für Bischof Heinrich Mussinghoff zur Vollendung des 70. Lebensjahres, Aachen 2010, 403.

10 A. a. O. 404.

11 Einzelheiten in: S. Lorentz (Hg), DEK Köln 1965, Stuttgart/Berlin 1965, 871–881.

12 Zit. bei.H.-G. Link, Die Auswirkungen …, a. a. O. 405.

13 Vgl. dazu F.-J. Bertram, Ökumene lebt vom Aufbruch – Jetzt! Dokumentation des 12. Kölner Ökumenetages, KÖB Nr. 55, Köln 2012, 116 S.

14 Vgl. dazu J. Brosseder/H.-G.Link (Hg.), Ökumenische Entdeckungen. Aus der Arbeit des Kölner Ökumenischen Studienkreises, KÖB Nr. 49, Köln 2004, 106 S.

15 In: H.-G. Link (Hg.), Katholisch sein heißt Ökumenisch sein. Erklärungen, Offene Briefe und Thesen aus dem Kölner Bereich. Ein ökumenischer Beitrag zum Weltjugendtag in Köln, KÖB Nr. 51, Köln 2005, 88–92.

16 Vgl. dazu H.-G. Link (Hg.), Auf dem Weg zur Gemeinschaft der Kirchen? Chronologische Nachlese zum Gedenkjahr 1993 an den Kölner Reformationsversuch vor 450 Jahren, KÖB Nr. 35, Köln 1995; ders. (Hg.), Vielfältiges Bedenken. Beiträge zur Geschichte und Aufarbeitung des Kölner Reformationsversuchs 1543–1993; KÖB Nr. 36, Köln 1996; H.-G. Link/H. Deeters/Th. Schlüter (Hg.), 450 Jahre Kölner Reformationsversuch. Zwischen Reform und Reformation. Katalog zur Ausstellung im Historischen Archiv Köln, KÖB Nr. 28, Köln 1993.

17 Papst Johannes Paul II., Enzyklika UT UNUM SINT (*zit. UUS*) über den Einsatz für die Ökumene vom 25. Mai 1995, VAS 121, Bonn 1995, Z. 3, 6.

18 In: P. Hünermann/B. J. Hilberath (Hg.), Herders Theologischer Kommentar zum Zweiten Vatikanischen Konzil (HTK), Bd. 5, Freiburg im Breisgau (2006) 2009, 510.

19 Evangelische Antwort, in: Verhandlungen der 13. außerordentlichen Rheinischen Landessynode. Tagung vom 10. bis 15. Januar 1965 in Bad Godesberg, Düsseldorf 1965, 30.

20 Dazu vgl. H.-G. Link, Die Auswirkungen des Zweiten Vatikanischen Konzils auf die Evangelische Kirche im Rheinland, in: K. Borsch/J. Bündgens (Hg.), Konzil und Bistum. Das Zweite Vatikanische Konzil und seine Wirkung im Bistum Aachen und

bei den Nachbarn. Festgabe für Bischof Heinrich Mussinghoff zur Vollendung des 70. Lebensjahres, Aachen 2010, 390 ff. In diesen Zusammenhang gehört auch die im Oktober 1965 vom Rat der Evangelischen Kirche in Deutschland (EKD) veröffentlichte Denkschrift: »Die Lage der Vertriebenen und das Verhältnis des deutschen Volkes zu seinen östlichen Nachbarn«, Hannover 1965, 6. Auflage.

21 Ökumenismusdekret *(zit. ÖD)*, Z. 1, in: K. Rahner/H. Vorgrimler, Kleines Konzilskompendium (KKK), Freiburg im Breisgau (1966) 1967, 229.

22 ÖD Z. 20, KKK 247.

23 ÖD Z. 3(1) und 4(10), KKK 232, 236.

24 ÖD Z. 3(4), KKK 233.

25 KKK 131 (Lumen Gentium, LG Z. 8(2).

26 H.-G. Link, Ökumenische Spiritualität, in: Chr. Schütz (Hg.), Praktisches Lexikon der Spiritualität, Freiburg/Basel/Wien 1988, Sp. 1208.

27 ÖD 8, KKK 238.

28 Schlussworte der Präambel der Regel von Taizé, in: Frère Roger, Die Regel von Taizé, HT 365, Freiburg [9]1977, 15.

29 E. Cardenal, Das Evangelium der Bauern von Solentiname. Gespräche über das Leben Jesu in Lateinamerika, Bd. 1, GTB 327, Gütersloh 1976, 10, 12.

30 Nach: Bibel-Teilen. Werkheft für Gruppen in der Gemeinde, Missio Aachen [3]1989, 11; Vgl. auch das ansprechende Faltblatt des Erzbischöflichen Seelsorgeamtes Freiburg/Breisgau: »Bibel-Teilen«. 7 Schritte zum Leben, 4. Auflage, o. J.

31 Vgl. dazu die beiden Bände von Walter Dietrich und meinem Bruder Christian Link, Die dunklen Seiten Gottes, Bd. 1: Willkür und Gewalt; Bd. 2: Allmacht und Ohnmacht, Neukirchen-Vluyn 1995/2000.

32 In: H.-G. Link, Gemeinsam Glauben und Bekennen, a. a. O. 234 ff; 361 f.

33 Zit. Nach M. Thurian, Die Eucharistische Liturgie von Lima, Frankfurt/Main 1983, 18; vgl. auch P.-W. Scheele (Hg.), Für die Einheit in Christus. Ein ökumenisches Gebetbuch, München/Zürich/Wien 1997, 110.

34 WA 10/2,478, in: P.-W. Scheele, a. a. O. 27; vgl. auch H.-G. Link (Hg.), Mit Gottes Volk auf Erden. Ökumenischer Fürbittkalender, Frankfurt/Main 1989, 269.

35 So Lukas Vischer im Vorwort zur 1. Ausgabe »Für Gottes Volk auf Erden«, Frankfurt/Main 1979, 5.

36 In Gottes Hand. Gemeinsam Beten für die Welt. Gebete aus der weltweiten Ökumene, Frankfurt/Main – Paderborn 2008.

37 M. Stammler (Hg.), Kennenlernen und füreinander beten. Ökumenischer Fürbittkalender für Kinder, Frankfurt/Main 1992.

38 H.-G. Link, in: Ders., Mit Gottes Volk auf Erden, a. a. O. 8.

39 L. Klein/H.-G. Link (Hg.), Gemeinsam feiern. Ökumenische Gottesdienste im Kirchenjahr, Ökumene konkret Nr. 2, Zürich/Neukirchen-Vluyn 1993, bes. 100 ff.

III. Das ökumenische Basissakrament: die Taufe

1. Taufvollzüge – Taufgedächtnis – Taufanerkennung

a) Taufen in der Osternacht

(1) Köln-Junkersdorf

Unter meinen zahlreichen Konfirmanden im Neubaugebiet Weiden-Süd – »Klein-Manhattan« – am westlichen Stadtrand von Köln gab es immer einige, die noch nicht getauft waren. Sie und noch mehr ihre Eltern waren oft überrascht, dass ich diese Situation nicht als Mangel oder gar Makel betrachtete, sondern als willkommene Gelegenheit zu einer gemeinsam verantworteten und gestalteten Tauffeier. Nicht jeder konnte das so nachvollziehen. Im Nachbarort *Junkersdorf* hatte ich 1977 die Feier der Osternacht eingeführt, und zwar am Karsamstag, 23:00 Uhr, so dass die Feier sich bis zum Anbruch des Ostersonntags hinzog. So konnte ich meinen Konfirmanden vorschlagen, am altkirchlichen Tauftermin getauft zu werden. Gemeinsam bereiteten wir die Feier vor: mit Wasser-Eingiess-Ritus, Lesungen, Segensworten, Wünschen, Friedensgruß, Liedern. Als der Konfirmand am Taufstein in der Mitte der eindrucksvoll gestalteten *Dietrich-Bonhoeffer-Kirche* von mir getauft wurde, standen viele seiner getauften Mitkonfirmanden im Kreis dabei. Es war ein ergreifender Moment, als der Täufling in die weltweite Gemeinschaft der Christen, konkret vertreten durch die anwesende Gemeinde, aufgenommen wurde. Mit Segensworten, Beifall, Geschenken und Gesängen wurde er begrüßt. Nach der Osternachtfeier bestürmten mich seine Mitkonfirmanden: »Können wir nicht auch noch einmal so getauft werden?« Selbstverständlich war daran nicht im Traum zu denken, aber mir wurde dadurch bewusst, welche Chancen die Taufe Heranwachsender in sich birgt.

(2) Genf

Ähnlich erging es unserem ältesten Sohn, der auf eigenen Wunsch ebenfalls während der Osternacht in der *Genfer evangelisch-lutherischen Gemeinde* die Taufe empfing. Hier war das Besondere, dass er nicht der einzige Taufbewerber war, sondern zusammen mit einer etwa dreißigjährigen Hongkong-Chinesin getauft wurde. Dadurch erhielt die Feier Mehrsprachigkeit und die weltweite Christenheit war in Gestalt der chinesischen Taufgesellschaft präsent. Anschließend aßen und tranken wir gemeinsam mit den Chinesen am frühen Ostersonntagmorgen im Gemeinderaum, bis uns gegen 3:00 Uhr die Augen zufielen.

(3) Köln: Königskinder in Sankt Peter

Bekanntlich verfügt die katholische Taufliturgie über viele Zeichen: das Taufkleid, die Kreuzbezeichnung, die Taufkerze, die Chrisam-Salbung, der Ephata-Ritus. Zusätzlich zu alledem gestaltete der langjährige Pfarrer an Sankt Peter in Köln, Professor *Friedhelm Mennekes,* eines Tages die Taufe von Kindern als »Krönung«. Jedem wurde eine goldene Krone aus Papier auf den Kopf gesetzt und alle wurden zu Königskindern erklärt: Jeder einzeln, aber niemand für sich allein. Sie erfuhren eine Anerkennung und Adelung durch ihre Taufe, die ihrem Selbstbewusstsein gut getan hat, und zugleich eine Vergemeinschaftung, die ihnen eine neue Erfahrung über den Kreis ihrer Familie hinaus erschloss.

b) Erinnerung an die Taufe Jesu und Taufgedächtnis

(1) Lima

Am Morgen des 6. Januar 1982 luden orthodoxe Geistliche alle Mitglieder der Konferenz für Glauben und Kirchenverfassung zur gemeinsamen Feier der Wasserweihe ein, die an die Taufe Jesu erinnert. So standen wir zu Hunderten beisammen um einen Teich in der *Oasis de los Santos Apostolos bei Lima*. Während dieser Liturgie wurde – wie üblich – ein Kreuz auf das Wasser gelegt, das die Segnung dieses Lebenselementes zum Ausdruck bringt. Wenige Augenblicke später kam buchstäblich aus heiterem Himmel *ein Vogel* in großer Geschwindigkeit herabgeflogen und ließ sich für einige Sekunden auf dem Kreuz im Wasser nieder, breitete schnell wieder seine Schwingen aus und erhob sich, um nach kurzem Rundflug erneut auf dem Kreuz zu landen. Das geschah dreimal. Nach meiner Erinnerung ist der Vogel allerdings keine Taube gewesen. Wir trauten unseren Augen nicht, als wir dieses Schauspiel miterlebten. Jeder, der dabei gewesen ist, wird es nicht vergessen haben.[1]

(2) Addis Abeba

Mitte der neunziger Jahre waren der äthiopische Pfarrer von Köln, Dr. *Merawi Tebege*, Stadtsuperintendent *Manfred Kock* und ich nach *Äthiopien* eingeladen. In Addis Abeba haben wir am 18./19. Januar das Fest der Taufe Jesu, *das Timkat-Fest*, mitgefeiert. Es gehört mit dem Fest der Kreuzauffindung, dem Maskal-Fest im September, zu den beiden Höhepunkten im Festkalender der äthiopisch-orthodoxen Kirche. Zur Feier der Wasserweihe versammelten sich Tausende gegen 6:00 Uhr morgens bei schon stechender Sonne an einem großen Gewässer außerhalb der Stadt. Es dauerte endlos, bis Patriarch *Abuna Paulos* das Gewässer gemessenen Schrittes umrundet hatte, bevor er das Kreuz weit ins Wasser hinauswarf. Kaum war das geschehen, als auch schon die ersten jungen Männer in voller Kleidung um die Wette ins Wasser sprangen, um jeweils als erster das Kreuz zu erreichen. Der »Sieger« legte es dem Patriarchen zu Füßen. Danach ging das Spektakel erst richtig los: Zig Männer, keine Frauen, warfen sich mit sichtlichem Vergnügen ins kühle Nass. Eimer wurden ihnen gereicht, die sie füllten, um unentwegt über die Köpfe der Menge gereicht und dann über ihnen ausgeschüttet zu werden. Auch wir Gäste erhielten über unseren Talaren eine volle »Ladung« Segenswasser – es war eine Wohltat. Eine Äthiopierin sehe ich noch heute vor mir, über der zu ihrem größten Vergnügen ein ganzer Eimer ausgeschüttet wurde: sie streckte ihre Arme gen Himmel und begann zu singen und zu tanzen. Man versteht im heißen äthiopischen Sommer sehr schnell, welche lebensrettende Bedeutung Wasser für die Menschen hat. Das erklärt, warum das Timkat-Fest der Taufe Jesu in Äthiopien zu den großen Festen des Kirchenjahres gehört.[2]

(3) Köln und Brühl

Zuhause in *Köln* werden die Kinder der *äthiopischen Gemeinde* – wie in allen orthodoxen Kirchen – zur Taufe völlig entkleidet und dreimal in einem großen Bottich untergetaucht. Das verdeutlicht sehr sinnfällig das Sterben und Auferstehen, um das es im Taufritus geht. Anschließend umtanzt eine Gruppe mit Trommeln und Gesängen das in Decken gehüllte getaufte Kind, um es freudig in der Gemeinde der Getauften willkommen zu heißen.

Einmal habe ich es in *Brühl* miterlebt, dass ein erwachsener weiblicher Täufling zur Bekräftigung seiner Absage an das Böse an der nach Westen gerichteten Eingangstür der Kirche auf den Boden spuckte, bevor er in eine Emailleschüssel trat, um von oben bis unten mit Wasser übergossen zu werden. Solche drastischen, sinnenfälligen, altkirchlichen Taufvollzüge sind in der orthodoxen Tradition z. T. bis heute ursprünglicher bewahrt als in den vielfach verbürgerlichten westlichen Kirchen. Im Zeitalter des Auges und der Sinne vermitteln solche elementaren Riten viel vom Sinn der Taufe.

(4) Taufgedächtnis-Feier in München 2010

Während des *Zweiten Ökumenischen Kirchentages in München 2010* wurde an Christi Himmelfahrt in der Sankt Maximilian Kirche eine ökumenische Taufgedächtnisfeier zum Thema gehalten: »Gemeinsame Hoffnungswege«. Im Rahmen der Liturgie, die ich unter den Vorschlägen vorstellen werde, gab es zwei Besonderheiten: 1. eine Szene: unsere Wege zueinander, 2. eine Zeichenhandlung: Wege zum Wasser und Licht. In der *Szene* kamen vier Wasserträger aus vier Himmelsrichtungen in der Kirche mit vier Wasserkrügen nach vorn zum Taufstein. Unterwegs wurde an vier Stationen je ein Text zur Taufe vorgetragen: von Luther, aus dem Zweiten Vatikanum, aus einem evangelisch-katholischen Text und der Magdeburger Tauferklärung. Am Taufstein sprachen alle vier gemeinsam Epheser 4,3–6 und schütteten dann ihre Krüge gleichzeitig im Taufstein aus. Ein zehn Meter langes Spruchband verkündete von den Stufen des Altarraums: »Ein Herr, ein Glaube, eine Taufe.« Bei der *Zeichenhandlung* wurde die Gemeinde eingeladen, zu je fünf Personen an eine von 15 großen Wasserschalen zu treten, die durch lange Kerzen kenntlich gemacht waren. Dort wurden die geöffneten Hände übergossen und dazu ein Bibelwort zur Taufe gesprochen. Anschließend erhielt jede Person zur Erinnerung an das Taufgewand einen Taufschal mit einer aufgedruckten Friedenstaube. Dann bildeten alle zusammen zwei parallele 360°-Kreise und sangen den Kanon: »Ich will dir danken, weil du meinen Namen kennst, Gott meines Lebens.«

c) Taufanerkennung in Magdeburg 2007

Am 29. April 2007 vollzogen elf Mitgliedskirchen der Arbeitsgemeinschaft Christlicher Kirchen (ACK) im Magdeburger Dom eine *wechselseitige Anerkennung der Taufe*. Die Tauferklärung, auf die ich in den theologischen Einsichten zurückkomme, wurde von jedem Kirchenleiter persönlich unterzeichnet, u. a. für die Evangelische Kirche in Deutschland (EKD) vom damaligen Ratsvorsitzenden Bischof *Wolfgang Huber* und für die Deutsche Bischofskonferenz von Kardinal *Karl Lehmann*. Vorher hatte im Dom eine Prozession mit der Osterkerze zum ältesten Taufstein nördlich der Alpen aus dem 10. Jahrhundert stattgefunden und eine Besprengung der Anwesenden mit dem gesegneten Wasser. Anschließend sang die versammelte Gemeinde: »Ich bin getauft auf deinen Namen, Gott, Vater, Sohn und Heiliger Geist.«

Diese Erfahrungen zeigen, wie kreativ die unterschiedlichen Kirchentraditionen mit der Taufe umgehen und wie viel sie darin voneinander lernen können. Sie lassen auch einen Weg der Rückbesinnung auf Ursprung und Tragweite der Taufe erkennen. Schließlich zeigen die Feiern von Taufgedächtnis und Taufanerkennung, wie weit die Kirchen im Blick auf das ökumenische Basissakrament schon miteinander gekommen sind. Während früher häufig bei Konfessionswechseln die Konditionaltaufe angewandt wurde, werden heute Konfessionswechsel nur noch selten empfohlen und stattdessen die gemeinsame Grundlage in der einen Taufe hervorgehoben. Die Taufe hat ökumenisch erheblich an Gewicht gewonnen und dadurch ist das ökumenische Miteinander vom Überbau einer zusätzlichen Pflichtübung zur Grundlage heutiger und künftiger Kirchengemeinschaft geworden, die in der einen Taufe der Verschiedenen ihr sakramentales Fundament gefunden hat.

2. Theologische Einsichten

a) Gegenseitige Anerkennung der Taufe

Die Tauferklärung von Lima ruft dazu auf:»Wo immer möglich, sollten die Kirchen die gegenseitige Anerkennung (der Taufe) ausdrücklich erklären.«[3] Damit hatte man in der *Schweiz* schon knapp zehn Jahre zuvor begonnen, als auf Betreiben des Fribourger Theologen *Heinrich Stirnimann* die christ-katholische,römisch-katholische und reformierte Kirche am 5.Juli 1973 als *erste* eine Vereinbarung über die gegenseitige Anerkennung der Taufe in Sankt Niklausen/OW offiziell unterzeichneten.[4] In Deutschland folgten 1977 »Vereinbarungen der Konferenz der Kirchenleitungen zur Taufe in *Hessen*«, die mit der Feststellung beginnen:»Die im Namen des dreieinigen Gottes und durch Wasser vollzogene Taufe wird seit alters zwischen Kirchen anerkannt.«[5] In *Baden* wurde am 8.Juli 1980 eine »Gemeinsame Erklärung zur Taufe«[6] abgegeben. Im *Rheinland* kam es nach einem mehrjährigen Beratungsprozess[7] erst am 26.März 1996 zu einer »Vereinbarung zwischen der Evangelischen Kirche im Rheinland und dem Erzbistum Köln sowie den Bistümern Aachen, Essen, Münster und Trier zur gegenseitigen Anerkennung der Taufe«[8]. Sie besteht aus einer theologischen Grundlegung, einer kirchenrechtlichen Regelung und einem Anhang mit »gemeinsamen pastoralen Empfehlungen«[9]. Nach erheblichen Turbulenzen über die im *Erzbistum Köln* bei einem Konfessionswechsel zu oft vorgenommenen Konditionaltaufen heißt es nun in der kirchenrechtlichen Regelung (Z.3):»*Konditionaltaufen* dürfen nur vorgenommen werden, wenn Zweifel am ordnungsgemäßen Vollzug einer Taufe im Gespräch zwischen den Kirchen nicht ausgeräumt werden konnten.«[10] Seitdem ist im Blick auf diese »Unstimmigkeiten«[11] zwischen den Konfessionen Ruhe eingekehrt. Die *pastoralen Empfehlungen* sprechen sich für Gemeinsamkeiten in Taufvorbereitung, Taufgottesdienst und Taufgedächtnis aus und nennen als *erste* Aufgabe des Taufgottesdienstes: »Der katholische und der evangelische Taufgottesdienst soll deutlich machen, dass der Täufling damit der einen Kirche Jesu Christi eingegliedert wird.«[12]

Schließlich ist für den gesamten deutschen Bereich am 29. April 2007 – gut 25 Jahre nach der Empfehlung von Lima – im Magdeburger Dom eine *Vereinbarung über* »*die christliche Taufe*« von elf ACK-Kirchen unterzeichnet worden. Darin heißt es: »Wer dieses Sakrament empfängt und im Glauben Gottes Liebe bejaht, wird mit Christus und zugleich mit seinem Volk aller Zeiten und Orte vereint. Als ein Zeichen der Einheit aller Christen verbindet die Taufe mit Jesus Christus, dem Fundament dieser Einheit … «[13] Hier wird festgehalten: Die Taufe verbindet 1. mit Jesus Christus und darum 2. mit seinem Volk aller Zeiten und Orte … Mit anderen Worten: Taufe ist nicht nur eine persönliche, familiäre oder konfessionelle Angelegenheit, sondern an *erster* Stelle eine Übereignung an Christus, die als solche in die eine Kirche Jesu Christi an allen Orten und zu allen Zeiten eingliedert. Das relativiert jede einzelne Konfessionskirche und macht die Taufe zu einem »Zeichen der Einheit aller Christen«. Deshalb kommt die Magdeburger Tauferklärung zu der erfreulichen Schlussfolgerung: »Wir freuen uns über jeden Menschen, der getauft wird.« Diese Freude und diese Einheit soll in Vorbereitung, Feier und Gedächtnis jeder Taufe zum Ausdruck kommen.

b) Die ökumenische Tragweite

Die ökumenische *Aufwertung,* die die Taufe in den Jahrzehnten seit Lima 1982 erfahren hat, ist in theologischer Hinsicht
nur zu berechtigt, wie allein schon aus der Taufe Jesu, seiner
lebenslangen Beauftragung und dem paulinischen Taufver-
ständnis der Christus-Übereignung und des Leibes Christi
erhellt. Wir haben es zwar immer noch nicht geschafft, die
Weite und Tiefe des neutestamentlichen Taufansatzes ökumenisch, geschweige denn konfessionell einzuholen, aber mit
dem Zweiten Vatikanischen Konzil und noch mehr mit der
Tauferklärung von Lima sind konfessionelle Grenzen über-
schritten und ökumenische Einsichten erschlossen worden,
die hoffnungsvoll stimmen. Taufe und Abendmahl bzw. Eucharistie sind für fast alle Kirchen die beiden maßgebenden
Sakramente, die sacramenta maiora. Die Taufe ist das grundlegende Sakrament der Christuszugehörigkeit. Deshalb ist
auch immer wieder überlegt worden, sie in die »Basis« des
ÖRK mit aufzunehmen. Ihre ökumenische *Tragweite* lässt
sich theologisch unter folgenden sieben Gesichtspunkten zu-
sammenfassen:

(1) Mit der Übereignung des Täufling an Christus geschieht
    seine *Befreiung aus seiner Selbstverfallenheit*: »Ist jemand
    in Christus, dann ist er eine neue Schöpfung« (2. Korinther
    5,17).
(2) Der Getaufte empfängt mit der Vergebung für seine
    Abwendung von Gott und den Nächsten *Zuwendung,
    Annahme und Bejahung Gottes* zu einem neuen Le-
    ben.
(3) Der neue Name »Christ« bedeutet für den Getauften, dass
    nicht er selbst, sondern Christus sein Herr ist, dass er in
    eine *neue Beziehung* zu Gott eintritt und dass er zu einer
    neuen Gemeinschaft gehört.

(4) Wer getauft ist, wird ein *Glied des Christusleibes,* der in der eigenen Taufgemeinde beginnt und über die jeweilige Konfession hinaus bis zu den Enden der Erde reicht.

(5) Die Gemeinschaft innerhalb des Leibes Christi ist geprägt von erfahrener und weitergegebener *Annahme:* »Nehmt einander an, wie Christus euch angenommen hat, zu Gottes Lob« (Römer 15,7).

(6) Die erfahrene Bejahung innerhalb des Leibes Christi bedeutet für das Verhältnis der *konfessionellen* Gemeinschaften untereinander, sich gegenseitig als *Glieder des einen Leibes* Christi anzuerkennen: »Wir sind nicht Herren über euren Glauben, sondern Gehilfen eurer Freude« (2. Korinther 1,24).

(7) Getauft zu werden heißt, in einen *neuen Lebenszusammenhang* versetzt und hineingenommen zu werden, der von Gottes Macht der Annahme und der Neugestaltung des gemeinschaftlichen Lebens geprägt wird.

3. Ökumenische Vorschläge

Taufen gehören zu den *Grundvollzügen* des kirchlichen Gemeindelebens. Deshalb ist es sinnvoll, mit der Rückbesinnung auf die ökumenische Tragweite der Taufe in den jeweiligen konfessionellen Gottesdiensten zu beginnen. Ein weiterer Schritt sind gemeinsame Taufgedächtnis-Feiern. Schließlich mache ich auch einen Vorschlag für ökumenische Taufgottesdienste.

a) Konfessionelle Taufgottesdienste

In *konfessionellen Taufgottesdiensten* sollte die Taufe nicht am Rande, sondern im Mittelpunkt stehen. Das beginnt schon mit der *Taufverkündigung* in der Predigt oder zumindest in einer Ansprache. Aus dem *Umgang mit dem Wasser* wird deutlich, welche Beziehung der Taufende zu diesem Lebenselement hat. In ökologischer Zeit wird die Besinnung auf die knappe Ressource Wasser immer wichtiger. Bei manchen evangelischen Pfarrerinnen und Pfarrern kann man allerdings den Eindruck gewinnen, dass ihnen eine »Trockentaufe« lieber wäre als der Gebrauch von Wasser, wenn sie ihn auf das unerlässliche Minimum zu reduzieren versuchen. Außer dem Wasser gibt es eine Reihe von *Zeichen*, die den Sinn der Taufe sinnenfällig verdeutlichen. Dazu zählen die Bezeichnung des Täuflings mit dem Kreuzzeichen, Handauflegung oder Salbung mit der Bitte um die Gabe des Geistes, Taufkleid und Taufkerze. »Die Wiederentdeckung solcher lebendiger Zeichen könnte sicherlich die Liturgie bereichern.«[14]

In der evangelischen Tradition erhält der Täufling einen *biblischen Taufspruch*, der ihn lebenslang begleiten soll und ins Familienstammbuch eingetragen werden kann. Inzwischen gibt es *Taufhefte* und *Taufurkunden* zum Aufhängen mit der Überschrift: »Ich bin getauft in eine weltweite Kirche.«[15] Die *Tauffrage* an Eltern und Paten eines Kindes wird sinnvoll ergänzt durch eine Frage an die anwesende Gemeinde nach ihrer Bereitschaft zu Annahme, Fürbitte und Begleitung des Getauften. Besonders wichtig ist »eine *Erklärung*, dass die Getauften eine neue Identität als Kinder Gottes und als Glieder der Kirche empfangen haben und dazu berufen sind, Zeugen des Evangeliums zu sein«[16]. Sie kann beispielsweise lauten:

»N. N., *du bist nun auf den Namen des dreieinigen Gottes getauft und Eigentum unseres Herrn und Heilandes Jesus Christus.*
Wir beglückwünschen dich zu deiner neuen Identität als Christ und Kind Gottes.
Wir heißen dich in der Gemeinschaft dieser und der welt-weiten Familie Gottes herzlich willkommen. Wir erbitten für dich die Gabe des Heiligen Geistes,
dass du zu einem Zeugen des Evangeliums wirst.«

Die *ökumenische Beteiligung* an einer Taufe in einem *konfessionellen* Gottesdienst kann durch *Paten,* die einer ACK-Kirche angehören, zum Ausdruck kommen. Sie können sich durch Lesungen oder Fürbitten an der Taufliturgie beteiligen. Auch in der katholischen Kirche sollte es möglich werden, dass Angehörige anderer Kirchen nicht nur als Taufzeugen, sondern als *reguläre* Taufpaten akzeptiert werden. Die *Partnergemeinde* am jeweiligen Ort sollte exemplarisch durch einen Vertreter anwesend sein, der Grüße, Wünsche und/oder ein Geschenk als Zeichen der mitfreuenden Anteilnahme überbringt. Das sollte zumindest bei Täuflingen aus konfessionsverbindenden Familien zur Regel werden. Als geeignete *Tauftermine* bieten sich die zweiten Feiertage der großen christlichen Feste an: Weihnachten, Epiphanias, Ostern und Pfingsten, »wie dies auch die Praxis der Alten Kirche war«[17].

b) Taufgedächtnisgottesdienste

Kirchen wie die evangelische und katholische in Deutschland, in denen die Taufe von Säuglingen noch der Regelfall ist, »müssten … ihre Verantwortung ernster nehmen, getaufte Kinder zu einer bewussten Verpflichtung Christus gegenüber hinzuführen«[18]. Eine der Möglichkeiten, dies zu tun, ist die *Feier des Taufgedächtnisses*. Anlässe dazu können das Epiphaniasfest der Taufe Jesu sein, ein jährlicher Erinnerungstag an alle Getauften, z. B. am evangelischen Tauftag, dem 6. Sonntag nach Trinitatis, oder ein ökumenisches Gemeindefest. Seit zum Abschluss der Tagung des Zentralausschusses in Genf am 24. Januar 1987 erstmals auf der Grundlage der Tauferklärung von Lima ein solcher Taufgedächtnisgottesdienst zum Thema »Neue Geschöpfe durch Gottes Bund« gefeiert worden ist – die »*Genfer Liturgie*«[19] –, haben sich erfreulich viele Modelle und Vollzüge von Taufgedächtnisgottesdiensten eingebürgert.[20]

Wichtige *Elemente* eines solchen Gottesdienstes sind: eine trinitatische Kyrie-Danksagung und -Anrufung, biblische und ökumenische Texte zur *einen* Taufe, Verkündigung zur Taufe, Einbeziehung des Taufsteins, Dank und Fürbitte, Lieder und Musik. Zum Kernbestand eines Taufgedächtnisgottesdienstes gehören die Erneuerung des Taufbekenntnisses und eine Zeichenhandlung. Das *Taufbekenntnis* gliedert sich in drei Teile: *Absage an das Böse, Bekenntnis des Glaubens und Verpflichtung auf den Taufbund*. Die Absage an die Mächte des Negativen und des Todes stammt aus altkirchlicher Zeit und wird heute als bewusste Trennung von lebenszerstörerischen Kräften wiederentdeckt. Als Bekenntnis des gemeinsamen Glaubens hat sich das ökumenische Glaubensbekenntnis von 381 in Frageform bewährt. Die Verpflichtung auf den Taufbund orientiert sich einerseits an den Themen des Konziliaren Prozesses: Gerechtigkeit, Frieden und Bewahrung bzw. Heilung der Schöpfung, andererseits am Zusammenleben in den Gemeinden. Hier gebe ich die »*Erneuerung des Taufbekenntnisses*« wieder, wie sie vielfach verwendet wurde, zuletzt während des Zweiten Ökumenischen Kirchentages in München:

»Absage an das Böse

Liturg: Sagt ihr ab allem Bösen, dass sinnerfülltes Leben verhindert und Vertrauen zerstört und das uns von Gott, unserem Ursprung und Ziel, entfernt?

Gemeinde: Ja, wir sagen dem Bösen ab.

Bekenntnis des Glaubens

Liturg: Lasst uns nun unseren gemeinsamen Glauben bekennen mit den Worten des Ökumenischen Glaubensbekenntnisses von Nizäa-Konstantinopel, das die Christen seit der
Zeit der Alten Kirche verbindet.

Liturg: Glaubt ihr an Gott?

Gemeinde: Sprechen des Ersten Glaubensartikels

Liturg: Glaubt ihr an Jesus Christus?

Gemeinde: Sprechen des Zweiten Glaubensartikels

Liturg: Glaubt ihr an den Heiligen Geist?

Gemeinde: Sprechen des Dritten Glaubensartikels*

(»Katholisch« meint die ganzheitliche, umfassende ökume-
nische Weite der Kirche, nicht die römisch-katholische Konfessionskirche.)*

Liturg: Das ist der Glaube der Christenheit.

*Gemeinde: Das ist unser Glaube. Wir glauben und vertrauen
unserem Gott, Vater Sohn und Heiligem Geist. Amen.*

Verpflichtung auf den Taufbund

Liturg: Ihr habt den Glauben bekannt an Gott, den Schöpfer
des Himmels und der Erde, den Urheber und Freund unseres Lebens: Wollt ihr euch mit seiner Gnade nach Kräften
einsetzen für das Lebensrecht aller Menschen und für die
Bewahrung der Schöpfung?

Gemeinde: Ja, wir wollen.

Liturg: Ihr habt den Glauben bekannt an Jesus Christus, den
Erlöser der Welt: Wollt ihr seine gute Botschaft weitergeben
und euch mit seiner Hilfe einsetzen für Gerechtigkeit und
Frieden unter den Menschen?

Gemeinde: Ja, wir wollen.

Liturg: Ihr habt den Glauben bekannt an den Heiligen Geist
und an die Gemeinschaft der Kirche, zu der er uns Menschen zusammenführt: Wollt ihr euch mit seinem Beistand
einsetzen für die Verwirklichung der Gemeinschaft seines
Volkes auf Erden und für ein geschwisterliches Zusammenleben in den Gemeinden?

Gemeinde: Ja, wir wollen.

Liturg: Der erbarmende Gott, in dessen Namen wir getauft
worden, der Vater und der Sohn und der Heilige Geist,
spreche zu unserem menschlichen Ja sein göttliches Amen.
Er stärke unseren Glauben, unserer Hoffnung und unsere
Liebe und schenke unserem Wollen das Vollbringen nach
seinem Wohlgefallen.

Gemeinde: Amen.

Als Ausdruck unserer Verbundenheit in der einen Taufe tau-
schen wir miteinander den *Friedensgruß* aus.«[21]

Die auf die Erneuerung des Taufbekenntnisses folgende
Zeichenhandlung erweist sich bei sorgfältiger Vorbereitung
und eingespielter Durchführung oft als Höhepunkt des ganzen Gottesdienstes. Sie kann aus *drei Teilen* bestehen: 1. ein
Lobpreis über dem Wasser, der an Israels Durchzug durch
das Schilfmeer, Wüstenerfahrungen und die Jordantaufe Jesu
erinnert; 2. eine *Wasserhandlung:* entweder eine Kreuzbezeichnung oder das Übergießen geöffneter Hände samt einem
Bibelwort; 3. ein *großer Kreis,* der die durch die Taufe gestif-
tete neue Gemeinschaft sichtbar werden lässt.

Eine derartige *jährliche Taufgedächtnisfeier* schließt die
Christen an einem Ort spürbar zusammen.[22]

c) Ökumenische Taufgottesdienste

Im Wiesenbacher Tal bei Neckargemünd steht das *ökumenische Kirchenzentrum Arche,* das der evangelischen Stephanus- und der katholischen Franziskusgemeinde als gemeinsame Heimstatt dient. Auf der linken Seite des Hauses hat die evangelische Gemeinde, auf der rechten die katholische ihren je eigenen Gottesdienstraum. Zwischen beiden befindet sich eine Taufkapelle, in deren Mittelpunkt sich ein großer Taufstein erhebt. Am ersten Sonntagvormittag im Monat werden die rechte Wand des evangelischen und die linke Wand des katholischen Gottesdienstraumes beiseite geschoben und die beiden Gemeinden versammeln sich zu einem *gemeinsamen Taufgottesdienst.* Er wird von einem evangelischen und einem katholischen Pfarrer bzw. Diakon geleitet. Angehörige der Tauffamilien und der beiden Gemeinden beteiligen sich an der Ausgestaltung von Gottesdienst und *Taufliturgie.* Sie hat folgende *Struktur:*

Loblied

Einladung der Kinder an den Tauf-Altar

Begrüßung und Einleitung mit Namensnennung der Täuflinge

Tauffrage an Eltern, Paten und Gemeinde
Frage an Eltern: Wollen Sie Ihrem Kind gute, gütige Eltern sein, es im Geist des Evangeliums erziehen und ihm Liebe bewahren, wenn es ihnen Sorge und Enttäuschungen bereitet, so antworten Sie: Ja, mit Gottes Hilfe.
Antwort der Eltern: Ja, mit Gottes Hilfe.
Frage an Paten: Sind Sie bereit, dem Kind als Glied der christlichen Gemeinde mit Verständnis, mit Güte und Ernst nahe zu sein und ihm im Bemühen um Glaube und Liebe – so gut Sie es vermögen – zu helfen und ihm als Freund im

Leben beizustehen, so antworten auch Sie: Ja mit Gottes Hilfe. *Antwort der Paten: Ja mit Gottes Hilfe.*

Frage an die Gemeinde: Seid Ihr bereit, Eltern und Paten, wenn sie es wünschen, bei ihrer christlichen Erziehung zu unterstützen und als Gemeinde einladend und offen zu bleiben für ihre unterschiedlichen Wege, so antwortet: Gott schenke uns dazu seinen guten Geist.

Antwort der Gemeinde: Gott schenke uns dazu seinen guten Geist.

Aufnahmewort mit Kreuzbezeichnung: Mit großer Freude nehmen wir dich in die Kirche auf. Wir bezeichnen dich mit dem Namen und im Zeichen des Kreuzes von Jesus Christus …

Tauf-Evangelium: Matthäus 28,16–20

Glaubensbekenntnis

Wassersegen: Guter Gott, von Anbeginn hast du das Wasser zu einem Sinnbild des Lebens gemacht. Wir bitten dich: segne dieses Wasser, das für die Taufe bestimmt ist, und schenke den Kindern, die damit getauft werden, das neue Leben in deiner Kirche durch Christus, unseren Herrn. Amen.

Lied

Taufhandlung
Tauflob: Laudate omnes gentes Dominum – Alle Völker lobt den Herrn
Entzünden der *Taufkerze*
Taufspruch
Familiensegen[23]

Die Täuflinge werden jeweils von dem Geistlichen getauft, zu dessen Gemeinde die Eltern gehören und in der die Getauften primär heimisch werden sollen. Diese *ökumenischen Taufgottesdienste* haben einen großen Zuspruch und sind von einer ungewöhnlich dichten Atmosphäre geprägt. Anschließend bleibt die ganze Gemeinde zum gemeinsamen Mittagessen beieinander. Da sich das sonstige Leben beider Gemeinden in demselben Haus abspielt, gibt es für alle Beteiligten erfreulich viele alltägliche Berührungspunkte. Solchen in Jahrzehnten entwickelten, gewachsenen, gewordenen und gemeinsam verantworteten Taufgottesdiensten gehört in meinen Augen die Zukunft der einen Taufe. Hier kann sie ihre neue, Gemeinschaft stiftende Kraft entfalten; hier leitet sie an zum »vernünftigen Gottesdienst« im Alltag der Welt (Römer 12,1).

4. Das Kölner Baptisterium

Unterhalb des Ostchores des Kölner Domes, unmittelbar unter dem Domherrenfriedhof befindet sich der größte kirchengeschichtliche Schatz der Stadt, der älteste christliche Kultort nördlich der Alpen: ein achteckiges Taufbecken – *Baptisterium* – aus dem 5./6. Jahrhundert, also aus frühchristlicher Zeit. Es hat einen Durchmesser von 2,40 m und ist etwa 60 cm tief. Man sieht noch die drei Stufen, über die die Taufbewerber in das Wasser hinabstiegen. Dort wurde ihnen stehend dreimal Wasser über den Kopf gegossen, bevor sie auf der anderen Seite ebenfalls über drei Stufen als Getaufte wieder ins Trockene hinaufstiegen.

Dieser ziemlich *einmalige Taufort* wurde im 19. Jahrhundert wiederentdeckt und mit einem niedrigen Ziegelsteingewölbe überbaut. In der zweiten Hälfte des 20. Jahrhunderts wurde er mit einer Mauer und einem schmalen geschlossenen Gitter verbarrikadiert, so dass er praktisch wieder in Vergessenheit geriet und seine spirituelle Kraft bis heute nicht entfalten kann. Inzwischen kümmert sich eine ökumenisch zusammengesetzte »Arbeitsgemeinschaft Baptisterium« (ARGE Bap) um das Schicksal dieses sträflich vernachlässigten Kleinods. Im Zusammenhang mit der gegenwärtig in Gang befindlichen Umgestaltung der östlichen Umgebung des Domes soll nun auch das christliche Baptisterium aus seinem jahrhundertelangen Dornröschenschlaf erlöst werden.

Jetzt tut sich die Chance auf, dass dieser Taufort aus der Zeit der ungeteilten Alten Kirche zum *Sammelbecken für Christen verschiedenster Herkunft* und Kirchen werden kann. Man könnte dort wieder wie in seiner Ursprungszeit Taufen vollziehen. Man könnte sich dort zum gemeinsamen Gedenken an unsere eine Taufe versammeln. Man könnte von diesem ältesten zu anderen, jüngeren Tauforten pilgern. Man könnte dort ein regelmäßiges wöchentliches oder monatliches öffentliches Gebet für die Vereinigung aller Christen im Zeichen der einen Taufe einrichten. So kann das wiederentdeckte altchristliche Kölner Baptisterium zu einem *spirituellen Kraftort* für die ökumenische Bewegung in Köln, im Rheinland und darüber hinaus werden.[24]

Ich schließe dieses Kapitel mit Bemerkungen, die *Konrad Raiser* zum Abschluss eines Vortrags über »die ekklesiologische Bedeutung der einen Taufe« gemacht hat: »Keiner der hier gemachten Vorschläge ist sonderlich originell oder stellt eine unzumutbare theologische bzw. pastorale Erwartung für die beteiligten Kirchen dar. Es bedarf nur der geistlichen Einsicht und der Bereitschaft der Verantwortlichen zu tun, was eint!«[25]

Weiterführende Literatur

H.-G. Link (Hg.), »Wir bekennen die eine Taufe …«. Ökumenische Texte zu Tragweite, Anerkennung, Gedächtnis und Feier der einen Taufe, KÖB 21, Köln (1992) 1994, 3. Auflage.

J. Wanke (Hg.), Erwachsenentaufe als pastorale Chance. Impulse zur Gestaltung des Katechumenats, AH 160, Bonn, März 2001.

D. Heller/R.-H. Müller (Hg.), Die Eine Taufe. Tradition und Zukunft eines Sakramentes. Ein praktisches Handbuch für ökumenische Taufvorbereitung, Frankfurt/Main – Paderborn 2002.

S. Hell/L. Lies (Hg.), Taufe und Eucharistiegemeinschaft. Ökumenische Perspektiven und Probleme, Innsbruck/Wien 2002.

Lutherischer Weltbund/Mennonitische Weltkonferenz (Hg.), Heilung der Erinnerungen – Versöhnung in Christus. Bericht der Internationalen lutherisch-mennonitischen Studienkommission, Genf 2010.

Anmerkungen

1 Dazu ausführlicher H.-G. Link, Ökumenische Erfahrungen mit dem Epiphaniasfest. Ein Plädoyer für seine ökumenische Wiederbelebung, in: ACK Hamburg (Hg.), Die Einheit bewahren. Festschrift zum 75. Geburtstag von Wilm Sanders, Hamburg 2010, 85 f.

2 Dazu ausführlicher H.-G. Link, Ökumenische Erfahrungen, a. a. O. 89 ff.

3 TEA, Z. 15, 15. Ähnlich empfiehlt auch das ökumenische Direktorium, »gemeinsame Erklärungen über die gegenseitige Anerkennung der Taufen abzugeben« (Z. 94), und spricht sich dafür aus, »in einer gemeinsamen Feier mit anderen Christen das Gedächtnis der Taufe (zu) feiern« (Z. 96), 57 f.

4 Text in: H.-G. Link (Hg.), »Wir bekennen die eine Taufe …«. Ökumenische Texte zu Tragweite, Anerkennung, Gedächtnis und Feier der einen Taufe, KÖB Nr. 21, Köln (1992) [3]1994, 32 ff.

5 A. a. O., 36.

6 A. a. O., 37 f.

7 Er begann im Kölner Ökumenischen Studienkreis 1989/90 mit Gesprächen über I. Das Dekret über den Ökumenismus, II. Die ökumenische Bedeutung der Taufe, die in den »Entwurf einer ökumenischen Tauferklärung« vom 16. März 1990 mündeten, in: Th. Ruster/H. G. Link, Kölner Ökumenischer Studienkreis, KÖB Nr. 12, Köln 1990, 16–21. Er wurde fortgesetzt während der Landessynode 1993 mit der Erklärung: »Ein Herr, ein Glaube, eine Taufe«, in: P. Beier (Hg.), Landessynode 1993. Bibelarbeit und ökumenische Beschlüsse, Düsseldorf 1993, 23 ff vgl. auch: Leitung der Evangelischen Kirche im Rheinland (Hg.), Erklärung der Landessynode der Evangelischen Kirche im Rheinland über das Verhältnis zur katholischen und zu anderen Kirchen, Handreichung Nr. 46, Düsseldorf 1993, 14, 75 ff, 86.

8 Text in: R. Woelki, Ökumenisches Taufgedächtnis. Grundsätzliche Überlegungen und praktische Vorschläge zur Gestaltung, Köln 2004, 22.

9 Dieser Anhang ist in der Broschüre des Erzbistums Köln *nicht* abgedruckt; er findet sich in: Kölner Ökumenische Nachrichten (KÖN) 2/6,1996, »Blaue Blätter« 7 f.

10 A. a. O. 24.

11 A. a. O. 22. Vgl. dazu den Briefwechsel zwischen Präses Beckmann und Kardinal Frings sowie den Brief von Präses Brandt, in: H.-G. Link, »Wir bekennen die eine Taufe …«, a. a. O. 48 ff, 53 ff.

12 KÖN 2/1996, A. a. O. 7.

13 Anerkennung der Taufe. Ökumenischer Gottesdienst, 29. April 2007, 17:00 Uhr, Dom zu Magdeburg, 6.

14 Tauferklärung von Lima, Z. 19, 16.

15 Herausgegeben von: Vereinigte Evangelische Mission (VEM), Rudolfstraße 137,42 285 Wuppertal.

16 Tauferklärung von Lima, Z. 20, 16.

17 Tauferklärung von Lima, Z. 23, 17.

18 Taufeerklärung von Lima Z. 16, 15.

19 Ein viersprachiges Gottesdienstformular, ÖRK, Genf 24. 01. 1987,

Dokument 9.11, 29 S., deutscher Text in: Materialdienst der Ökumenischen Centrale 1988/I, Nr. 5, Frankfurt/Main, März 1988; und in: D. Werner (Hg.), Sinfonia Oecumenica, Basel/Gütersloh 1998, 216–247 (viersprachig). Diese *Genfer Liturgie* ist auch während des 90. Deutschen Katholikentages in Berlin am 26. Mai 1990 in der Charlottenburger Trinitatiskirche unter der Leitung von Friedhelm Mennekes und Hans-Georg Link gefeiert worden.

20 Vgl. dazu: Ein Herr, ein Glaube, eine Taufe. Taufgedächtnisgottesdienst zum Abschluss des ökumenischen Kirchentages am 20. August 1994 in Altenberg, 20 S.; R. Woelki (Hg.), Ökumenisches Taufgedächtnis. Grundsätzliche Überlegungen und praktische Vorschläge zur Gestaltung, Diözesanrat der Katholiken im Erzbistum Köln, Oktober 2004, 26 S.; Taufgedächtnis und Glaubenserneuerung, a. a. O. 31–37; Gemeinsame Hoffnungswege. Ökumenische Taufgedächtnis-Feier, Christi Himmelfahrt 13. Mai 2010, Sankt Maximilian Kirche München, 24 S.

21 In: Gemeinsame Hoffnungswege, a. a. O. 8–11.

22 G. Müller-Fahrenholz hat den originellen Vorschlag unterbreitet, einen *Taufwald* zu pflanzen und aufzubauen, in dem man in jedem Frühling ein *Tauferinnerungsfest* feiern kann; in: Heimat Erde *(Zit. HE)*. Christliche Spiritualität unter endzeitlichen Bedingungen, Gütersloh 2013, S. 315.

23 Formular: Ökumenischer Gottesdienst in der ARCHE; zu beziehen bei: Gemeinsames Pfarrbüro, Eichendorffstraße 2, 69151 Neckargemünd, Telefon: 06223-7088 oder -72372.

24 Vgl. dazu den Sammelband: Das Kölner Baptisterium.

25 K. Raiser, Die ekklesiologische Bedeutung der einen Taufe.

IV. Schritte zu eucharistischer Gastfreundschaft

1. Von Knechtsteden über Lima, Lincoln, Berlin nach Köln

a) Knechtsteden 1978

Als Religionslehrer am Bildungszentrum in Köln-Weiden – heute: Heinrich-Heine-Gymnasium – lud ich zusammen mit einem Jesuitenpater vom Bund Deutscher Katholischer Jugend (BDKJ) erstmals 1978 angehende Abiturientinnen und Abiturienten zu ökumenischen Besinnungstagen in das Spiritaner- Kloster Knechtsteden bei Dormagen ein. Während dieser Tage ereignete sich unter uns ein Zwischenfall; soweit ich mich noch erinnere, war einem Teilnehmenden Unrecht getan worden, so dass unsere Gemeinschaft empfindlich gestört wurde. »Störungen haben Vorrang«, befand mein katholischer Partner und vollzog mit uns allen eine *Zeichenhandlung*: Eine Schülerin setzte sich freiwillig in der Mitte eines großen fast leeren Raumes auf den Fußboden. Nacheinander trat jeder an sie heran, nahm einen Stock und zerbrach ihn über ihrem Kopf. Dann ging er zu einer Wasserschale und wusch seine Hände darin. Schließlich schaute sich jeder als »Täter« in einem großen Spiegel ins Gesicht, bevor er sich an seinen Platz zurückbegab. Das Ganze geschah in absolutem Schweigen, die Spannung war zum Zerreißen groß, Tränen flossen.

Im sich anschließenden Gespräch äußerten mehrere Schüler den Wunsch nach einem *positiven* »*Gegenzeichnen*«: Ob wir nicht miteinander Abendmahl feiern könnten? Ich überließ meinem katholischen Amtsbruder die Entscheidung. Er willigte sofort ein. Viel Zeit zur Vorbereitung blieb nicht; in dieser Situation musste sofort gehandelt werden. Einzige Bedingung: *Alle* sollten teilnehmen. So fanden wir uns alle kurze Zeit später um den Altar der alten Klosterkirche versammelt. Drei Einzelheiten sind mir in Erinnerung geblieben: Selten haben wir so laut miteinander gesungen, um uns von der großen seelischen Anspannung zu befreien. Nie wieder habe ich junge Menschen gleichermaßen derart intensiv und dankbar frei betend erlebt. Und schließlich die *Kommunion* in einem großen Kreis um den Altar herum! Ich teilte das Brot aus, mein katholischer Bruder den Wein. Zurück am Altar nahm er wie selbstverständlich das Brot, und reichte es mir: »Christi Leib, für dich gegeben«, ebenso den Wein. Und dann tat ich dasselbe für ihn. Es war ergreifend für uns alle: Zum ersten Mal machten wir miteinander die Erfahrung eucharistischer Gastfreundschaft und ihrer Auswirkung: Wir hatten am Altar Versöhnung erfahren. Alle Beteiligten haben dieses Ereignis und die Tage in Knechtsteden als »traumhaft« erlebt.

b) Lima 1982 und Vancouver 1983

Am 15. Januar 1982, dem Abschlussabend der Plenartagung der Kommission für Glauben und Kirchenverfassung in Lima, kamen wir zu einem *Abendmahlsgottesdienst* zusammen, nachdem drei Tage zuvor, am 12. Januar, die Konvergenzerklärungen zu Taufe, Eucharistie und Amt einstimmig verabschiedet worden waren – das Wunder von Lima. Die kleine Kapelle der Oasis de los Santos Apostolos war mit rund 200 Tagungsteilnehmern restlos überfüllt, als der leitende anglikanische Geistliche aus New York uns alle willkommen hieß.

Max Thurian aus Taizé hatte die Liturgie für diesen Abend schon in Genf vorbereitet. Vertreter praktisch aller kirchlichen Traditionen beteiligten sich. Mitten in der Liturgie des Wortgottesdienstes fiel urplötzlich der Strom aus. Die wenigen Kerzen an den Seiten der Kapelle wurden zum Altar gebracht und die Liturgie wurde ohne jede Unterbrechung weitergefeiert. Katakomben-Atmosphäre breitete sich aus. Auch hier ging es bewegend zu, z. B. beim Friedensgruß, der kein Ende nehmen wollte. An der *Kommunion* beteiligten sich nicht nur Angehörige der westlichen Traditionen – Anglikaner, Lutheraner, Alt- und römische Katholiken, Methodisten, Baptisten u. a. –, sondern sogar auch einige orthodoxe Christen der ostsyrischen Malankara-Kirche in Indien. Mancher rang auch hier um seine Fassung, denn es war das erste und für viele wohl auch das einzige Mal, dass Angehörige derart verschiedener Kirchentraditionen miteinander Eucharistie gefeiert haben.

Diese »Eucharistische Liturgie von Lima«[1] erlebte während der 6. Vollversammlung des Ökumenischen Rates am 31. Juli 1983 ihren weltweiten Durchbruch, als sie unter der Leitung des Erzbischofs von Canterbury *Robert Runcie* im *Gottesdienstzelt von Vancouver* mit etwa 5000 Teilnehmenden gefeiert und vom Fernsehen live in alle Welt übertragen wurde. Dadurch wurde sie auch in Deutschland bekannt und von manchen Gemeinden aufgenommen. Im Laufe der Jahre ist es stiller um sie geworden; sie ist aber nach wie vor ein hilfreiches und wegweisendes Gottesdienstmodell, wenn Angehörige unterschiedlicher Kirchen miteinander Abendmahl feiern. Inzwischen gehört die Lima-Liturgie zum festen Angebot von Evangelischen und Ökumenischen Kirchentagen. Die altkatholische Kirche ist an dieser Stelle besonders engagiert.

c) Lincoln 2002 und weitere Abendmahlserfahrungen

Am Dienstag, den 30. Juli 2002, wurde im *anglikanischen Dom* von Lincoln erstmals seit der Reformation der Kirche von England im Jahr 1532, also nach 470 Jahren, eine *römisch-katholische Eucharistiefeier* gehalten. Der anglikanische Bischof von Lincoln nahm persönlich in vollem Ornat mit Bischofsstab auf seiner Kathedra am gesamten Gottesdienst einschließlich der Kommunion aktiv teil. Der für Lincoln zuständige römisch-katholische Bischof von Nottingham befand sich auf Reisen und hatte einen offiziellen Repräsentanten entsandt.

In langer *Prozession* zogen wir durch ein mit Lilien geschmücktes Portal in den geräumigen mittelalterlichen Chor der Kathedrale ein: Vorneweg gingen die römisch-katholischen Amtsträger, dann die anderen: Anglikaner, Alt-Katholiken, Lutheraner, Reformierte, Methodisten, Baptisten und Böhmische Brüder (bzw. Schwestern) – an die 30 Ordinierte – Frauen und Männer – in liturgische Kleidung ihrer jeweiligen Kirche, die sie repräsentierten. Alle nahmen wir im Altarraum Platz: die römisch-katholischen Zelebranten hinter dem Altar, wir anderen Amtsträger rechts und links daneben. Schon allein das war ein erhebender und ergreifender Beginn!

In seiner *Predigt* legte sich der anglikanische Bischof mächtig ins Zeug: Das Evangelium will nicht nur »ausgesprochen«, sondern »ausgelebt« werden. Es geht wie in Südafrika so bei uns um eine »Theologie des Dazugehörens« – »Ich bin, weil ich dazugehöre«. Die Kirchen müssen die Menschen einbeziehen, statt sie auszuschließen, einander und andere Glaubensweisen anerkennen, wenn sie einen Vorgeschmack des Reiches Gottes vermitteln wollen. »Dann braucht Jesus nicht mehr länger über Menschen und Kirchen zu weinen, die nicht wissen, was zu ihrem Frieden dient.«

Beim *Friedensgruß* geriet wieder – wie fast jedes Mal – die ganze IEF-Familie in eine Bewegung, die beinahe nicht mehr aufhören wollte. Mich hat diesmal besonders berührt, dass es sich der leitende Geistliche nicht hat nehmen lassen, jedem nicht-katholischen Geistlichen im Altarraum seine Hand zu reichen: eine Geste der geschwisterlichen und faktischen Anerkennung der nicht-katholischen Amtsträger.

Zum Empfang der *Kommunion* bildeten wir nicht-katholischen Amtsträger einen großen Halbkreis rund um den Altar herum: alle empfingen die Hostie und den Kelch aus der Hand jeweils eines katholischen Priesters. Natürlich empfing auch jeder der etwa 300 Personen umfassenden ökumenischen Gemeinde, der zur Austeilung kam, die Kommunion unter beiderlei Gestalt. Es war der ergreifende Höhepunkt einer bewegenden römisch-katholischen Eucharistiefeier! So selbstverständlich, spirituell und zutiefst verbindend kann eucharistische Gastfreundschaft von römisch-katholischer Seite gewährt werden, wenn der richtige Zeitpunkt gekommen ist und der Geist weht, wo er will ...«[2]

Bei den (zwei-)jährlichen *internationalen Zusammenkünften* der IEF ist es üblich, dass außer den täglichen Morgengebeten und einem Segnungsgottesdienst jeweils ein anglikanischer, lutherischer, orthodoxer, reformierter und römisch-katholischer eucharistischer Gottesdienst gefeiert wird. Alle Anwesenden nehmen teil und je nach konfessioneller Tradition und persönlicher Gewissensentscheidung beteiligen sie sich auch an der Kommunion. Mit unseren Erfahrungen, die wir seit Jahren auf dem Weg unserer Kirchen zueinander mit eucharistischer Gastfreundschaft machen, möchten wir einen Beitrag zu dem Dialog beisteuern, der auf breiter Ebene zu diesem Thema zwischen Kirchen und Christen geführt wird und noch intensiviert werden muss.[3]

Wir lernen verschiedene Liturgien von unterschiedlichen Kirchen kennen, die wir als bereichernde Ergänzung zu unserer je eigenen Tradition erfahren. Besonders im Singen und Beten, beim Austausch des Friedensgrußes und in der spirituellen Atmosphäre unserer Gottesdienste vernehmen wir den uns alle verbindenden guten Geist Gottes. Wir überfordern uns gegenseitig nicht, aber dank unserer jahrelangen Praxis wissen und fühlen wir uns als willkommene Gäste am Tisch unseres gemeinsamen Herrn in Gemeinschaft mit Angehörigen anderer Konfessionen.

Wir erfahren in unseren Gottesdiensten, die grundsätzlich in ökumenischer Offenheit gefeiert werden, eine geistliche Freundschaft untereinander. Wir sind dankbar für diese Zeichen von Gottes Gegenwart in jedem Gottesdienst und bezeugen ihre stärkende und tragende Kraft für unser alltägliches Leben, manchmal ein ganzes Jahr hindurch. Denn wir erleben beides: die persönliche Christus-Begegnung und die beglückende Erfahrung, als Angehörige verschiedener Kirchen zu einer umfassenden Gemeinschaft im weltweiten Leib Christi zusammengeschlossen zu sein.

d) Berlin 2003

Am Himmelfahrtstag 2003, dem 29. Mai, fand um 18:00 Uhr in der Gethsemane-Kirche am Prenzlauer Berg ein »ökumenischer Gottesdienst mit offener Kommunion« unter dem Thema statt: »… was steht ihr hier und schaut nach oben?« Er wurde vorbereitet und verantwortet vom Arbeitskreis Ökumene der *Initiative Kirche von unten* und der Kirchenvolksbewegung *Wir sind Kirche* in Zusammenarbeit mit der evangelischen Kirchengemeinde *Prenzlauer Berg-Nord*. Der Medienrummel im Vorfeld hatte dafür gesorgt, dass die Kirche schon überfüllt war, als es mir eine Stunde vor Beginn noch gerade gelang, in sie hineinzukommen. Hunderte, die später kamen, mussten draußen vor der Tür bleiben. Hätte man dem

Gethsemane-Gottesdienst im offiziellen Programm und in einer Messehalle Raum gegeben: Es wären noch wesentlich mehr gekommen!

Das Bemerkenswerte an diesem Gottesdienst war meines Erachtens, wie *un*dramatisch er verlief. Der katholische Zelebrant, Professor Dr. *Gotthold Hasenhüttl* aus Saarbrücken, vermied jeden Show-Anflug und feierte in großer Konzentration die Liturgie. Zur Begrüßung hielt er eine kleine Ansprache, die deutlich machte, dass und warum er sich für diese Feier der Eucharistie als »Zeichen der Gemeinschaft« zur Verfügung gestellt hatte:

»Ich begrüße Sie ganz herzlich zum ökumenischen Gottesdienst mit Eucharistiefeier nach katholischem Ritus und offener Kommunion. Alle sind eingeladen zum Empfang des Abendmahls als Zeichen der Gemeinschaft untereinander in Jesus Christus in den Symbolen von Brot und Wein ... Die Eucharistie will jede Spaltung beseitigen und ist vor allem Zeichen dafür, dass alle Menschen angenommen sind. So sollen wir heute der Aufforderung des Papstes in Ecclesia de Eucharistia folgen, in der er sagt: ›Steh auf und iss, sonst ist der Weg zu weit für dich‹ – und dies gilt für uns alle.«

Diese Eucharistiefeier wurde eine tiefgehende Erfahrung des Geistes und der Kraft. Die *Kommunion* wurde im Altarraum, im Vorraum und schließlich auch auf dem Kirchengelände ausgeteilt; sie nahm fast eine Stunde in Anspruch, während der die Gemeinde mit Brot und Wein und spirituell mit Taizé-Gesängen kommunizierte. Im Vorraum der Kirche bildeten wir Kreise um eine brennende Kerze herum; jeder empfing Brot und Wein mit einem persönlichen Zuspruch, zum Abschluss reichten wir einander die Hände, sprachen z. B. Psalm 23 gemeinsam und gingen mit der paulinischen Zusage auseinander: »Ihr seid der Leib Christi, und jeder einzelne ist ein Glied an ihm« (1. Korinther 12,27). Man konnte in lachende und weinende Gesichter sehen, unberührt blieb niemand von dieser Kommunionserfahrung. Das war etwas durchaus anderes als der sonst meist übliche Prozessionsempfang in katholischen Messfeiern ... Auch dieser Gottesdienst vermittelte einen Vorgeschmack von dem, was viele Christen ersehnen. Davon spricht das Lied, das wir zu Beginn sangen:

> »Ich träume eine Kirche, die teilt und sich verschenkt,
> die wenig an sich selbst und viel an andere denkt.
> Ich träume eine Kirche, die Mauern überspringt,
> die lacht und weint und segnet und mit den Menschen
> singt«.[4]

e) Abendmahlsfeiern in der Kölner Thomas-Messe

Seit Mitte der neunziger Jahre hat sich die Feier der aus Helsinki stammenden Thomas-Messe auch in zahlreichen deutschen Städten eingebürgert. Sie ist ein unkonventioneller, szenisch und gemeinschaftlich orientierter Gottesdienst »für Zweifler und andere gute Christen«. Nach dem ersten Verkündigungsteil und dem zweiten Teil mit verschiedenen geistlichen Angeboten wie Segnung und Salbung kommt die Thomas-Messe in Köln mit der ökumenisch ausgerichteten *Abendmahlsfeier* zu ihrem Höhepunkt. Fast alle an der Gestaltung des Gottesdienstes Beteiligten – zehn bis zwölf Personen – stehen während der Abendmahlsliturgie hinter dem vorgezogenen Altartisch, um die gemeinschaftliche Dimension von vornherein zu verdeutlichen. Drei Personen halten in der Regel die Liturgie. Die Einsetzungsworte werden dabei grundsätzlich von dem verantwortlichen ordinierten evangelischen Pfarrer gesprochen, während Präfation und Epiklese auch von anderen Personen übernommen werden können. Wir legen großen Wert auf eine dialogische Gestaltung: jeder Teil der Liturgie wird mit einem Gesang der Gemeinde aufgenommen bzw. beantwortet. Spätestens beim Friedensgruß »bricht das Eis« und jeder wird in die Gemeinschaft einbezogen.

Zur *Kommunion* teilt sich die Gemeinde in kleine Kreise auf, die gleichzeitig kommunizieren. Unter den Emporen der evangelischen Trinitatiskirche stehen sechs niedrige Kommuniontische, jeweils festlich geschmückt mit Tischtuch, Kerze und Blumen. Je zwei Austeilende gehen vom Altar mit Brotkorb und Kelch zu einem der Tische, um den sich Gruppen zwischen 10 und 20 Personen versammeln. Einer teilt das Brot, der andere den Wein aus: »Das Brot des Lebens: Christus für dich«. – »Der Kelch des Heils: Christus für dich«. Dabei achten wir auf Blickkontakt, Handberührung und, falls bekannt, persönliche Namensanrede, wie es z. T. In der anglikanischen Tradition üblich ist. Dazu nehmen wir uns Zeit, während der meditative Musik erklingt. Zum Abschluss der Kommunionrunde reichen wir uns die Hände im Kreis, hören einen biblischen Zuspruch oder sprechen gemeinsam einen Psalm, z. B. 23, 34 oder 121. Dann nehmen die Teilnehmenden zur gemeinsamen Schluss-Liturgie wieder im Kirchenschiff Platz, während die Austeilenden mit Brot und Wein (Saft) zurück zum Altartisch gehen, von dem aus einer ein Dankgebet spricht, das von der Gemeinde mit einem Loblied beantwortet wird. Wir hören bei den Rückmeldungen immer wieder, wie stark die Teilnehmenden von dieser persönlichen Form der Abendmahlsgestaltung berührt werden.

2. Theologische Einsichten

a) Ökumenismusdekret 1964

Das *Ökumenismusdekret* stellt in seinem ersten katholischen Grundsatz im Anschluss an Johannes 17,21 fest: Jesus »setzte in seiner Kirche das wunderbare Sakrament der Eucharistie ein, durch das die Einheit der Kirche sowohl *bezeichnet als auch bewirkt* wird« (et significatur et efficitur).[5] Dazu bemerkt der katholische Theologe *Bernd Jochen Hilberath* in seinem offiziellen Kommentar: »Dass das Sakrament der Eucharistie ›die Einheit der Kirche sowohl bezeichnet als auch bewirkt‹, mag sakramenten-theologisches Prinzip seit der Didache [Ende 1. Jahrhundert] sein, als ›katholischer Grundsatz des Ökumenismus‹ ist es noch nicht voll ausgeschöpft.«[6]

Zur Feier des Abendmahls in reformatorischen und anderen Kirchen äußert sich das Ökumenismusdekret in seinem 3. Kapitel folgendermaßen: »Obwohl den von uns getrennten kirchlichen Gemeinschaften die aus der Taufe hervorströmende volle Einheit mit uns fehlt, und obwohl wir glauben, dass sie – besonders wegen des Fehlens des Weihesakraments – das ursprüngliche und vollständige Wesen des eucharistischen Mysteriums nicht gewahrt haben, bekennen sie dennoch, indem sie beim Heiligen Abendmahl das Gedächtnis des Todes und der Auferstehung des Herrn begehen, dass das Leben in der Gemeinschaft mit Christus bezeichnet wird, und erwarten seine glorreiche Ankunft.«[7] Damit werden zur *reformatorischen Abendmahlsfeier* folgende *fünf positive* Feststellungen getroffen:

1. Die reformatorischen Gemeinschaften feiern das *Heilige Abendmahl* (Sancta Coena) und nichts anderes, wie es bereits die dogmatische Konstitution über die Kirche formuliert.

2. Sie begehen das Gedächtnis (memoria) des Todes und der Auferstehung des Herrn, mit anderen Worten: sie *vergegenwärtigen* seinen Heilstod und seine lebendige Gegenwart.

3. Sie bekennen sich zu einem *Leben in Gemeinschaft mit Christus.*

4. Diese Christusgemeinschaft im Abendmahl ist ein *wirksames Zeichen* (significare als signum efficax), das bewirkt, was es darstellt.

5. Sie *erwarten* mit der zukünftigen »glorreichen Ankunft« Christi den Beginn seines eschatologischen Reiches in Herrlichkeit.

Diesen fünf positiven Qualifizierungen stehen *zwei Einschränkungen* gegenüber:

1. »Nach unserer Meinung« haben reformatorische Gemeinschaften »das *ursprüngliche* und *vollständige* Wesen des eucharistischen Mysteriums *nicht* gewahrt.«

2. *Es fehlt das Weihesakrament.*

Deshalb, folgert das Dekret, muss die »Lehre vom Abendmahl des Herrn« Gegenstand eines ökumenischen *Dialoges* werden. Dieser Dialog zwischen evangelisch-lutherischen und römisch-katholischen Theologen ist sofort nach dem Konzil ausführlich aufgenommen worden und hat zahlreiche positive Ergebnisse zutage gefördert.

b) Leuenberger Konkordie 1973

In der Leuenberger Konkordie werden zum Abendmahl alte und neue reformatorische Erkenntnisse zusammengebracht: »*Im Abendmahl schenkt sich der auferstandene Jesus Christus in seinem für alle dahingegebenen Leib und Blut durch sein verheißendes Wort mit Brot und Wein ... Er lässt uns neu erfahren, dass wir Glieder an seinem Leib sind. Er stärkt uns zum Dienst an den Menschen ... Die Gemeinschaft mit*

Jesus Christus in seinem Leib und Blut können wir nicht vom Akt des Essens und Trinkens trennen. Ein Interesse an der Art der Gegenwart Christi im Abendmahl, das von dieser Handlung absieht, läuft Gefahr, den Sinn des Abendmahls zu verdunkeln. Wo solche Übereinstimmung zwischen Kirchen besteht, betreffen die Verwerfungen der reformatorischen Erkenntnisse nicht den Stand der Lehre dieser Kirchen.[8]

Da es sich hier um das verbindliche gemeinsame *evangelische Abendmahlsverständnis* handelt, auf dessen Basis die ökumenischen Gespräche geführt wurden und werden, fasse ich die wichtigsten Gesichtspunkte formal und inhaltlich kurz zusammen:

1. Das Leuenberger Abendmahlsverständnis nimmt *lutherische, reformierte und unierte* Gesichtspunkte auf.

2. Da es um Kirchengemeinschaft zwischen diesen Traditionen geht, liegt der Akzent auf den *Gemeinsamkeiten*.

3. Es gibt keine ausgeführte Abendmahlstheologie, sondern es wird ein *gemeinsamer Rahmen* abgesteckt, der nach innen wie nach außen Spielraum lässt und eröffnet.

4. Handelndes Subjekt im Abendmahl ist der »auferstandene Jesus Christus«: Person und »Werk« erläutern sich gegenseitig. Seine Gegenwart wird als *reale Personalpräsenz* verstanden.[9]

5. Das Verbum »schenken« (Z. 15) verdeutlicht den Gabe- und *Geschenkcharakter* des Abendmahls.

6. Die Formulierung »*mit Brot und Wein*« benennt die Elemente als gute Schöpfungsgaben, die in das Geschehen konstitutiv miteinbezogen werden.[10]

7. Zusätzlich zu der *soteriologischen* (»Vergebung der Sünden«) werden die *ethische* (»neues Leben«), *ekklesiologische* (»sein Leib«) und *diakonische* (»Dienst an den Menschen«) Dimension des Abendmahls unterstrichen.

8. Entscheidend ist der *Mahlcharakter*, der im »Akt des Essens und Trinkens« (Z. 19) vollzogen wird.

9. Die Erfahrung der »Gegenwart Christi« geschieht in, mit und unter dem *Gesamtgeschehen* des Mahles; davon absehende oder darüber hinausgehende Interessen werden abgewiesen.

10. Aus der Gemeinsamkeit in diesem Verständnis des Abendmahls folgt *Kirchengemeinschaft*.

Innerhalb von knapp 40 Jahren hat das evangelische Abendmahlverständnis eine Wende vom individualistischen Sondermal zum gemeinschaftlichen Feiern des neuen Lebens vollzogen, wie man sich das vorher nicht hat träumen lassen. Besonders erfreulich ist die ökumenische Öffnung, die damit verbunden ist. Sie hat als erstes in Leuenberg zur Erklärung von Kirchengemeinschaft zwischen verschiedenen evangelischen Konfessionen geführt. Man darf dabei nicht außer Acht lassen, dass es diese innerevangelische Kirchengemeinschaft zwischen lutherischen, reformierten und unierten Kirchen seit gerade erst 40 Jahren gibt.

c) Lima 1982

Die wichtigste Erklärung zum Verständnis des Abendmahls ist zweifellos die *Lima-Konvergenzerklärung zur Eucharistie von 1982*.[11] Ihre drei Teile erörtern Einsetzung, Bedeutung und Feier der Eucharistie. Ihre Bedeutung kommt unter fünf Gesichtspunkten zur Sprache: Danksagung an den Vater (theologisch), Anamnese oder Gedächtnis (Memorial) Christi (christologisch), Anrufung des Geistes (pneumatologisch), Gemeinschaft (Communio) der Gläubigen (ekklesiologisch) und Mahl des Gottesreiches (eschatologisch). Dem *trinitarischen Ansatz* entspricht bei der Feier eine *trinitarische Struktur* der Liturgie. Die Gemeinschaft der Gläubigen findet im liturgischen »Essen und Trinken in Gemeinschaft mit Christus und jedem Glied der Kirche« (Z. 27) ihren stärksten Ausdruck.

Der eschatologische Ausblick auf das Mahl des Gottesreiches wird im liturgischen »Gebet um die Wiederkehr des Herrn und die endgültige Offenbarung seines Reiches« aufgenommen. Mit anderen Worten: Die Eucharistie-Erklärung von Lima entfaltet in mustergültiger Konzentration und Kürze eine umfassende Abendmahlstheologie, die in entsprechende liturgische Vorschläge zur Feier einmündet.

Opfer – Realpräsenz – Wandlung

Zur umstrittenen *Opferthematik* wird geklärt, dass es nur »das einmalige Opfer am Kreuz (gibt), das in der Eucharistie vergegenwärtigt und in der Fürbitte Christi und der Kirche für die ganze Menschheit vor den Vater gebracht wird« (Z. 8 K). Es hat auch eine ethische Dimension: »In Christus bringen wir uns selbst dar als ein lebendiges und heiliges Opfer in unserem täglichen Leben« (Z. 10).

Auch die Frage der wirklichen Gegenwart (*Realpräsenz*) wird eindeutig beantwortet: »Die Kirche bekennt Christi reale, lebendige und handelnde Gegenwart in der Eucharistie ... Unter den Zeichen von Brot und Wein ist die tiefste Wirklichkeit das ganze Sein Christi, der zu uns kommt, um uns zu speisen und unser gesamtes Sein zu verwandeln« (13 mit K). Das Dass der wirklichen Gegenwart Christi wird in aller wünschenswerten Klarheit herausgestellt, die unterschiedlichen Vorstellungsweisen über das Wie werden nur dargestellt und den Kirchen »die Entscheidung überlassen, ob dieser Unterschied innerhalb der im Text selbst formulierten Konvergenz Raum finden kann« (Z. 13 K). Damit macht Lima aus einer konfessionell konstitutiven eine ökumenisch regulative Frage. Dieses weise Verfahren lässt innerhalb des gemeinsamen Bekenntnisses zu Christi »realer, lebendiger und handelnder Gegenwart« Spielraum für unterschiedliche Verständnisweisen.

Im Blick auf die »*Wandlung*« betont Lima, dass durch »das ganze Sein Christi« unter den Zeichen von Brot und Wein

»unser gesamtes Sein … verwandelt« wird. Entscheidend ist also die Verwandlung der am Abendmahl Teilnehmenden zu neuen Geschöpfen des Geistes und der Kraft.

Katholizität der Eucharistie

Das zeigt sich dann in der ekklesiologischen Tragweite der Eucharistie: »Die eucharistische Gemeinschaft mit dem gegenwärtigen Christus … ist zugleich auch die Gemeinschaft im Leibe Christi, der Kirche. Das Teilhaben am einen Brot und gemeinsamen Kelch an einem bestimmten Ort macht deutlich und bewirkt das Einssein der hier Teilhabenden mit Christus und mit den anderen mit ihnen Teilhabenden zu allen Zeiten und an allen Orten« (Z. 19). Die Erklärung spricht hier und in diesem theologisch-ökumenischen Sinn von der »*Katholizität der Eucharistie*« (Z. 19 K). Das ist für die römisch-katholische Kirche ebenso wie für die nicht-katholischen Christen der eucharistische Ansatzpunkt, das konfessionelle Verständnis von Katholizität zu überwinden und zu ihrer ökumenischen Dimension vorzustoßen.[12] Zugleich lässt diese Raum und Zeit umgreifende Interpretation der Eucharistie keinen theologischen Spielraum mehr für individualistische Einschränkungen des Abendmahls.

Mit dieser *Eucharistie-Erklärung von Lima*, an der katholische Theologen maßgeblich mitgearbeitet haben, liegt uns seit über 30 Jahren eine umfassende ökumenische Auslegung von Abendmahl und Eucharistie vor, wie sie auf absehbare Zeit nicht überboten werden kann und braucht. Statt nach einer neuen Erklärung zu den Sakramenten und dem Kirchenverständnis zu rufen, sind wir besser beraten, uns auf die vorliegende Lima-Erklärung zurückzubesinnen und aus ihr die entsprechenden Folgerungen zu ziehen.

d) Fortschritte für die Abendmahlsgemeinschaft

Es ist schwierig, die theologischen Einsichten, die in den vergangenen 50 Jahren zu Verständnis und zur Feier des Abendmahls gewonnen worden sind, in wenigen Sätzen zusammenzufassen: Es sind zu viele. Stattdessen halte ich in sieben Thesen fest, die ich für Berlin 2003 formuliert habe, welche *Fortschritte* wir ökumenisch *für die Abendmahlsgemeinschaft* in den letzten Jahrzehnten erzielt haben:

1. Sowohl nach dem Neuen Testament (1. Korinther 10,16f) als auch nach dem Zweiten Vatikanischen Konzil (UR 2: significatur et efficitur) hat das Abendmahl eine die *Einheit* der Christen *bezeugende* sowie auch eine ihre Einheit *stiftende* Dimension.

2. In über 30-jährigen evangelisch/römisch-katholischen Dialogen sind die früheren Differenzen über die Fragen von Realpräsenz Christi, Opfercharakter der Feier und Laienkelch für Kommunizierende aufgearbeitet, so dass das »Gutachten des Päpstlichen Rates zur Förderung der Einheit der Christen« vom Dezember 1992 zu dem abschließenden Urteil gelangt: »Wir können sagen, dass bezüglich der Eucharistielehre *keine kirchentrennenden Gegensätze* mehr bestehen.« (S. 110)

3. Zur *Anerkennung reformatorischer Ämter* sind von römisch-katholischen Theologen (H. Jorissen, W. Kasper, D. Sattler u. a.) schon seit Längerem Überlegungen angestellt und Wege aufgezeigt worden, die jedoch bislang noch nicht zu lehramtlichen Konsequenzen geführt haben.

4. Die theologischen, spirituellen, gemeindlichen und in konfessionsverbindenden Familien auch sakramentalen Annäherungen zwischen den Kirchen haben in den vergangenen 30 Jahren zu einer *neuen ekklesialen Nähe* geführt.

5. Dem Tatbestand, nicht mehr in Kirchentrennung, vielmehr in einer »gewissen, wenn auch nicht vollkommenen Ge-

meinschaft« (UR 3) miteinander zu stehen, muss von den Kirchen auch in der Feier der Eucharistie Rechnung getragen werden. Statt alles oder nichts zu gewähren, geht es um die *derzeit angemessenen Formen* gegenseitiger Beteiligung.

6. Evangelische Kirchen in Deutschland heißen seit 1975 getaufte römisch-katholische Christen, die an einer evangelischen Abendmahlsfeier *teilnehmen* wollen, *willkommen*. Sie hindern ihre eigenen Glieder nicht, an einer römisch-katholischen Eucharistiefeier teilzunehmen.

7. Römisch-katholische Bischofskonferenzen in England, Kanada und Südafrika gehen mit Ausnahmeregelungen zur Teilnahme von Nicht-Katholiken großzügiger um als in Deutschland; die kanadische Bischofskonferenz spricht sich für eine weite (broad) Auslegung schwerer Notlagen aus: *»Begünstigungen sollen vervielfacht, Belastungen aber eingeschränkt werden«* (Ottawa 1999).[13]

3. Ökumenische Vorschläge

Im Blick auf eucharistische Gastfreundschaft beziehen die beiden großen Kirchen bislang *gegensätzliche Positionen*. Während sie von evangelischer Seite als möglich erachtet und auch praktiziert wird, gestattet sie die römisch-katholische Kirche offiziell nur in eng umrissenen Ausnahmefällen für Einzelpersonen. Für eine klar zu benennende und zu begrenzende Gruppe wie konfessionsverbindende Ehepaare oder Familien ist es in der katholischen Kirche bis heute nicht möglich, gemeinsam die Eucharistie zu empfangen. Dennoch gibt es bereits – wie dargelegt – in besonderen Situationen eindrucksvolle Erfahrungen von eucharistischer Gastfreundschaft, die auch theologisch gut zu begründen ist. Solange aber nur die evangelische und nicht auch die römisch-katholische Kirche sich dazu bereit erklärt, kann von gegenseitiger eucharistischer Gastbereitschaft nicht die Rede sein. Das gilt unbeschadet der Tatsache, dass sich auch im katholischen Raum eucharistische Gastfreundschaft über die kirchenrechtlich eng gezogenen Grenzen hinaus ausbreitet. Sie kann aber nicht nur von dem liberalen oder kirchentreuen Verhalten dieses oder jenes Gemeindepfarrers abhängig gemacht werden. Sich im Schutz großstädtischer Gemeindeanonymität die Kommunion zu erschleichen ist ebenfalls keine überzeugende Lösung. Da es bisher nicht absehbar ist, wann es zwischen evangelischer und römisch-katholischer Kirche in dieser Frage zu einer einvernehmlichen Lösung auf Gegenseitigkeit kommen wird, ist in diesem Kapitel von *Schritten zu eucharistischer Gastfreundschaft* die Rede, die jede interessierte Gemeinde gehen kann, während die *Erklärung offizieller eucharistischer Gastfreundschaft nur auf der Ebene der Kirchenleitungen* vollzogen werden kann. Zum gegenwärtigen Zeitpunkt kommt es daher in den *Gemeinden* darauf an, einerseits die Frustration über noch nicht mögliche allgemeine eucharistische Gastfreundschaft zu überwinden und andererseits Schritte zu unternehmen, die jenem Ziel entgegengehen. In dieser Perspektive unterbreitete ich die folgenden drei Vorschläge:

a) Gemeindliche Mahlkultur

Wie das letzte Mahl Jesu mit seinen Jüngern die von ihm praktizierte Form der Mahlgemeinschaft zum Abschluss gebracht hat, so ist es heute wichtig, die Feier des Abendmahls/der Eucharistie mit anderen Weisen der Mahlgemeinschaft in Verbindung zu bringen. Da das aber bedauerlicherweise weithin in unseren Gemeinden – im Gegensatz zur

Zeit der Alten Kirche – nicht der Fall ist, kommt es zuallererst darauf an, wieder eine *gemeindliche Mahlkultur* zu entwickeln, die den Boden bereitet, auf dem dann auch sakramentale Mahlgemeinschaft gelingen kann.

Der erste Schritt dazu heißt wie in vielen englischsprachigen Gemeinden *welcome: Willkommen!* Es geht um einladende Gemeinden, in denen man sich willkommen, also zuhause fühlt. Anlässe zur Entwicklung einer gemeindlichen Mahlkultur sind *Einladungen*, z. B. für Eltern und Paten von Täuflingen, Firmlinge oder Konfirmanden, für am Ort Neuzugezogene, für Gemeindemitarbeitende, für Treffen von Kirchen- mit Pfarrgemeinderäten. Das Gemeinde- oder Privathaus (Wohnung) sollte dann gastfreundlich hergerichtet sein. Es geht dabei nicht um große Mahlzeiten, wohl aber um das »Einüben« von *gemeinsamem Essen und Trinken*, z. B. mit belegten Broten und Tee oder einem kleinen warmen Imbiss. Wichtig ist, dass man in, mit und unter Essen und Trinken zu einem persönlichen oder gemeinschaftlichen Gespräch findet, in dem Verständnis und Vertrauen entwickelt werden. Dazu kann ein gemeinsames, die Existenz berührendes Thema helfen, z. B. welche Erfahrungen habe ich mit dem Abendmahl, der Eucharistie gemacht?

Ein *geistlicher Rahmen* tut einer solchen Mahlzeit gut: gemeinsames Singen, ein Tischgebet, ein Segenswort zum Abschluss. In der Kölner Partnerstadt Liverpool habe ich eine solche Mahlkultur öfter als ausgesprochen belebend, manchmal sogar beglückend erlebt – bis hin zu einem Festmahl mit Queen Elisabeth.

b) Erneuerung konfessioneller Abendmahlsfeiern

»Der beste Weg zur Einheit in der eucharistischen Feier und Gemeinschaft ist die Erneuerung der Eucharistie selbst in Bezug auf Lehre und Liturgie in den verschiedenen Kirchen«[14]. Bevor es zu gegenseitiger eucharistischer Gastfreundschaft kommt, ist es wichtig, dass Angehörige der einen Konfession in der Feier der anderen das Mahl Jesu Christi wiedererkennen können. Damit ein solcher Prozess in Gang kommen kann, bedarf es der *glaubwürdigen Einladung* der einen an die anderen, zu ihren jeweiligen Sakramentsgottesdiensten zu kommen (ohne sofort an der Kommunion teilzunehmen). Wenn diese Einladung überzeugend ausgesprochen wird, steht die einladende Gemeinde vor der Frage: *Wie können wir unsere Feier des Abendmahls / der Eucharistie so gestalten, dass unsere Gäste der anderen Konfession in der Lage sind, in ihr das Mahl Jesu Christi wiederzuerkennen?* Im Gespräch über solche gegenseitigen gottesdienstlichen Besuche und Erfahrungen geht es dann auch darum, was die eine Gemeinde und Kirche von der anderen lernen kann, um das Wiedererkennen zu erleichtern.

(1) Evangelische Abendmahlsfeiern

Was also können evangelische Gemeinden von katholischen Eucharistiefeiern lernen? An erster Stelle nenne ich die *trinitarische Grundstruktur* der Abendmahlsliturgie, wie sie auch die Lima-Erklärung empfiehlt: Dank an den Vater, Vergegenwärtigung des Sohnes und Anrufung des Geistes. 30 Jahre nach Lima sollte und müsste das in evangelischen Abendmahlsfeiern selbstverständlich geworden sein.

Sodann wird der evangelische *Umgang mit den Elementen Brot und Wein* vor, während und nach der Feier von katholischer Seite kritisch angefragt. Vor der Abendmahlsfeier haben gottesdienstliche Bereitstellung und aktuelle Gabenbereitung ihren Platz mit einem *Brot- und Wein-Segen*. Das findet jedoch vielfach gar nicht statt und wird entsprechend vermisst. Während der Feier kommt es auf einen vertrauten, angemessenen und *sorgfältigen Umgang* mit den Elementen an, so dass es glaubwürdig ist, dass in, mit und unter diesen Schöpfungsgaben Christus »real, lebendig und handelnd«[15] gegenwärtig ist. Nach der Feier entsteht ein Problem, weil es in evangelischen Kirchen in der Regel keinen festen Aufbewahrungsort für die Elemente gibt. Die Lima-Erklärung empfiehlt den *anschließenden Verzehr der Abendmahlsgaben* und/oder ihre Austeilung an Kranke und andere bei der Feier Abwesende.[16]

Nicht jeder evangelische Christ verfügt hier über die erforderliche Sensibilität. Aber gerade darauf kommt es an, wenn es um ökumenische Annäherung in der Abendmahlsgemeinschaft geht, »dass jede Kirche die Praxis und Frömmigkeit der anderen respektiert«[17], ohne sie sich selber zu eigen machen zu müssen. Schließlich können evangelische Feiern etwas von der *katholischen Weite* des Abendmahls lernen: der Gemeinschaft der Lebenden und der Toten in Gott, der Vergegenwärtigung vergangener Zeiten und Menschen ebenso wie des verheißenen kommenden Mahles in Gottes Reich.

Darüber hinaus ist der Lob- und Dank-Charakter evangelischer Abendmahlsfeiern durchaus noch zu intensivieren. Der die Feier *einleitende Dialog* zwischen Liturg und Gemeinde kommt vielfach gar nicht vor und wenn, wird er oft nur gesprochen oder kläglich gesungen. Bei einer solchen Praxis kommt man nicht im Traum auf den Gedanken, dass es sich dabei in früheren Zeiten um eine Form von liturgischer Ekstase mit Gesang, Körperhaltung und Gesten zu Beginn der Feier gehandelt hat, die die Gemeinde auf den nun folgenden Höhepunkt des Gottesdienstes eingestimmt hat. Außerdem ist die jeweils *gesungene Antwort der Gemeinde* nach Präfation, Einsetzungsworten und Epiklese eine große Bereicherung. Erfreulicherweise beginnt sich der *Friedensgruß* allmählich in evangelischen Sakramentsgottesdiensten einzubürgern. Er ist eine schöne Gelegenheit, sich einander zuzuwenden, bevor man miteinander vor Gott an den Altar tritt.

Eine Gemeinde, der daran gelegen ist, mit katholischen Christen in eucharistische Gastfreundschaft einzutreten, wird sich in dieser und ähnlicher Weise um eine Erneuerung ihrer Abendmahlsfeier bemühen, damit ein *gemeinsames Wiedererkennen* des einen Mahles Jesu Christi besser möglich wird.

(2) Katholische Eucharistiefeiern

Was können katholische Gemeinden von der evangelischen Abendmahlsfeier lernen? Zunächst die Gleichrangigkeit von Wortverkündigung und Sakramentsfeier, vom *Tisch des Wortes und dem Tisch des Brotes*. Das ist in katholischen Kirchen nicht überall so deutlich wie im Trierer Dom, wo es auf gleicher Höhe eine Kapelle des Wortes (mit einer evangelischen Luther-Bibel!) und des Sakraments gibt. Auch freut sich der evangelische Besucher einer katholischen Messfeier, wenn er merkt, dass der Prediger sich mit den verlesenen *Bibeltexten* befasst (hat).

Zweitens geht es um die *gemeinschaftliche Gestaltung der Kommunion am Altar*. Da sowohl im Neuen Testament als auch in so gut wie allen ökumenischen Texten zum Abendmahl sein Gemeinschaftscharakter besonders hervorgehoben wird und der Akt des Essens und Trinkens konstitutiv für jede Eucharistiefeier ist, darf man fragen, ob dem die meist übliche Wandelkommunion gerecht wird. In evangelischen Feiern versammelt man sich immer häufiger in Halb- oder Ganzkreisen um den Altar herum, empfängt Brot und Wein (Saft) – sub utraque! –, reicht sich anschließend als Zeichen der Verbundenheit in Christi Namen die Hände und hört ein besonderes Bibelwort, bevor man mit dem Friedenswunsch entlassen wird. Bei entsprechender Vorbereitung und Zahl an Kommunionhelfern ist diese Praxis auch bei einer großen Zahl an Kommunikanden durchaus gut zu handhaben.

Schließlich legen evangelische Christen besonderes Gewicht auf die Ethik des Teilens: Das Teilen des *Brotes am Altar* und das Teilen von *Brot für die Welt* sind nach evangelischem Verständnis zwei Seiten derselben Münze. Das eine gehört zum anderen, oder bei einem Widerspruch zwischen beiden macht das eine das andere unglaubwürdig. »Als Teilnehmer an der Eucharistie erweisen wir uns daher als unwürdig, wenn wir uns nicht aktiv an der ständigen Wiederherstellung der Situation der Welt und menschlichen Lebensbedingungen beteiligen«[18].

Abschließend möchte ich noch auf einen besonders heiklen Punkt aufmerksam machen: Wenn sich z. B. ein evangelischer Partner in einer konfessionsverbindenden Ehe entschließt, an der katholischen Kommunionausteilung teilzunehmen, muss er sicher sein dürfen, *nicht zurückgewiesen zu werden.* »Vermieden werden sollte von römisch-katholischer Seite eine ausdrückliche Ausladung anwesender evangelischer Christen mit dem Hinweis auf die entsprechenden Bestimmungen«[19], wie es zu Beginn des Kölner Weltjugendtages 2005 im Müngersdorfer Stadion geschehen ist. Denn das hinterlässt lebenslange Verwundungen.

Auch für die katholische Eucharistiefeier kommt es darauf an, im Geist des Evangeliums den nicht-katholischen Teilnehmenden Gottes Zuwendung auf gastfreundliche Weise erfahrbar zu machen. »Ökumenische Sensibilität in der Gestaltung der sonntäglichen konfessionellen Gottesdienste heißt daher das Gebot der Stunde für beide Seiten«[20].

c) Agape-Feiern

(1) Geschichte und Sinn von »Liebesmahlen«

In der Apostelgeschichte ist mehrfach davon die Rede, dass die ersten Christen »das Brot hier und dort in den Häusern brachen und Mahlzeiten hielten mit Freude und lauterem Herzen« (Apg. 2,46). Mit dieser Praxis knüpften sie an die Mahlgemeinschaften Jesu ebenso an wie auch an die Tradition jüdischer Mahlfeiern. Im neutestamentlichen Judasbrief ist erstmals von *Agapen, Liebesmahlen*, die Rede (V. 12). Aus dem 1. Korintherbrief kennen wir das Miteinander von sakramentalem und Sättigungsmahl und erfahren etwas von damit verbundenen Problemen in der korinthischen Gemeinde (1. Korinther 11,17 ff). Nichtsdestoweniger bezeugt diese neutestamentliche Praxis die *Zusammengehörigkeit von sakramentaler und sozialer Gemeinschaftsfeier*: Das Brotbrechen am Altar und untereinander sind die beiden Seiten *eines* Geschehens, die so zueinander gehören wie Gottes- und Nächstenliebe. Ab dem 2. Jahrhundert trat die sakramentale Feier immer stärker in den Vordergrund und verdrängte mehr und mehr die Agape, bis sie im frühen Mittelalter schließlich aufgegeben wurde.[21] Immerhin hat die orthodoxe Tradition bis zum heutigen Tag die Liturgie der *Artoklasia, des Brotbrechens*, bewahrt, die während des Zweiten Ökumenischen Kirchentages in München 2010 eine ebenso erstaunliche wie erfreuliche Wiederbelebung erfahren hat.[22] Im 18. Jahrhundert hatte die Herrnhuter Brüdergemeine unter Graf Zinzendorf das »*Liebesmahl*« wiederentdeckt und zu einem regelmäßigen Bestandteil ihres Gemeindelebens gemacht. In jüngster Zeit ist es die katholisch geprägte *action 365*, die sich diese Form einer *Ökumenischen Laienliturgie* auf ihre Fahnen geschrieben hat.

Im Kern geht es bei der Agapefeier darum, den Umgang mit dem Brot wieder einzuüben, wie ihn Jesus bei seinen

Gastmählern vollzogen hat. Es ist die vierfache Bewegung von *1. Nehmen, 2. Danken, 3. Brechen und 4. Teilen*. Wie Jesus das Brot in seine Hände *nahm*, so wird es den Händen des Schöpfers anvertraut, indem es auf den Altar oder einen Tisch gelegt wird. Es wird für Gottes Handeln ausgesondert. Im *Danken* wird Gott gepriesen für diese – und andere – Schöpfungsgaben, das grundlegende Lebensmittel. Dabei wird den Danksagenden klar, wie wenig selbstverständlich in einer von millionenfachem Hunger gezeichneten Welt das lebenserhaltende Geschenk des Brotes ist. Das *Brechen* des Brotes, also das Zerteilen eines ganzen Brotlaibes in verschiedene Teile, ist ein uraltes Ritual, das der jüdische Hausvater zu Beginn eines festlichen Mahles vollzieht. Es verdeutlicht sinnenfällig, wie aus einem Ganzen verschiedene Teile werden, die alle Bestandteile ein und desselben Brotlaibes sind: Sie sind einzeln, ohne vereinzelt zu sein; sie sind verschieden und gehören doch zusammen. Diese Teile werden schließlich an alle Anwesenden verteilt. Der Vorgang des *Teilens* beinhaltet Austeilen, Verteilen, Zuteilen und Mitteilen. Es ist die Bewegung, die ausgehend von den Händen Jesu über seine Nachfolgenden tendenziell bis zu den Enden der Erde reicht.

(2) Modell einer ökumenischen Agapeliturgie

Diesen Grundvorgang des göttlichen Anteilnehmens und Anteilgebens vergegenwärtigt und vollzieht die Agapefeier in einer geprägten Form, die natürlich verschiedene Gestalten annehmen kann. Ich gebe hier das *Modell einer ökumenischen Agapeliturgie* weiter, dass wir für den 9. Kölner Ökumenetag zum Thema »Schritte auf dem Weg zur Mahlgemeinschaft« im Oktober 2001 entwickelt haben.[23]

Die Teilnehmenden sitzen in Gruppen zu zehn Personen an *Tischen*, die zuvor mit schönen Decken, Blumen, Kerzen, Bechern und Servietten ausgestattet worden sind. Der *Wortgottesdienst* enthält die üblichen Elemente: Begrüßung, Lied,

Psalm, Tagesgebet, Lesung der Brotteilung nach Markus 8,1-10, Meditation dazu und ein neueres Glaubensbekenntnis. Nach einer instrumentalen Zwischenmusik kommt eine erläuternde Hinführung zur *Agapefeier*. Diese beginnt damit, dass Kerzen, Fladenbrote und Wein/Saft in Karaffen zum Altar gebracht werden. Nach einem Lichtgebet wird eine Altarkerze an den ersten Tisch gebracht. Dort wird die erste *Tischkerze* entzündet und das Licht dann von Tisch zu Tisch weitergereicht. Das ist bei einer abendlichen Agapefeier ein ähnliches Erlebnis wie das Ausbreiten des Kerzenlichts während der Osternachtsfeier. Dazu wird der *Kanon* gesungen: Mache dich auf und werde Licht. Dann wird über den Schöpfungsgaben Brot und Wein (Saft) der *Lobpreis* gesprochen und von der Gemeinde singend aufgenommen: Sei gepriesen (Laudato si). Anschließend wird folgendes *Segensgebet zu Brot und Wein* gesprochen:

»*Herr, unser Gott, Schöpfer der Welt, wir danken dir für Brot und Wein, die Frucht der Erde und der menschlichen Arbeit. Dein Sohn hat Brot gesegnet und es Hungrigen zu essen gegeben. Wasser hat er in Wein verwandelt zum Zeichen des himmlischen Hochzeitsmahles. Am Abend vor seinem Leiden gab er sich selbst im Zeichen des Brotes und des Weines seinen Jüngern zur Speise und zum Trank.*
In seinem Namen bitten wir dich: Segne + dieses Brot und + diesen Wein. Stärke uns mit deinen Gaben.
Hilf, dass wir nicht nur an uns selbst denken, sondern bereit sind, anderen beizustehen und geschwisterlich zu teilen.
Lass uns in der Gemeinschaft mit allen Menschen deine Vatergüte preisen, jetzt und in alle Ewigkeit. Amen.«[24]

Nach einem Lied und der Bitte um den *Geist des Teilens* kann als »gemeindebildender Kern einer Agapefeier« das bekannte *Gebet aus der Didache* (9,4) so aufgenommen werden:

»Wie dieses Brot aus vielen Körnern bereitet ein Brot ist, und wie dieser Wein aus vielen Beeren jetzt ein Trank ist, so will Gott uns Menschen zueinander führen – in dieser Gemeinschaft und auf der ganzen Erde. Kommt und esst von diesem Brot, das uns eint! Und Jesus, der Herr, gebe uns seinen Frieden.«[25].

Mitglieder der verantwortlichen Vorbereitungsgruppe bringen dann vom Altar Brot und Wein/Saft zu den einzelnen Tischgruppen oder zwei Personen jeder Gruppe nehmen die Gaben am Altar in Empfang. In den *Tischgruppen* kommt es darauf an, dass niemand sich selbst bedient, sondern jeder seinem Nachbarn von dem Brotlaib ein Stück bricht und es ihm mit den Worten reicht: »Brot zum Leben.« Anschließend schenkt man sich gegenseitig Wein/Saft ein: »Wein zur Freude«. Wenn die letzte Person beides erhalten hat, beginnt das Essen und Trinken mit dem Segenswunsch »Schalom«. Musik und Lieder (Solo) unterstreichen den festlichen Mahlcharakter. Wichtig ist, dass es zu einem möglichst *gemeinsamen Tischgespräch* in der Runde kommt. Dafür ist es hilfreich, wenn sich jemand einen Bibeltext – z. B. die Jahreslosung – oder ein Thema, z. B. den Inhalt der vorherigen Meditation, zuvor überlegt hat. Nach 20–30 Minuten werden die übrig gebliebenen Gaben eingesammelt und wieder zum Altar gebracht, um anschließend von Mitgliedern der Vorbereitungsgruppe verzehrt zu werden. Mit einem gemeinsam gesprochenen Dankgebet (Psalm!), Fürbitten, Vaterunser, Segen und Lobgesang kommt die Agapefeier zu ihrem *Abschluss*. Erfahrungsgemäß bieten sich immer Menschen an, um bei der *Nachbereitung* mit Hand anzulegen.

(3) Mahlgemeinschaft mit Laienliturgie

Eine solche Agapeliturgie kann natürlich auch in Privathäusern und Wohnungen gefeiert werden, z. B. im Zusammenhang mit Taufen, Firmung oder Konfirmation, oder für Hausgruppen am Beginn bzw. Ende des Sonntags (Samstag oder Sonntagabend). Gemeindliche Anlässe sind Gründonnerstag, Ostermontag – *Emmausmahl!* –, die Advents – und Fastenzeit; auch der Jahresbeginn hat sich bewährt (1. oder 6. Januar). Der besondere Vorteil der Agapefeier liegt darin, dass sie nicht auf einen Ordinierten bzw. geweihten Leiter angewiesen ist. Im Gegenteil: Als *nicht-sakramentale Feier* kann sie – wie das Brotbrechen des jüdischen Hausvaters – grundsätzlich von jedem getauften Christen geleitet werden. Hier ist der Ort, das allgemeine Priestertum aller Getauften zu praktizieren! Denn im Kern handelt es sich um eine *Segens-Mahlfeier*: Das gesegnete Brot ist eine Eulogie, bei orthodoxen Feiern das Antidoron, das von den konsekrierten Abendmahlselementen klar und deutlich unterschieden ist. Aus diesem Grund eignet sich die Agapefeier besonders gut für *ökumenische Mahlgemeinschaften*, die gemeinschaftlich, thematisch und vor allem verständnisvoll gestaltet werden. Hier können evangelische, katholische, orthodoxe und andere Christen miteinander neue Erfahrungen im Umgang mit Brot und Wein sammeln. Es ist, wie die *action 365* zurecht betont, eine wahrhaft ökumenische Laienliturgie, die in allen Gemeinden einen festen Platz erhalten soll.

Nachdem die Agapefeiern im Interesse von Sakramentalität und Klerikermacht jahrhundertelang zurückgedrängt und schließlich abgeschafft worden sind, kommt es heute darauf an, im Interesse einer theologischen und ökumenischen *Annäherung von Agapefeier und Eucharistiefeiern* dieser Form christlicher Mahlgemeinschaft den gebührenden Raum zu gewähren. Wenn es eines hoffentlich nicht zu fernen Tages zu gegenseitiger eucharistischer Gastfreundschaft kommen wird, dann müssen andere, *neue und vertiefte Erfahrungen* im elementaren, gemeinschaftlichen und liturgischen Umgang mit Brot und Wein gemacht worden sein, damit wir miteinander eine spirituelle ökumenische Abendmahlserfahrung machen können, die *mehr* ist und *tiefer* geht als die gegenwärtigen konfessionellen Kommunionfeiern. Die künftige ökumenische Mahlfeier hat einen durch Leiden und Hoffnung gewonnenen *geistlichen Mehrwert* gegenüber den heutigen konfessionellen Abendmahlsfeiern. Dazu verhelfen nicht zuletzt die heute möglichen, ökumenisch gestalteten Agapefeiern. Für beide Formen von Mahlgemeinschaft gilt die Ermutigung des *Kirchenvaters Augustinus*: Esst, was ihr seid, und seid, was ihr esst: Leib Christi.[26]

Weiterführende Literatur

Gemeinsame römisch-katholische/evangelisch-lutherische Kommission, Das Herrenmahl, Frankfurt/Main – Paderborn (1978) [7]1979.

ÖRK-Kommission für Glauben und Kirchenverfassung, Konvergenzerklärung »Eucharistie«, Frankfurt/Main – Paderborn (1982) [9]1984.

E. Lessing, Abendmahl, BH 72, ÖS 1, Göttingen 1993.

G. Fuchs, Agape-Feiern in Gemeinde, Gruppe und Familie. Hinführung und Anregungen, Regensburg 1997.

M. Welker, Was geht vor beim Abendmahl?, Gütersloh (1999) [4]2012.

H.-G. Link (Hg.), Das Straßburger Modell. Eucharistische Gastfreundschaft im Elsass. Eine Dokumentation, KÖB Nr. 44, Köln (November 2002) [2]2003.

Ökumenereferat der Erzdiözese Bamberg, Gemeinsames Herrenmahl. Sammlung wichtiger Texte und Dokumente zur Frage nach der Zulassung zum Herrenmahl, Ökumenische Reihe 1/2003.

H.-G. Link (Hg.), Schritte auf dem Weg zum Mahlgemeinschaft. 9. Kölner Ökumenetag, KÖB Nr. 43, Köln Mai 2002.

Ökumenische Institute Straßburg, Tübingen, Bensheim, Abendmahlsgemeinschaft ist möglich. Thesen zur eucharistischer Gastfreundschaft, Frankfurt/Main 2003.

Anmerkungen

1 Hg. v. M. Thurian, Frankfurt/Main 1983, 24 S.
2 Auszug aus: H.-G. Link (Hg.), Das Straßburger Modell. Eucharistische Gastfreundschaft im Elsass. Eine Dokumentation, KÖB Nr. 44, Köln November 2002, 73–78.
3 Vgl. dazu die Erklärung »Eucharistisches Teilen« von 2007, in: H.-G. Link (Hg.), Heute die Kirche von morgen leben. Deutsche Region der Internationalen Ökumenischen Gemeinschaft (IEF), Köln, Mai 2010, 16 ff.
4 Auszug aus: H.-G. Link, Berlin 2003. Streiflichter vom ersten Ökumenischen Kirchentag, KÖB Nr. 46, Köln Juli 2003, 39–41.
5 HTK 1, 2004, 213.
6 HTK 3, 2005, 116.
7 HTK 1, 239.
8 W. Hüffmeier (Hg.), Konkordie reformatorischer Kirchen in Europa (Leuenberger Konkordie, LK), 1973, Frankfurt/Main 1993, Z. 15.19.20, 29 f.
9 Vgl. E. Lessing, Abendmahl, 38.
10 »Mit« statt »unter« nimmt die Formulierung der Wittenberger Konkordie von 1536 auf.
11 In: Taufe, Eucharistie und Amt, Frankfurt/Main-Paderborn 1982, S. 18–28.
12 Vgl. dazu H.-G. Link (Hg.), Katholisch sein heißt Ökumenisch sein, KÖB Nr. 51, Köln August 2005, besonders S. 100 ff.
13 In: H.-G. Link, Die Zeit ist reif. Anregungen und Anstöße auf den Weg zum ersten Ökumenischen Kirchentag in Berlin, Junge Kirche Beilage 2/2003, 24 f.
14 Eucharistie-Erklärung von Lima, Z. 28,TEA 27.
15 Lima Z. 13,TEA 21.

16 Z. 32, TEA 28.

17 Ebd.

18 Lima Z. 20, TEA 24.

19 Schlussbericht der Kommission »Ökumenische Feierformen« für den Ökumenischen Kirchentag in Berlin 2003 vom 14. September 2001, Z. 4.5.

20 H.-G. Link, Ökumenische Sensibilität im Gottesdienst. Liturgische Vorschläge auf dem Weg zur Eucharistischen Gastfreundschaft, in: J. Brosseder/H.-G. Link, Eucharistische Gastfreundschaft, 164 ff.

21 Dazu:W. J. Patzelt/G. Back, Agape. Sinn und Form einer ökumenischen Laienliturgie, Frankfurt/Main 2014, besonders 61 ff.

22 In: A. Glück u. a. (Hg), Damit ihr Hoffnung habt. 2. Ökumenischer Kirchentag 12.–16. Mai 2010 in München. Dokumentation, Gütersloh/München/Kevelaer 2011, 92 ff.

23 H.-G. Link (Hg.), Schritte auf dem Weg zur Mahlgemeinschaft. 9. Kölner Ökumenetag, KÖB Nr. 43, Köln Mai 2002, 57 ff.

24 Leicht abgewandelt aus: G. Fuchs, Agape-Feiern in Gemeinde, Gruppe und Familie. Hinführung und Anregungen, Regensburg 1997, 85.

25 In: J. Patzelt/G. Back, Agape, a. a. O. 120.

26 Iste, quod este, et este, quod iste.

TEIL B

»KATHOLISCHE« VERNETZUNGEN

V. Partnerschaften am Ort und zwischen verschiedenen Orten

1. Begegnungen in Frankreich, England und Deutschland

Persönliche, gemeindliche und kirchliche Partnerschaften fallen nicht vom Himmel. Sie entwickeln sich in aller Regel aus persönlichen Begegnungen, gemeindlichen oder regionalen Gruppen und kirchlichen Beziehungen. Die Partnerschaftsbewegung begann in *Frankreich*, setzte sich in *England* fort und kam von dort nach *Deutschland*. Diesen Weg möchte ich in gebotener Kürze nachzeichnen.

a) Gruppe von Dombes und Foyers mixtes in Frankreich

Es waren entsetzliche Erfahrungen im Ersten Weltkrieg, dass Christen derselben Kirche einander abschlachteten. Die Auswirkungen der russischen Revolution, die orthodoxe Flüchtlinge bis nach Lyon vertrieb, veranlasste die Gläubigen den Benediktinerpater *Paul Couturier* mit der Frage nach der Einheit der Christen an seinem Ort Lyon und der zwischen Franzosen, Schweizern und Deutschen zu konfrontieren. Seine Antwort auf diese Herausforderung bestand darin, Gruppen zusammenzurufen, die an einer Überwindung des konfessionellen und nationalen Elends interessiert waren. Im Januar 1933 kam es zu einem ersten ökumenischen Gebetstreffen in Lyon. Man betete für die christliche Einheit, »so, wie Christus sie will, und durch die Mittel, die er will«[1]. Couturier nahm damit Impulse des Amerikaners *Paul Wattson* auf und verband sie mit ähnlichen Bemühungen der Kommission für Glauben und Kirchenverfassung in Genf. So entstand ein erstes ökumenisches Netz, aus dem später die *Internationale Gebetswoche für die Einheit der Christen* hervorgegangen ist.

Im Jahr 1937 gründete Paul Couturier zusammen mit Pater *Laurent Rémillieux* eine Gruppe mit französischen Priestern und schweizer reformierten Pfarrern, denen eine geistliche Erneuerung und ökumenische Umkehr ihrer Gemeinden und Kirchen am Herzen lag. Sie trafen sich anfänglich in dem nördlich von Lyon gelegenen Zisterzienserkloster Dombes. Diese »*Gruppe von Dombes*« trifft sich seitdem – über 70 Jahre lang – jährlich und verbindlich zu einem mehrtägigen theologischen Gespräch und spirituellem Austausch. »Entscheidend für die Gruppe ist die Verflochtenheit von Gebet, Studium und Praxis.«[2] In den vierziger Jahren wurden Verbindungen zur Kommunität von *Taizé* geknüpft und in den fünfziger Jahren kam es in Taizé zu Begegnungen mit dem Apostolischen Nuntius in Frankreich, *Angelo Roncalli*, dem späteren Papst Johannes XXIII. Diese Gruppe aus je 20 reformierten und katholischen Theologen hat es sich zur Aufgabe gemacht mitzuhelfen, um den Riss des 16. Jahrhunderts, die Trennung der westlichen Kirche, zu überwinden. Ihre wichtigste Veröffentlichung ist bisher »*Für die Umkehr der Kirchen*. Identität und Wandel im Vollzug der Kirchengemeinschaft«, die in einen Aufruf an die Kirchen der Reformation, an die römisch-katholische Kirche und an »alle unsere Kirchen« mündet.[3] Solche verbindlichen Gesprächsgruppen sind in Deutschland erst nach Ende des Zweiten Weltkriegs mit dem Robert-Grosche-Kreis in Köln und dem Jäger-Stählin-Kreis in Paderborn/Oldenburg zustandegekommen.[4]

Gleich zu Beginn des Zweiten Vatikanischen Konzils kam es in Frankreich zu Zusammenkünften von Laien-Christen und Ehepaaren aus den reformatorischen Kirchen und der katholischen Kirche: *Foyers mixtes – Gemischte Heime*. Auch sie fanden sich in Lyon zusammen, wo sie vom Dominikanerpater *René Beaupère* in seinem Centre Saint Irénée mit offenen Armen in Empfang genommen wurden. Seitdem treffen sie sich mehrfach im Jahr zu Begegnungen mit Gottesdiensten und Katechesen an verschiedenen Orten. Sie geben eine eigene Reihe heraus: »Foyers Mixtes. Informations et Réflexions pour un Oecuménisme vécu«; die Zeitschrift des Centre Saint Irénée erscheint unter dem Titel: »Chrétiens en Marche«[5]. In Frankreich, wo die große Mehrheit der katholischen Kirche und nur eine kleine Minderheit reformatorischen Kirchen angehört, hat sich diese Form übergemeindlicher, regionaler Begegnungen bewährt, die ökumenisch orientierte Christen und Familien zu verbindlicher Gemeinschaft zusammenführen. Nur im Elsass, wo es auch eine größere evangelisch-lutherische Kirche gibt, ist es nicht nur zu persönlichen und gemeindlichen Freundschaften gekommen, sondern auch zu eucharistischer Gastfreundschaft für konfessionsverbindende Familien.[6]

b) Bundesschlüsse zwischen Gemeinden in England

Anfang der achtziger Jahre kam es in verschiedenen englischen Großstädten zu *Unruhen* von Jugendlichen – riots –, die angesichts der zunehmenden wirtschaftlichen und sozialen Krise im Land für sich keine Perspektive mehr sahen. Ganze Stadtteile, z. B. von *Liverpool*, wurden verwüstet, Häuser zugemauert, ihre Bewohner von Arbeits- und Hoffnungslosigkeit vertrieben. Dieser soziale Niedergang, der auch viele Kirchengemeinden verarmen ließ, rief die anglikanische

Kirche auf den Plan, nach neuen Glaubensantworten zu suchen. Ihr 1985 veröffentlichter Bericht »*Faith in the City*«[7] konzentriert sich mit seinen Empfehlungen auf zwei Bereiche: die Nöte der Ortsgemeinden und die ökumenische Zusammenarbeit, um sie zu bewältigen. In Liverpool schlug die Stunde des anglikanischen Bischofs *David Sheppard* und des katholischen Erzbischofs *Derek Worlock,* die ein Modell von »christlicher Partnerschaft in einer verwundeten Stadt«[8] entwickelten, das im ganzen Land Aufsehen erregte. Ihr bekanntestes Projekt ist die bis heute alle zwei Jahre am Pfingstsonntag stattfindende »Hoffnungsprozession«, die in der katholischen Metropolitan-Kathedrale beginnt, durch die Hope-Street führt und in der anglikanischen Kathedrale von Liverpool mit einem Gottesdienst abschließt. Hunderte, manchmal Tausende nehmen mit den beiden Bischöfen daran teil.

Auf *katholischer* Seite ließ man sich 1982 zunächst von dem Schlussbericht der internationalen anglikanisch-römisch-katholischen Kommission,[9] dann von den Lima-Erklärungen zu Taufe, Eucharistie und Amt des ÖRK und schließlich vom ersten Besuch eines Papstes in Großbritannien zu neuen ökumenischen Initiativen inspirieren. Man dachte zunächst an einen nationalen Bundesschluss in England zwischen katholischer, anglikanischer und zwei weiteren Kirchen. Als klar wurde, dass er in absehbarer Zeit nicht zustande kommen würde, verlegte man sich auf *örtliche Bundesschlüsse*. Schon 1978 hatte man dazu einen ersten Vorstoß unternommen. Jetzt war es nicht nur eine ökumenische Kommission, sondern die römisch-katholischen Bischöfe von England und Wales selber, die 1983 eine programmatische Schrift veröffentlichten: *Local Churches in Covenant – Ortskirchen im Bund miteinander.*[10] Darin werben sie ausdrücklich für »örtliche ökumenische Projekte« – local ecumenical projects – und für einen Prozess des Bund-Schließens miteinander –

covenanting –, der alle Beteiligten verändert, indem er sie näher zueinander bringt.

Diese parallelen und miteinander verzahnten Initiativen von anglikanischer, katholischer und freikirchlicher Seite haben dazu geführt, dass schon während der achtziger Jahre in England *Hunderte von Bundesschlüssen auf Ortsebene* zwischen zwei bis sechs Ortsgemeinden eingegangen worden sind, namentlich in der Merseyside-Region um Liverpool, im Birmingham-Gebiet und nördlich von London in der Milton Keynes-Gegend.

Als 1990 eine Kölner kirchliche Gruppe zu einem ersten Besuch in die Partnerstadt Liverpool aufbrach, lernten wir auch solche *Bundesschluss-Gemeinden* kennen. Von einem dieser Besuche habe ich berichtet:

»*Man kam kaum durch die Tür. So viele Menschen drängten sich vor und hinter dem Eingang des Gemeindehauses. Vor dem Eingang unterhielten sie sich lebhaft, lachend, einige rauchten. Hinter dem Eingang tat sich ein geräumiges Foyer auf, von dem aus man in verschiedene Bereiche des weitläufigen modernen Gebäudes gelangt. Weil es Mittagszeit war, steuerten wir schnurstracks dem Speiseraum zu. Aber der war restlos überfüllt, einige Ältere standen im Gang und warteten sich unterhaltend, bis sich ihnen ein Sitzplätzchen bot. In einem anderen Raum saßen hauptsächlich Männer beim Spielen: Karten, Kugeln, Schach. Im Kellergeschoss war eine Ambulanz für Bedürftige untergebracht, daneben eine Mischung aus Massage- und Meditationsraum, wo man sich auf den Teppichboden legen konnte. Im Lesezimmer lagen vor allem Tageszeitungen aus. Etwas abseits an einer Treppe befand sich die kleine Kapelle mit hellem Glasfenster, Kerze und Gebetbuch (Book of Common Prayer). Im größten Raum des Hauses spielten Mütter mit ihren Kleinkindern, sonntags* ist er Gottesdienstraum, alltags Ort des Kindergartens. An die 20 Helfer, Betreuer bzw. Gesprächspartner sorgten dafür, dass möglichst alle rund 200 Menschen im überfüllten Haus auf ihre Kosten kamen. ›So ist das hier 7 Tage in der Woche von 10 bis 18:00 Uhr‹, erklärte uns unsere freundliche Gastgeberin. ›Man braucht schon an die 70 Ehrenamtliche, um hier über die Runden zu kommen.‹ Sie strahlte stolz: ›Das haben wir uns in den vergangenen Jahren aufgebaut; allein reichte es für keine Gemeinde mehr zum Leben oder Sterben. Seit sich die drei Gemeinden am Ort zusammengetan haben, hat das Gemeindeleben einen völlig neuen Aufschwung genommen.‹ Wir Besucher waren mächtig beeindruckt. Als wir im Eingangsbereich wieder angelangt waren, fiel mein Auge auf eine große Urkunde gleich neben der Eingangstür mit der Überschrift: »Covenant between the Anglican Church, the Methodist Church and the Roman-Catholic Church« – Bundesschluss zwischen der anglikanischen, methodistischen und römisch-katholischen Kirche.«[11]

Bei diesem Besuch ist mir klar geworden, dass die *sozialen Brennpunkte* in England viel elementarer als in Deutschland zutage liegen und demzufolge der Druck zur Zusammenarbeit zwischen Gemeinden, die keine Kirchensteuer wie in Deutschland kennen, wesentlich größer ist. Dank der vielfältigen kirchlichen Landschaft, die von reformierten, methodistischen, baptistischen und anderen sogenannten Freikirchen bereichert wird, ist die ökumenische Entwicklung in England schon wesentlich weiter vorangeschritten als in Deutschland. Der Akzent liegt bei den gemeindlichen Partnerschaften in der Regel auf *örtlichen ökumenischen Projekten* – Local Ecumenical Projects: LEP's –, die soziale, spirituelle und persönliche Nöte aufgreifen.

c) Gemeindepartnerschaften am Ort in Deutschland

(1) Köln-Neubrück

Die *Konrad-Adenauer-Siedlung Neubrück* am östlichen Stadtrand von Köln gehört zu den ersten Trabantenstädten, die in den sechziger Jahren vor den Toren so mancher Großstadt auf der grünen Wiese errichtet wurden. Heute leben dort rund 10 000 Menschen: in schönen Eigenheimen, in nicht so schönen Mietshäusern und in dem höchsten Gebäude, dem fünfzehnstöckigen Wohnstift des Deutschen Ordens für Senioren. Es erging den Menschen hier wie in vergleichbaren Wohnsiedlungen: Niemand kannte sich zuvor, eine Infrastruktur musste im Laufe von Jahren erst aufgebaut werden. Es gab aber auch keine Erbhöfe von Alteingesessenen, die Bewohner waren aufeinander angewiesen, alle wollten sich hier neu beheimaten – gleiche Schwierigkeiten und gleiche Startchancen.

»Zur Gebetswoche für die Einheit der Christen, die in Neubrück seit 1974 regelmäßig begangen wird, war ich am 26. Januar 1997 in den Gottesdienst eingeladen. Zum Thema der Woche »Ihr seid in Christus versöhnt« hielt ich die Predigt, in der ich auf alte Unversöhntheiten und neue Lebensräume im Dienst der Versöhnung einging. Ich sprach davon, dass Gemeinden an ihrem Ort Zeichen der Versöhnung setzen können. Nach dem Gottesdienst saßen wir in großer Runde im Gemeindehaus zusammen und sprachen darüber, welche Zeichen der Versöhnung in Neubrück gesetzt werden könnten. Bei jedem Vorschlag von mir, gemeinsam etwas z. B. für Kranke, für Alte, für Ausländer zu tun, scholl mir entgegen: Das tun wir schon! Da kam mir die Erleuchtung: »Dann seid Ihr die ersten beiden Gemeinden für eine offizielle Gemeindepartnerschaft!« Man war interessiert, neugierig und aufgeschlossen, man war bereit sich auf diesen Weg einzulassen ...

Im Verlauf des Jahres 1998 kristallisierte sich der Vorschlag heraus, die beiden Ortsgemeinden zusammen mit dem Ökumenischen Netz Mittelrhein zu einem Wochenende mit dem Thema »Unterwegs zur Gemeindepartnerschaft am Ort« einzuladen. Das Wochenende wurde zu einer kleinen ökumenischen Versammlung in Neubrück. Nach dem gemeinsamen Gottesdienst am Sonntagvormittag in der evangelischen Trinitatiskirche kamen alle zur ersten ökumenischen Gemeindeversammlung zusammen, in der abschließend über den Wortlaut der Vereinbarung der Gemeindepartnerschaft beraten wurde. Schließlich wurde er einstimmig von den knapp 200 Anwesenden angenommen.

Die Vereinbarung über eine Partnerschaft zwischen der evangelischen und katholischen Gemeinde in Köln-Neubrück wurde am Trinitatis-Sonntag, dem 30. Mai 1999, im Rahmen eines ökumenischen Gottesdienstes in der katholischen Kirche Sankt Adelheid feierlich unterzeichnet. Die große Kirche war bis auf den letzten Platz gefüllt ... Die beiden Gemeindepfarrer erfreuten die ökumenische Gemeinde mit einer Dialogpredigt. Und die vereinigten Kirchenchöre sangen Lieder, die ein junger Mann aus Neubrück zur Stärkung der neuen Identität komponiert hatte. Die feierliche Unterzeichnung der beiden Urkunden wurde auf dem Altar von den beiden Pfarrern sowie von Vertretern aus Presbyterium und Pfarrgemeinderat vollzogen und mit lang anhaltendem Beifall der versammelten Gemeinde quittiert.

Dann wurde der Gottesdienst unterbrochen: Eine öffentliche Prozession durch das Zentrum von Neubrück setzte sich in Bewegung, um auf dem Gelände der evangelischen Trinitatiskirche den gemeinsamen Gottesdienst mit Liedern und Gebeten fortzusetzen. Nach dem Schlusssegen wurden alle Anwesenden eingeladen, ihrerseits die Partnerschaftsvereinbarung zu unterzeichnen. Es bildete sich sofort eine lange Schlange. Dann schloss sich ein kölsches Fest

unter Zeltplanen an mit Musik und Tanz, bis es von wolken-
bruchartigen Niederschlägen in feste Räume verbannt
wurde.«[12]

(2) Rheinland

Inzwischen gibt es im Bereich der Evangelischen Kirche im
Rheinland über 50 abgeschlossene Gemeindepartnerschaften,
Schwerpunkte sind der Köln/Bonner und der Wuppertaler
Raum sowie Gemeinden im Bistum Trier, z. B. Remagen, Sin-
zig und Bad Sobernheim. Im Umfeld des Berliner Ökumeni-
schen Kirchentages hat der Diözesanrat der Katholiken im
Erzbistum Köln eine Projektgruppe »Ökumenische Gemein-
departnerschaft« ins Leben gerufen, die unter der Überschrift
»Wir haben uns getraut!« für den Abschluss solcher Part-
nerschaften eintritt.[13]

(3) Andere Regionen

Ziemlich genau fünf Jahre nach der Unterzeichnung der ersten Gemeindepartnerschaft in Köln-Neubrück haben am
27. Mai 2004 Erzbischof Robert Zollitsch für die *Erzdiözese*
Freiburg und Landesbischof Ulrich Fischer für die *Evange-*
lische Landeskirche in Baden eine »Rahmenvereinbarung für
ökumenische Partnerschaften« in Pforzheim unterzeichnet.
Es ist das erste und bisher einzige Mal, dass die Spitzen von
Kirchenleitungen sich dieses Anliegen zu eigen gemacht und
»verbindliche Vereinbarungen« zwischen ihren Gemeinden
angeregt haben, wie es in England bereits in den achtziger
Jahren geschehen ist. Auf diese Weise soll die ökumenische
Zusammenarbeit gefördert und dafür ein »verbindlicher
Maßstab«[14] gesetzt werden. Dieser ökumenische Impuls der
badischen *Kirchenleitungen* hat dazu geführt, dass es inzwi-
schen in Baden an die 100 Gemeindepartnerschaften gibt, so
viele wie weder im Rheinland noch in einer anderen Region.
Dieses Verfahren zeigt, wie viel Kirchenleitungen auf regio-

naler Ebene ökumenisch zuwege bringen können, wenn sie selber von dem Geist der Gemeinschaft beseelt sind.

Insgesamt ist es erfreulich, dass nach Frankreich in den dreißiger Jahren, den Niederlanden in den siebziger Jahren, England in den achtziger Jahren nun die Partnerschaftsbewegung auch in Deutschland seit 15 Jahren Fuß gefasst hat und sich immer noch weiter ausbreitet.

2. Theologische Einsichten

a) Ökumenische Impulse aus Lund und Straßburg

(1) Lund 1952

Bereits zehn Jahre vor Beginn des Konzils hat die 3. Weltkonferenz für Glauben und Kirchenverfassung, die *1952 in Lund/Schweden* zum Thema: »Christus und seine Kirche« tagte, ein »Wort an die Kirchen« verabschiedet. Darin werden die Kirchen eindringlich aufgefordert, vom Glauben zum Handeln voranzuschreiten: »Ein Glaube an die eine Kirche Christi, der nicht durch Taten des Gehorsams ergänzt wird, ist tot. Es gibt Wahrheiten über das Wesen Gottes und seiner Kirche, die uns für immer verschlossen bleiben werden, wenn wir nicht gemeinsam der Einheit gemäß handeln, die wir bereits besitzen. Wir möchten daher unsere Kirchen ernsthaft bitten zu prüfen, ob sie wirklich alles tun, was sie tun sollten, um die Einheit des Volkes Gottes sichtbar zu machen. *Sollten unsere Kirchen sich nicht fragen,* ob sie immer die genügende Bereitschaft zeigen, mit anderen Kirchen ins Gespräch zu kommen, und *ob sie nicht in allen Dingen gemeinsam handeln müssten, abgesehen von solchen, in denen tiefe Unterschiede der Überzeugung sie zwingen, für sich allein zu handeln?*«[15] Hier wird erstmals der Gedanke in Frageform formuliert, dass nicht das gemeinsame, sondern das noch getrennte Handeln der Kirchen begründet werden muss. Dieses Votum ist als »Lunder Diktum« bzw. »Lund-Prinzip« bekannt geworden.

(2) Straßburg 2001

Zu Beginn des neuen Jahrtausends haben die Konferenz Europäischer Kirchen (KEK) und der Rat der Europäischen Bischofskonferenzen (CCEE) »Leitlinien für die wachsende Zusammenarbeit unter den Kirchen in Europa« erarbeitet, die am 22. April 2001 in *Straßburg als »Charta Oecumenica«* verabschiedet worden sind. Die 4. Leitlinie befasst sich mit dem gemeinsamen Handeln und empfiehlt, »auf örtlicher, regionaler, nationaler und internationaler Ebene bi- und multilaterale ökumenische Gremien für die Zusammenarbeit einzurichten und zu unterhalten«. Die Reihenfolge der Ebenen macht deutlich, dass sie von unten nach oben geordnet sind und deshalb die örtliche Ebene an erster Stelle genannt wird. Gleichzeitig wird eine strukturierte Zusammenarbeit in »Gremien« empfohlen, die eine größere Verbindlichkeit und Regelmäßigkeit gewährleisten. Die dazugehörige erste Selbstverpflichtung greift nach fast 50 Jahren das Lund-Prinzip wieder auf: *»Wir verpflichten uns, auf allen Ebenen des kirchlichen Lebens gemeinsam zu handeln, wo die Voraussetzungen dafür gegeben sind und nicht Gründe des Glaubens oder größere Zweckmäßigkeit dem entgegenstehen.«*[16] Nach Erfahrungen in der Zusammenarbeit, die im Verlauf eines halben Jahrhunderts gesammelt worden sind, formuliert Straßburg etwas zurückhaltender als Lund, wenn auch Gesichtspunkte der Zweckmäßigkeit, z. B. bei karitativ-diakonischen Unternehmungen, angesprochen werden. Aber die Zielrichtung der »sichtbaren Gemeinschaft« wird in Leitlinie 3: »Aufeinander zugehen«, umso deutlicher unterstrichen: *»Wichtig ist es, die geistlichen Gaben der verschiedenen* christlichen Traditionen zu erkennen, voneinander zu lernen und sich so beschenken zu lassen ... Wir verpflichten uns, Selbstgenügsamkeit zu überwinden und Vorurteile zu beseitigen, die Begegnung miteinander zu suchen und füreinander da zu sein.«[17] Einen deutlicheren ökumenischen Impuls, von evangelischer wie katholischer Seite Selbstgenügsamkeit zu überwinden und aufeinander zuzugehen, gibt es nicht; er muss nur in die Tat umgesetzt werden.

b) Schritte zueinander und Begründungen für eine Partnerschaft

(1) Schritte zueinander

Die englische Schrift von 1983 »Ortskirchen im Bund miteinander« unterscheidet *fünf Stationen* auf dem Weg zur Gemeinschaft: *(1) Konkurrenz, (2) Ko-Existenz, (3) Zusammenarbeit, (4) Verpflichtung (commitment) und (5) Gemeinschaft.* Die letzte Stufe der vollen sakramentalen Gemeinschaft überschreitet die Ebene von Ortsgemeinden. Sie kann erst und nur erreicht werden, wenn Kirchen miteinander in Gemeinschaft treten und damit auch gottesdienstliche Kommuniongemeinschaft ermöglicht wird. Die anderen Stufen 1 bis 4 können und müssen alle Gemeinden durchlaufen, die zu einer verbindlichen Partnerschaft miteinander gelangen wollen. Dabei ist es wichtig, sich darüber Klarheit zu verschaffen, auf welcher Stufe man sich mit seinem/n Partner/n befindet. Das erste Stadium der *Konkurrenz* haben – bis auf wenige Ausnahmen – die meisten Gemeinden in unserem Land seit dem Konzil hinter sich gelassen. In Nordirland oder Rumänien kann man aber leider bis heute solche Verhältnisse antreffen. In *Ko-Existenz* leben Gemeinden, die zwar keine Feinde mehr sind, aber noch nicht in Beziehung zueinander getreten sind, sondern schiedlich-friedlich nebeneinander leben, wie es viel-

fach im Verhältnis zu orthodoxen, ausländischen oder Freikirchen der Fall ist. Die *Zusammenarbeit* ist ein weites Feld,
das mit ersten Kontaktaufnahmen beginnt und sich auf verschiedene Ebenen erstreckt. Heute kann man in Deutschland
davon ausgehen, dass die meisten evangelischen und katholischen Gemeinden irgendeine Form von Kooperation miteinander eingegangen sind. Das ist im Vergleich zur ökumenischen Lage vor 30 oder gar 50 Jahren durchaus ein
bemerkenswerter Fortschritt, aber der entscheidende Schritt,
um den es hier geht, ist der Überstieg von einer irgendwie
gearteten Zusammenarbeit zu *verbindlicher Partnerschaft*
zwischen Gemeinden.[18]

(2) Begründungen für eine Partnerschaft

Warum fällt es vielen Gemeinden schwer, den Schritt zu einer
verbindlichen Partnerschaft miteinander zu tun? Oft werden
dafür arbeitsmäßige, strukturelle oder organisatorische
Gründe genannt, maßgebend ist jedoch der vorhandene oder
eben nicht vorhandene *ökumenische Wille* zu verbindlicher
Gemeinschaft miteinander. *Wolfgang Stoffels*, der sich wie
kein Zweiter mit dem Wohl und Wehe von Gemeindepartnerschaften befasst hat, nennt *sechs Gründe*, die für das
Eingehen einer solchen verbindlichen Beziehung zwischen
Gemeinden sprechen[19]:

1. Eine Partnerschaftsvereinbarung hat einen *Entlastungs-
   effekt* und macht frei für weitere Innovationen. Man muss
   das Rad nicht jedes Jahr neu erfinden, sondern schreibt
   eine gewachsene gemeinsame Praxis fest.
2. Eine Partnerschaftsvereinbarung *sichert das Erreichte* gegenüber Störfaktoren, Stimmungsschwankungen, Um-
   strukturierungen und im Blick auf die nachwachsende
   Generation. Man kann längerfristig planen. »Ökumene
   kommt aus ihrer Kurzatmigkeit heraus.«[20]
3. Eine Partnerschaftsvereinbarung betrifft nicht nur einzelne

Personen, sondern *die Gemeinden als ganze,* vertreten durch ihre Leitungsgremien. Dadurch kommt es zu Nähe, Bindung und höherer Verbindlichkeit.

4. Eine Partnerschaftsvereinbarung vor Ort sucht den Konsens mit der *Kirchenleitung.* Sie schafft Vertrauen zwischen oben und unten statt gegenseitigem Trotzverhalten. Gemeinden werden als eigenständige Träger von Ökumene aufgewertet; mit der Kirchenleitung kommt es zu einer »Ökumene des Friedens«.

5. Eine Partnerschaftsvereinbarung ist ein öffentliches Ereignis, sie hat *Signalfunktion.* »Dem öffentlichen Ärgernis der Trennung setzt sie das öffentliche Gegenzeichen von Einheit entgegen.«[21] Sie muss »inszeniert« und von möglichst vielen Gemeindegliedern mit unterschrieben werden.

6. Eine Partnerschaftsvereinbarung gibt dem ökumenischen Miteinander am Ort eine Struktur und eine *Konzeption* mit folgenden *Elementen*: (1) spirituelle Grundlagen, (2) ethische Grundhaltung der Vertrauensbildung, (3) Begegnungsfelder, (4) Felder der Zusammenarbeit, (5) Institutionalisierung in einem eigenverantwortlich arbeitenden ökumenischem Arbeitskreis.

3. Ökumenische Vorschläge

a) Ökumenischer Gemeindeaufbau

Bevor es zum Abschluss einer Partnerschaftsvereinbarung kommen kann, bedarf es zwischen den beteiligten Gemeinden eines *ökumenischen Gemeindeaufbaus.* Dazu gehören ebenso wie bei der Partnerschaft selbst zumindest drei Ebenen: *1. die spirituelle, 2. die dialogische und 3. die projektorientierte Ebene.* Zur *spirituellen* Ebene gehören natürlich in erster Linie regelmäßige ökumenische Gottesdienste.[22] Dazu zählen auch Bibelgespräch, Bibelwochen, Kinderbibeltage, am besten ein ökumenischer Bibelgesprächskreis. In manchen Gemeinden gibt es meditative (Taizé-)Gebete. Im spirituellen Bereich geht es darum, Geist – spiritus! – und geistliche Tiefe zu gewinnen, Freude am gemeinsamen Glauben und Gottesdienst-Feiern.

Auf der *dialogischen* Ebene geht es darum, einander zu entdecken, zu verstehen und zu bereichern. Das geschieht durch gemeinsame Themen-Seminare, z. B. zum Glaubensbekenntnis, zu den Festen des Kirchenjahres, zu Maria und zur Heiligenverehrung, zum Weihwasser und zur Tabernakelfrömmigkeit, zur Reformation u. a. m. Angebote der Erwachsenenbildung gehören auch dazu und Podiumsgespräche zu aktuellen Anlässen. Hier kommt es darauf an, das inhaltliche Gespräch miteinander nicht abreißen zu lassen und an Verstehens- und Sprachkompetenz des Glaubens zu gewinnen; allzu leicht droht sonst eine Verflachung und Technisierung der Partnerschaft.

Auf der *Projektebene* kommen konkrete und sichtbare Gestaltungsfelder zum Zuge. Sie können für verschiedene Lebensalter oder Themen oder jahreszeitlich angeboten werden: z. B. Krabbelgruppen für Mütter (Eltern) und Kleinstkinder, Firmlinge- und Konfirmanden-Begegnungen, gemischte Chöre, Senioren-Café »Wir erzählen einander« u. a. m. Als hilfreich haben sich auch gemeinsame Besuche bei Neuzugezogenen oder Jubilaren erwiesen. In Grundschulen kann man gemeinsame Kontaktstunden anbieten, mit Jugendlichen nach Taizé fahren usw.[23] Die Friedensdekade im November eignet sich besonders für öffentliche Projekte.

Damit ökumenischer Gemeindeaufbau gelingen kann, braucht man eine *kleine Gruppe,* am besten aus konfessionsverbindenden Familien und den Leitungsgremien der beteiligten Gemeinden – Presbyter, Pfarrgemeinderäte –, die Ideen, Vorschläge und Programme entwickeln. Von allein oder zufällig kommt so etwas nicht zustande, es gehört Arbeit, Interesse und Energie dazu: Es ist eine Frage der Prioritätensetzung im jeweiligen Gemeindeaufbau. Wenn ich manchen Gemeindebrief durchsehe, bekomme ich das beklemmende Gefühl, dass die Angebote sich kommunalen Trägern immer mehr annähern – Reisen, Tanzen, Partys etc. – und ihrer eigenen christlichen Identität entfremden. Ökumenischer Gemeindeaufbau hilft dabei, zur eigenen Sache – dem Evangelium, der Gemeinschaft, dem vertrauensvollen Gespräch miteinander u. a. m. – wieder zurückzufinden und Freude an ihr wie aneinander zu gewinnen.

b) Gemeindepartnerschaften am Ort

(1) Sieben Schritte auf dem Weg
Wenn die Voraussetzungen einer substantiellen Nähe zwischen verschiedenen Gemeinden geschaffen sind, wie kommt es dann zum Abschluss einer offiziellen Partnerschaft? Dazu habe ich schon vor Jahren sieben Schritte empfohlen:

»1. *Christenrat*
Es reichen zu Beginn zwei Personen von jeder Gemeinde am Ort, die sich – möglichst mit Wissen und Auftrag ihrer Gemeindevertretung – als *ökumenischer Christenrat* zusammensetzen. Jede vorhandene Gemeinde am Ort soll vertreten sein: auch freikirchliche, orthodoxe oder ausländische. Erfahrungsgemäß eignen sich konfessionsverbindende Ehepartner besonders für diese Aufgabe.

2. Bestandsaufnahme

Der zwei- bis fünfköpfige Christenrat macht als erstes eine Bestandsaufnahme der ökumenischen *Lage vor Ort*. Das kann unter drei Fragestellungen geschehen:

- Welche ökumenischen Unternehmungen *gibt* es in unseren Gemeinden?
- Was *fehlt* uns im Blick auf ein Zusammenspiel der spirituellen, dialogischen und handlungsorientierten Ebene?
- Welches ökumenische *Ziel* wollen wir in diesem Jahr in und mit unseren Gemeinden erreichen?

3. Vorschlag

Der nächste Schritt des ökumenischen Christenrates besteht darin, aus der gemeindlichen Bestandsaufnahme einen *Vorschlag für die Entwicklung einer Gemeindepartnerschaft* zu erstellen. Dabei ergeben sich Ansatzpunkte aus den Stärken bzw. Schwächen, die bei der Bestandsaufnahme zutage getreten sind. Wichtig ist auch in diesem Zusammenhang, dass alle drei Ebenen berücksichtigt werden. Es genügt anfänglich, für jede Ebene zumindest einen Vorschlag zu unterbreiten. Er kann beispielsweise beinhalten,

- ein Friedensgebet an jedem ersten Freitag im Quartal oder Monat einzurichten;
- in diesem Jahr eine Gesprächsreihe über »Ausländer und Arme in der Bibel und bei uns« anzubieten;
- mit einer ökumenischen Besuchergruppe für Neuzugezogene und Ausländer zu beginnen.

4. Bundesgenossen

Wenn man weiß, worauf man hinaus will, braucht man Bundesgenossen zur Unterstützung. Man kann sie in Gemeindegruppen – Gesprächskreisen, Dritte-Welt-Gruppen u. a. –, Nachbarschaften und örtlichen Bürgerinitiativen, z. B. für Ausländer, finden. Mir erscheint es wichtig, dass *Kirchenge-*

meinden und Bürgerinitiativen in Zukunft stärker miteinander verzahnt werden. Wenn sich eine örtliche Gemeindepartnerschaft mit einer kommunalen Städtepartnerschaft verbinden lässt, umso besser!

5. Gemeindeleitung

Natürlich ist es entscheidend, die maßgebenden Leitungsgremien der beteiligten Gemeinden rechtzeitig zu informieren und ihre Unterstützung zu gewinnen. Eine Begegnung zwischen *Pfarrgemeinderat und Presbyterium* legt sich nahe, sobald konkrete Pläne geschmiedet sind. Pfarrer und Pfarrerinnen geben meist umso bereitwilliger ihre Zustimmung, je stärker die Initiative von verantwortlichen Laien der beteiligten Gemeinden getragen wird und nicht zusätzlich auf ihren Schultern abgeladen werden sollen.

6. Beschluss

Damit eine ökumenische Gemeindepartnerschaft zustandekommt, bedarf es der gemeindlichen Willensbildung und öffentlichen Willensbekundung. Dazu hilft eine von den Vorsitzenden von Pfarrgemeinderat, Presbyterium und anderer beteiligter Gemeinden gemeinsam einberufene *öffentliche ökumenische Gemeindeversammlung*. Hier wird die geplante Partnerschaft vorgestellt, besprochen, verändert und schließlich beschlossen oder abgelehnt. Erzwingen lässt sie sich nun einmal nicht; sie braucht in jedem Fall einen ausreichenden *Unterstützerkreis*, wenn sie in den Gemeinden wirksam werden soll.

7. Fest

Die ökumenische Gemeindepartnerschaft am Ort beginnt mit einem festlichen Ereignis. In einem ökumenischen Gottesdienst, z. B. am Buß- und Bettag oder zu Pfingsten, wird der *Partnerschaftsvertrag* öffentlich verlesen und von den

Verantwortlichen vor den Augen der versammelten ökumenischen Gemeinde unterzeichnet. Im Rahmen einer *Agape-Feier* schließen sich Grüße und gute Wünsche an. Am besten klingt das Ganze mit einem Essen, einem Gemeindefest oder einem Konzert aus, um dem Tag im Leben der Gemeinden gebührendes Gewicht zu verleihen.[24]«

(2) Beteiligung von »kleinen« und Migranten-Gemeinden

Da in unserem Land »die beiden großen Kirchen« die ökumenische Landschaft beherrschen, ist es auch bei Gemeindepartnerschaften die Regel, dass eine evangelische und eine katholische Gemeinde diese Verbindung miteinander eingehen. Das ist in England ganz anders. Dort ist es die seltene Ausnahme, wenn nur zwei Gemeinden einen Bund schließen, normalerweise sind es drei bis sechs verschiedene Ortsgemeinden, die sich zusammentun. Beide Gestalten von Partnerschaft hängen natürlich mit der unterschiedlichen konfessionellen Geschichte in den beiden Ländern zusammen. Aber auch in Deutschland ändert sich schon seit Jahrzehnten die konfessionelle Szene. Deshalb möchte ich ausdrücklich dazu einladen, *Gemeinden von sogenannten »kleinen Kirchen«*, die meist nur in Deutschland klein sind, wo immer vorhanden und möglich, in die Partnerschaft miteinzubeziehen: orthodoxe wie griechische oder russische, alt-katholische, evangelisch-methodistische, baptistische, auch Pfingstgemeinden lassen sich ansprechen. Nicht zuletzt gehören *Migranten-Gemeinden* anderer Sprache und Herkunft zumindest in Städten längst zum Alltag christlicher Gemeindelandschaften. Wenn die gegenseitige Fremdheit erst einmal überwunden ist, können ausländische Gemeinden eine Partnerschaft spirituell, musikalisch und kulturell ganz wesentlich bereichern.

(3) Rahmenvereinbarung für ökumenische Partnerschaften

Inzwischen liegt eine erfreuliche Anzahl von *Partnerschafts-vereinbarungen* schriftlich vor. Einige Diözesen und Landeskirchen sammeln sie in ihren Ökumenereferaten. Vielleicht wäre es sinnvoll, wenn die Ökumenische Centrale in Frankfurt zur zentralen Sammelstelle würde, um Übersicht zu gewinnen und Anregungen geben zu können. Einige Vereinbarungen in Köln und Wuppertal u. a. sind veröffentlicht.[25] Ich gebe hier die »*Rahmenvereinbarung für ökumenische Partnerschaften*« weiter, die von der Erzdiözese *Freiburg* und der Evangelischen Landeskirche in *Baden* im Jahr 2004 entwickelt und von den beiden Bischöfen empfohlen worden ist:

»*Vorwort*
Diese Rahmenvereinbarung für ökumenische Partnerschaften versteht sich als gemeinsame Verpflichtung zur Zusammenarbeit aufgrund der »Charta Oecumenica – Leitlinien für die Zusammenarbeit der christlichen Kirchen in Europa.« Sie will die ökumenische Zusammenarbeit zwischen Pfarrgemeinden und Pfarreien fördern und stärken und einen dafür verbindlichen Maßstab setzen. Diese Vereinbarung hat keinen kirchenrechtlich gesetzlichen Charakter. Ihre Verbindlichkeit besteht in der Selbstverpflichtung der beteiligten Pfarrgemeinden und Pfarreien, diese Vereinbarung mit Leben zu füllen ...

Präambel
– Im Bekenntnis zur Taufe als dem gemeinsamen grundlegenden Band der Einheit in Jesus Christus,
– getragen von der Bitte Jesu, »dass alle eins seien« (Johannes 17,21),
– im Glauben an Jesus Christus als Haupt der Kirche und

Herrn der Welt auf der gemeinsamen Grundlage des Wortes Gottes, wie es die Heilige Schrift bezeugt,

– auf der Grundlage des Glaubensbekenntnisses von Nizäa-Konstantinopel (381) als Auslegung der Heiligen Schrift ...,

– ermutigt durch die gemeinsame Unterzeichnung der Charta Oecumenica auf dem ökumenischen Kirchentag in Berlin 2003 und durch die langjährige geschwisterliche Zusammenarbeit unserer beiden / mehreren Gemeinden

– verpflichten sich die evangelische Pfarrgemeinde ... und die römisch-katholische Pfarrei ... zu weiteren Schritten auf dem Weg zur sichtbaren Einheit in einem Glauben und in der einen eucharistischen Gemeinschaft und *unterzeichnen folgende Vereinbarung:*

1. Im ökumenischen Miteinander ist es wichtig, die *geistlichen Gaben* der verschiedenen christlichen Traditionen kennenzulernen, sich davon bereichern zu lassen und so voneinander zu lernen. Daher verpflichten wir uns, das Leben unserer Gemeinden auf verschiedenen Ebenen und in verschiedenen Arbeitsbereichen kennenzulernen, einander zu den jeweiligen Gottesdiensten und Veranstaltungen einzuladen sowie *regelmäßige Begegnungen* zu vereinbaren. Wir wollen Selbstgenügsamkeit überwinden und mögliche Vorurteile beseitigen, die Begegnung miteinander suchen und füreinander da sein ...

2. Unsere Ökumene lebt davon, dass wir *Gottes Wort* gemeinsam hören und den Heiligen Geist in uns und durch uns wirken lassen. Wir wollen den bisherigen Weg fortsetzen, durch *Gebete und Gottesdienste* die geistliche Gemeinschaft zwischen unseren Gemeinden zu vertiefen und die sichtbare Einheit der Kirche Jesu Christi zu fördern. Wir verpflichten uns, auf der Grundlage der gemeinsamen Erklärung zu »Gottesdienst und Amtshandlungen als Orte der Begegnung« füreinander und miteinander zu beten ...

3. Wir wollen als evangelische und katholische Pfarrge-

meinde/Pfarrei gemeinsam *das Evangelium durch Wort und Tat* für das Heil aller Menschen verkündigen. Angesichts vielfältiger Orientierungslosigkeit, aber auch mannigfacher Suche nach Sinn sind die Christinnen und Christen besonders herausgefordert, ihren Glauben zu bezeugen. Dazu bedarf es des verstärkten Engagements und des Erfahrungsaustauschs in Katechese und Seelsorge. Ebenso wichtig ist es, dass das ganze Volk Gottes gemeinsam das Evangelium in die *gesellschaftliche* Öffentlichkeit hinein vermittelt wie auch durch *sozialen* Einsatz und die Wahrnehmung von *politischer* Verantwortung zur Geltung bringt. Daher verpflichten wir uns, auf folgenden Ebenen und in folgenden Arbeitsbereichen einander stets zu informieren und Absprachen zu treffen bzw. gemeinsam zu handeln …

4. Ökumene geschieht bereits in vielfältigen Formen gemeinsamen Handelns in der Erzdiözese Freiburg, in der Evangelischen Landeskirche in Baden und in unseren Gemeinden. Viele Christinnen und Christen leben und wirken gemeinsam in Freundschaften, in der Nachbarschaft, im Beruf und in ihren Familien. Insbesondere *konfessionsverbindende Ehen und Familien* müssen darin unterstützt werden, Ökumene in ihrem Alltag zu leben. Wir verpflichten uns, die *gemeinsame Trauung* konfessionsverbindender Ehepartner den Ehepaaren/Brautpaaren anzuraten und gemeinsam vorzunehmen (Formular C). Wir verpflichten uns weiter, *auf allen Ebenen* des kirchlichen Lebens *gemeinsam zu handeln,* wo die rechtlichen und tatsächlichen Voraussetzungen dafür gegeben sind und nicht Gründe des Glaubens dem entgegenstehen. Insbesondere vereinbaren wir für unsere Pfarrgemeinde/Pfarrei …

5. Unsere in Christus begründete Zusammengehörigkeit und Einheit ist von grundlegender Bedeutung. Wir verpflichten uns, die ökumenische Gemeinschaft im *Dialog* zwischen unseren Gemeinden gewissenhaft und intensiv fortzusetzen. Wenn *Kontroversen* in Fragen des Glaubens und der Ethik

bestehen, wollen wir das Gespräch suchen und alle, auch strittige Fragen gemeinsam im Licht des Evangeliums und der Überlieferung unserer Kirchen erörtern.

6. Die Partnerschaft unserer Gemeinden ist offen für die Partnerschaft mit *weiteren christlichen Gemeinden* in unserer Region und an unserem Ort. Für die Aufnahme in die Partnerschaft ist allerdings Voraussetzung, dass die betreffende Gemeinde als Mitglied der Arbeitsgemeinschaft Christlicher Kirchen … angehört oder mit ihr in grenzüberschreitender Zusammenarbeit verbunden ist.

Abschluss
Mit dieser Vereinbarung geben wir dem zwischen uns gewachsenen Miteinander einen *verbindlichen Rahmen* und *verpflichten* uns, dieses Miteinander auch weiterhin zu fördern und zu entwickeln. So suchen wir, der Gemeinschaft in Zeugnis und Dienst gerecht zu werden zur Ehre Gottes, des Vaters und des Sohnes und des Heiligen Geistes.«[26]

(4) Liturgische Gestaltung

Eine Partnerschaftsurkunde wird im Rahmen eines gemeinsamen Gottesdienstes unterzeichnet, um deutlich zu machen, dass sie in die Mitte des Gemeindelebens gehört, und um eine größtmögliche Öffentlichkeit, unter Einschluss der Lokalpresse, zu erreichen. Da man in England schon längere Erfahrungen damit hat als in Deutschland, hat man dort auch schon festere und reichere Formen für die *liturgische Gestaltung eines Partnerschaftsgottesdienstes* entwickelt. Als Anregung verweise ich auf das Formular für den Abschluss einer entsprechenden Vereinbarung, das am 19. Januar 1980 in *Newsham/Liverpool* verwendet worden ist.[27]

(5) Eine Vision

Jetzt, *im Vorfeld des Jahres 2017*, wo die evangelische und katholische Kirche das Ringen darum begonnen haben, ob und wie sie das Gedenken an den Beginn der Reformation gemeinsam begehen oder gar miteinander feiern können und sollen, scheint mir der richtige Zeitpunkt gekommen zu sein, dass zahlreiche evangelische und katholische Gemeinden sich landauf, landab ihrerseits auf den Weg machen, und *weithin deutlich sichtbare Zeichen setzen,* dass sie ökumenisch verbindlich zusammengehören und zusammen leben. Auf diese Weise ermuntern sie durch ihren ureigenen Beitrag die Leitungen ihrer jeweiligen Kirchen und fordern sie dazu auf, auch ihrerseits Ängste zu überwinden, sichtbare Schritte zu unternehmen und verbindliche Vereinbarungen miteinander abzuschließen.

Wolfgang Stoffels hat auf einem Ökumenetag in Bamberg einen Vortrag zu »Ökumenische(n) Gemeindepartnerschaften« gehalten, den er so beendet hat:

»Jetzt meine Schlussbemerkung. Ich frage nach der Wirkung von Gemeindepartnerschaften, ich frage nach ihrer Zukunft. Und da spreche ich eine Hoffnung aus. Gemeindepartnerschaften sichern nicht nur etwas und stabilisieren es, sie könnten hier wirklich etwas in Gang setzen: den Prozess, die Dynamik hin zu immer größerer geistlicher und praktischer Nähe zwischen Katholiken und Evangelischen, zwischen katholischen und evangelischen Gemeinden. Wir kommen uns wirklich näher.

Meine Vision: Ganz Deutschland ist überzogen von einem immer dichteren Netz von katholisch-evangelischen Gemeindepartnerschaften mit immer größerer geistlicher Nähe des Gottesvolkes untereinander. Muss diesen Prozess die Hierarchie, die Kirchenleitung nicht fördernd und vertiefend aufgreifen – theologisch und rechtlich? Muss sie darauf nicht antworten? Und am Ende stünde wirklich die wechselseitige eucharistische Gastfreundschaft: eucharistische Gemeinschaft. Ein Pfingstfest wäre das. Komm, Schöpfer Geist!«[28]

c) West-Ost- und Nord-Süd-Partnerschaften

Man kann die *Gemeindepartnerschaften am Ort* als Zentrum der Partnerschaftsbewegung bezeichnen, aber sie sind nicht die einzigen Formen von Gemeindepartnerschaft. Zu einem Zentrum gehört seine Peripherie, zu einer Mitte der Rand. Partnerschaften *am* Ort sind das eine, Partnerschaften *zwischen* Orten das andere. Auch Partnerschaftsgemeinden können sich von anderen Gemeinden isolieren und selbstgenügsam werden. Dem wirken *Partnerschaften zwischen verschiedenen Orten* entgegen.

(1) Europäische West-Ost-Partnerschaften – Wetzlar und Tambow

Heute sind Zeit und Raum für *neue West-Ost-Partnerschaften* gekommen, die sich nicht mehr auf Deutschland beschränken, sondern *Osteuropa* in den Blick nehmen. Damit kommt es nicht nur zu Kontakten mit neuen Ländern, bei denen andere kulturelle und politische Verhältnisse herrschen, sondern gegebenenfalls auch zu Begegnungen mit einer »neuen« Konfession: der *Orthodoxie*. Das bedeutet zunächst für viele westeuropäische Christen eine Fremdheitserfahrung, beinhaltet aber zugleich die große Chance, mit der dritten und zwar ältesten Tradition des Christentums wieder vertrauter zu werden, mit der es seit fast tausend Jahren (1054) keine Kirchengemeinschaft mehr gibt.

Ich möchte das anhand der Partnerschaft zwischen dem rheinischen Kirchenkreis *Wetzlar* und der orthodoxen Eparchie *Tambow* verdeutlichen, die seit Jahrzehnten von dem

Pfarrerehepaar *Ernst-Udo und Ursula Küppers* verantwortet wird. Was bekommt ein westlicher Besucher dort zu sehen? Man begegnet einer zu Westeuropa geradezu entgegengesetzten *religiösen Grundsituation*. Während im Westen die Kirchen leerer und leerer werden, haben sich die orthodoxen Kirchen in Osteuropa nach der europäischen Wende mehr und mehr gefüllt. Viele neue Kirchen und Klöster sind in den vergangenen beiden Jahrzehnten mit Spenden orthodoxer Christen errichtet worden, denn man kennt in orthodoxen Kirchen keine Kirchensteuer. Die Kirchen sind voll, um nicht zu sagen: überfüllt, sonntägliche drei bis fünf Gottesdienste sind keine Seltenheit und alltags wird mindestens *eine* Liturgie gefeiert. Durch solche Begegnungen kommt man als »deutscher Christ« ins Nachdenken darüber, woran es liegen mag, dass nach zwei Diktaturen in Ostdeutschland noch ca. 15 % Christen übrig geblieben sind, während in Russland nach über siebzigjähriger religiöser Entfremdung die Russisch-Orthodoxe Kirche eine Wiederbelebung erfährt, von der man im Westen nicht einmal träumen kann.

In *Tambow* erlebt man eine Stadt und eine orthodoxe Kirche im Aufbau und Aufbruch, die faszinieren und natürlich auch Fragen aufwerfen. Die Russisch-Orthodoxe Kirche ist nicht nur in Tambow dabei, Sonntagsschulen, Religionsunterricht, Kindergottesdienst, insgesamt: die religiöse Bildungsarbeit ganz neu aufzubauen, und kann dabei von deutschen katechetischen und religionspädagogischen Erfahrungen profitieren. Ebenso wird die diakonische Arbeit, die bis 1990 offiziell untersagt war, von Grund auf neu gestaltet. In Tambow spielt das Zentrum für behinderte Menschen Apparel eine wichtige Rolle und auch hier ist man für deutsche fachliche wie finanzielle Hilfe ausgesprochen dankbar. Junge Menschen trafen und treffen sich zu Aufbaucamps für verfallene Kirchen und Gemeindehäuser oder zu Workshops für kulturelle Aufgaben wie ein gemeinsames Musical entweder in Tambow oder in Wetzlar.[29]

Als westlicher Besucher staunt man über die Gastfreundschaft der Menschen, über ihre Liebe zu ihrer Kirche, über ihre Engagementfreudigkeit und über vieles mehr. Erfreulicherweise gibt es inzwischen schon viele solcher West-Ost-Europa-Partnerschaften. Abschließend verweise ich nur noch auf die beiden christlichen Hilfswerke *Renovabis* und »*Hilfe für Osteuropa*«, die man zur Entwicklung solcher Partnerschaften um Hilfestellung bitten kann.

(2) Nord-Süd-Partnerschaften – Köln-Rechtsrheinisch und Kivu im Kongo

Auf der 6. Vollversammlung des Ökumenischen Rates der Kirchen 1983 in Vancouver wurde der Konziliare Prozess für Gerechtigkeit, Frieden und Bewahrung der Schöpfung aus der Taufe gehoben. Er rückte vor allem die notvolle Lage von Menschen auf der südlichen Erdhälfte ins Blickfeld der ökumenischen Christenheit und fand 1990 mit einer Weltkonferenz im südkoreanischen Seoul seinen offiziellen Abschluss. *Ulrich Duchrow* aus Heidelberg, zusammen mit *Heino Falcke* aus Erfurt einer der Initiatoren des Konziliaren Prozesses, wollte es mit ökumenischen Konferenzen nicht sein Bewenden haben lassen und schlug *Partnerschaften mit Gemeinden auf der südlichen Erdhälfte* vor. Damit fand er nicht nur in Nordbaden, sondern auch im Rheinland Resonanz und so kam es, dass der *Kirchenkreis Köln-Rechtsrheinisch*, zu dem ich gehöre, im Laufe der Jahre drei Partnerschaften zu Gemeinden in Brasilien, im Kongo und in Taiwan entwickelt hat. Für alle drei Kontinente gab und gibt es eigene Partnerschaftsausschüsse in Köln. Vertreter aller drei Regionen sind auch schon mehrfach in Köln gewesen wie umgekehrt Kölner Delegationen sich auf den Weg zu ihren Partnern in Lateinamerika, Afrika und Asien gemacht haben.

Ich greife jetzt die *afrikanische Partnerschaft zu baptistischen Gemeinden im Kivu,* einer Provinz im Osten des Kongo an der Grenze zu Uganda und Ruanda, heraus. Als eine etwa achtköpfige Delegation von Frauen und Männern, Laien und Pfarrern aus Kivu zu uns nach Köln kam, erfuhren wir aus erster Hand, was die Kongolesen dort zu erleiden haben: eine politisch vollkommen instabile Lage mit marodierenden Soldaten aus diesem oder jenem Staat, die sich jeweils als die Herren über Frauen wie über Leben und Tod aufführen. Den christlichen Gemeinden ist es oft nicht einmal möglich, einander zu unterstützen, weil sie nicht über entsprechende Mittel verfügen.

Ich erinnere mich an zwei gegensätzliche Verhaltensweisen unserer Partner hier in Köln: einerseits an ihren großen Ernst, mit dem sie uns um unsere finanzielle Unterstützung und mehr noch um unsere Gebete baten; andererseits an ihre Freude, mit uns den Glauben an den Überwinder von Leiden und Tod zu teilen und ihn mit ihren Gesängen zum Ausdruck zu bringen. Seit wir in Köln diese Partnerschaft zu den Kivu-Gemeinden aufgenommen haben, hat jeder, der sich dafür interessiert, eine unmittelbare, persönliche und geistliche Beziehung zu den Menschen in diesem afrikanischen Krisengebiet, wie sie durch Zeitungsinformationen niemals vermittelt werden kann. Außer Fürbitten und Geldsammlungen können wir nicht viel für sie tun; aber wir sehen uns mit diesen Christen durch unsere Partnerschaft in einer Weise verbunden, die uns diese afrikanische Region und ihre Einwohner nahebringt und zu Herzen gehen lässt.

Auch dies ist nur *ein* Beispiel für viele, was eine Partnerschaft mit Menschen auf der südlichen Erdhälfte bei uns bewirkt und ihnen an Zuversicht vermittelt. Missionsgesellschaften in Deutschland, wie z. B. die *Vereinigte Evangelische Mission (VEM)* in Wuppertal, sind gern bereit, Partnerschaften zu und in ihre Partnerkirchen zu vermitteln.

Local Churches in Covenant. A Paper approved by the Roman Catholic Bishops of England and Wales; published on behalf of the Committee for Christian Unity, London May 1983, July 1988: 2nd edition. Deutsche Übersetzung in: H.-G. Link (Hg.), Ökumenische Gemeindepartnerschaft am Ort. Vorschläge – Modelle – Berichte, KÖB Nr. 42, Köln Januar 2002.

Wolfgang Stoffels, Einträchtig beieinander wohnen. Gelebte Ökumene. Mit einem Geleitwort von Nikolaus Schneider, Rheinbach 2008.

Anmerkungen

1 In: A. Blancy, Zur Geschichte der Gruppe von Dombes, in: Für die Umkehr der Kirchen, a. a. O. 12.

2 A. Blancy, a. a. O. 13.

3 Frankfurt/Main 1994, 97 ff.

4 S. o. 87 ff.

5 »Gemischte Heime. Informationen und Überlegungen für eine Ökumene des Lebens«; »Christen auf dem Weg«.

6 S. o. 140 ff.

7 Glaube in der Stadt, Church House Publishling, London 1985; 5 Jahre später wurde 1990 »Faith in the Countryside« veröffentlicht: Glaube auf dem Land, Worthing, West Sussex (BN 14 7SF).

8 So der Untertitel ihres gemeinsamen Buches: Better Together – Besser Zusammen. Christian Partnership in a hurt City, London 1988.

9 Anglican-Roman Catholic International Commission, The Final Report, Windsor, September 1981, Oxford 1982.

10 A Paper approved by the Roman Catholic Bishops of England and Wales – Eine von den katholischen Bischöfen in England und Wales genehmigte Schrift; deutsch in: H.-G. Link (Hg.), Ökumenische Gemeindepartnerschaft am Ort (zit. GPO). Vor-

schläge – Modelle – Berichte, KÖB Nr. 42, Köln Januar 2002, 66 ff.

11 In: GPO 21 f.

12 In: H.-G. Link, Ein ökumenisches Modell in Köln-Neubrück, Junge Kirche 61, März 2000, 147–149.

13 Unter diesem Titel gibt er Faltblätter und Broschüren heraus, zuletzt im Vorfeld des Zweiten Ökumenischen Kirchentages im April 2010.

14 Rahmenvereinbarung für ökumenische Partnerschaften zwischen evangelischen Pfarrgemeinden in der Evangelischen Kirche in Baden und römisch-katholischen Pfarreien in der Erzdiözese Freiburg, Vorwort, 2.

15 In: L. Vischer (Hg.), Die Einheit der Kirche. Material der ökumenischen Bewegung, ThB 30, München 1965, 94.

16 Charta Oecumenica. Leitlinien für die wachsende Zusammenarbeit unter den Kirchen in Europa, St. Gallen/Genf 2001, 7.

17 Ebd.

18 Vgl. dazu: GPO, 71.

19 In: EBW, a. a. O. 206 ff.

20 A. a. O. 207.

21 A. a. O. 213.

22 Dazu s. o. Kapitel II, 105 ff.

23 Zu Einzelheiten verweise ich auch hier gern auf W. Stoffels, Einträchtig beieinander wohnen, Ein Haus lebendiger Steine, a. a. O. 115 ff.

24 In: GPO, 11–14.

25 In: GPO für Köln-Neubrück, Frechen-Königsdorf und Wuppertal-Wichlinghausen, a. a. O. 15 ff, 35 ff., 42 ff.; W. Stoffels, Einträchtig beieinander wohnen, a. a. O. 193 ff; W. Stoffels, Partnerschaftsvereinbarung Evangelische Kirchengemeinde Wichlinghausen – Katholische Kirchengemeinde Sankt Marien Barmen, Dokumentation, Wuppertal 2002.

26 Manuskript der evangelischen und katholischen Gemeinde in Kehl vom Mai 2005.

27 In: GPO, a. a. O. 81–85.

28 EBW, 218 f.

29 Vgl. dazu die von E.-U. und U. Küppers herausgegebenen Reihe:
beZeugen. Aus der Partnerschaft des Evangelischen Kirchen-
kreises Wetzlar mit der Orthodoxen Eparchie Tambow und aus
den Kirchen Osteuropas, E-mail: 47uk@gmx.de.

VI. Pilgerwege zu spirituellen Orten

1. Pilgern nach Taizé – Iona – Santiago der Compostela – Trier

a) Taizé in Frankreich

1974 hatte *Roger Schutz*, der Gründer der Communauté de Taizé im französischen Burgund, zum »Konzil der Jugend« eingeladen. Und viele junge Menschen folgten seinem Aufruf, sich auf einen »*Pilgerweg des Vertrauens*« zu begeben. Am Karsamstag 1979 machte ich mich zum ersten Mal auf den Weg nach Taizé, um dort *Ostern* mitzufeiern. Als ich abends ermattet von der langen Reise den Hügel zum Dorf hinaufstieg, begann es zu regnen. Oben beim Empfang ging es recht kühl zu. Ich hatte mich nicht angemeldet, so hatte mich auch niemand erwartet. »Schau dich in den Zelten um, ob du noch einen Platz findest. Wir sind überfüllt und können dir nichts anbieten«, lautete die ernüchternde Empfangsbotschaft. Ich fand mich schnell in aufgeweichtem Boden wieder, rutschte über nasse Holzbohlen in den Zelten, fand aber nirgends eine Lücke, wo ich mich hätte hinlegen können. »Dann schau mal in der Kirche nach«, wurde ich am Eingang beschieden, »dorthin haben wir schon andere geschickt«. Als ich die Versöhnungskirche betrat, war es bereits dunkel; von vorn drangen die bekannten Lieder an mein Ohr. Ich schaute mich um und entdeckte in einer hinteren Ecke der geräumigen Kirche tatsächlich eine große Gruppe von vielleicht 50 Besuchern, die es sich dort auf dem Teppichfußboden samt ihrem Gepäck bequem gemacht hatten.

Mich zogen die Gesänge in ihren Bann, die mich in den Schlaf des übermüdeten Gerechten begleiteten: Adoramus te, Domine – Herr, wir beten dich an; ubi caritas et amor, Deus ibi est – wo Zuwendung und Liebe sind, da ist Gott; laudate omnes gentes Dominum – alle Völker preist den Herrn.« Niemals zuvor und niemals später habe ich diese und andere Gesänge so lange und intensiv vernommen; soweit ich mich erinnere, wurden sie die ganze Nacht hindurch gesungen. Manchmal vernehme ich sie noch heute im Schlaf.

Was ist das *Besondere* oder sogar Einmalige an Taizé, das bis zum heutigen Tag jährlich zig Tausende Menschen dorthin gehen, fahren oder pilgern lässt? Mir haben es, wie geschildert, die ruhigen, eindringlichen, kurzen meditativen *Gesänge* angetan. Sie werden bei Taizé-Gebeten überall gesungen und breiten sich so in ganz Europa aus; zum Teil haben sie auch Eingang in die offiziellen Gesangbücher der Kirchen gefunden. Die *täglich dreimaligen Gebete* in der Versöhnungskirche mit den Taizé-Brüdern in der Mitte haben ihre eigene Anziehungskraft. Niemand wird genötigt, an ihnen teilzunehmen, aber die Kirche ist – zumindest im Sommer – immer voll: dreimal täglich! Die Schlichtheit der Liturgie mit ihrer Konzentration auf das Wesentliche – Schriftlesung in verschiedensten Sprachen, 10 bis 15-minütige Stille statt Predigt, Gebet und Gesang – trägt maßgeblich dazu bei. Unter der Woche werden morgendliche Bibelvorträge und nachmittägliche Gruppengespräche dazu angeboten.

Auf dem Hügel von Taizé herrscht eine ungezwungene bis heitere *Atmosphäre*, wie man sie an kirchlichen Orten selten erlebt. Die Brüder von Taizé belehren nicht, sie geben Auskunft, wenn man sie etwas fragt; sie verkünden kein biblisches, kirchliches oder ökumenisches Programm – man hat ihnen das schon als Orientierungslosigkeit angekreidet –, aber sie helfen mit Rat und Tat, wo sie gebraucht werden. Sie erteilen keine Direktiven: »So müsst ihr arbeiten, handeln, leben …« Sie verbringen ihre Tage mit ihrer eigenen Arbeit, lassen aber andere teilnehmen, wenn sie es möchten und es möglich ist. Früher kamen mehr Ältere, heute lassen sich bis zu 90 % junge Menschen in ihren Bann schlagen.

Das *Pilgern* geschieht in Taizé mehr im übertragenen als im wörtlichen Sinn: man sucht, übt und lebt miteinander den »Pilgerweg des Vertrauens«, der jeweils zum Jahreswechsel in einer großen europäischen Stadt mit einem internationalen Jugendtreffen seinen Höhepunkt findet. Einige Taizé-Brüder leben in sozialen Brennpunkten, früher in Indien, demnächst wohl in Peking, um dort, wo die Lage am aussichtslosesten erscheint, die Hoffnung des Evangeliums zu verbreiten.[1]

b) Iona in Schottland

Die Kommunität von Iona liegt auf einer kleinen Insel im äußersten Südwesten von Schottland. Obwohl sie schwierig zu erreichen ist – man muss erst die vorgelagerte Insel Mull überqueren –, hat es mich wie viele andere dorthin gezogen. Vor allem wollte ich an einem Mittwoch mit Mitgliedern der Kommunität an dem wöchentlichen Pilgerweg über die grüne Insel teilnehmen. Als ich ins Haus der Kommunität auf Iona eintrat, war die *Pilgergruppe* bereits aufgebrochen. Und es begann in Strömen zu regnen. Ich ließ mir den Weg beschreiben und stieß zu der etwa 50-köpfigen Gesellschaft auf der Westseite der kleinen Insel unmittelbar am Meer, wo sie sich gerade zum Mittagspicknick unter freiem Himmel niedergelassen hatte. Jeder hatte irgendeinen Regenschutz übergezogen; es sah komisch bis gespenstisch aus. Aber alle unterhielten sich derart munter und quicklebendig, als ob sie der schönste Sonnenschein beschiene und ihnen der Bindfadenregen nicht das Geringste ausmachte. Ich wurde als Nachkömmling sofort in ein Gespräch verwickelt, erhielt Eier, Brot und Äpfel und fand mich im Handumdrehen als Mitglied der Pilgergruppe integriert.

Diese *Rast am Meer* war eine der Stationen, die zum Meditieren über Weite und Tiefe des Daseins einlud. Dann schlug uns unser Pilgerführer vor, die nächste Etappe schweigend zu gehen, um das Rauschen des Meeres und das Pfeifen des Windes auf uns wirken zu lassen. An der nächsten Station erläuterte uns der Pilgermeister einen Teil der Geschichte von Iona, die in mittelalterliche Zeiten zurückreicht, um uns einen Begriff von den Jahrhunderten zu vermitteln, in denen Menschen auf diese Insel gepilgert waren, um hier Abstand von ihrem alltäglichen Leben und neue Kraft zu gewinnen.

Zur letzten Station des Pilgerweges versammelten wir uns in einem geräumigen Schuppen, in dem früher die Toten aufgebahrt wurden. Dieser Abschluss war natürlich sehr bewusst so gewählt. Er war einerseits das Ende des heutigen Pilgerweges und symbolisierte andererseits das Tor zum ewigen Haus, zu dem wir alle unterwegs sind. So meditierten wir zum Schluss über das Ende unseres Lebensweges, das den Blick zu einem neuen Anfang freigibt. Als wir das »*Totenhaus*« verließen, schien die Sonne warm auf unsere nassen Kleider. Aus dem Pilgerweg in strömenden Regen war ein *Gang nach Emmaus* geworden.

Seit 1938 ist die ökumenische *Iona-Community*, die von der Industriestadt Glasgow ihren Ausgang genommen hat, hier beheimatet. Das prägt bis heute ihren Charakter, der stark von der presbyterianischen schottischen Kirche beeinflusst ist. Von der mehrere Hundert Mitglieder umfassenden Gemeinschaft leben die Wenigsten in Iona selbst, die meisten gehen ihrem Arbeits- und Familienleben in Schottland oder England nach; es gibt auch kleine Iona-Gruppen in Deutschland. Die Mitglieder kommen mindestens einmal jährlich zu einer geistlichen Woche in Iona zusammen: die dortige Abtei ist ihr spirituelles Zentrum. Dieses vom irischen Mönch

Columban im 6. Jahrhundert gegründete und später verfallene Kloster haben Mitglieder der Kommunität im frühen 20. Jahrhundert wieder aufgebaut. Für Gäste gibt es ein eigenes Haus, für Jugendliche eine Wiese zum Zelten gleich neben der Kirche.

Die Laien-Gemeinschaft von Iona verbindet *liturgisches und soziales* Engagement. Auch hier kommt man morgens und abends zu Gebeten in der Klosterkirche zusammen. Die Gemeinschaft hat eine Reihe von keltischer Frömmigkeit geprägter Liturgien entwickelt: zur Schöpfung, für Gerechtigkeit und Frieden, für Heilung und zur Verpflichtung. Ein soziales Engagement übernehmen die Mitglieder in kleinen Gruppen an ihren Heimatorten, wo sie sich um Jugendliche, Arbeitslose oder Suchtkranke kümmern. Die Vielfalt dieser Selbstverpflichtungen kommt dann während der jährlichen Iona-Wochen zur Sprache; das gibt den Zusammenkünften der Mitglieder eine lebendige Farbigkeit. Man erlebt auf Iona die Schönheit der Schöpfung, eine keltisch geprägte Spiritualität und eine muntere Gemeinschaft.[2]

c) Der Jakobsweg nach Santiago de Compostela in Spanien

Im Vorfeld einer internationalen ökumenischen Tagung in Avila machten wir uns 1999 auf einen zehntägigen Pilgerweg *von Astorga nach Santiago*, den wir größtenteils zu Fuß zurücklegten. Wir waren eine 15-köpfige Gruppe mit jugendlichen und älteren Pilgern aus Deutschland, Tschechien und Großbritannien. Am ersten Tag begingen wir den großen Fehler, erst gegen 9:00 Uhr aufzubrechen, was wir mit dem Laufen in schier unerträglicher Hitze der Mittagssonne bezahlen mussten. An allen folgenden Tagen waren wir spätestens um 6:00 Uhr auf den Beinen, um unsere jeweiligen Etappenziele möglichst vor der Mittagshitze zu erreichen. Denn der spanische Jakobsweg hat es in sich! Er führt auf weite Strecken durch baumlose Gegend, wo man der Sonne schutzlos ausgeliefert ist, es gibt Berge über 1000 m Höhe zu bewältigen, dann geht es durch bewaldetes Gebiet, in dem man sich leicht verlaufen kann, streckenweise muss man auch mit Asphalt auf einer Autostraße vorlieb nehmen, dann steht man auf einmal vor einer romanischen Kirche und freut sich, wenn man endlich die nächste Herberge erreicht hat.

Wenn irgendwo, dann gilt hier das Wort: *Der Weg ist das Ziel*. Was erlebt man auf dem Weg? Zunächst: Gehen, Wandern, Steigen, Laufen: Bewegung mit dem eigenen Körper – Blasen an den Füßen gehören auch dazu –, den man selten so intensiv wahrnimmt, bis man seinen eigenen Laufrhythmus gefunden hat. Dann kann man sich seiner Umgebung widmen: endlosen Korn- und Sonnenblumenfeldern, steinigen Formationen, jahrhundertealten Bäumen oder dem unwirklich hellen und heiteren, manchmal gnadenlosen Himmel – man lernt die Schöpfung von einer neuen Seite kennen. Obwohl wir als Gruppe unterwegs waren, ging jeder lange Strecken für sich. Dann gibt es Gespräche, überraschende Begegnungen mit anderen Pilgern auf dem Weg oder Lieder, die man lange nicht mehr gesungen hat. Zu viel wird unterwegs nicht gesprochen, dafür ist der Weg zu anspruchsvoll; es geht mehr um Schweigen, Besinnung, Meditation. Erstaunlich ist, dass sich alle nur in *eine* Richtung bewegen: gen Westen; es kommen einem so gut wie keine Menschen entgegen. Je länger der Wege dauert, desto mehr findet man sich – bewusst oder unbewusst – in einer großen Gemeinschaft von Pilgern wieder, die alle *einem* Ziel entgegengehen: eine faszinierende Erfahrung!

Und das Ziel *Santiago de Compostela*? Als wir vor der riesigen Kathedrale standen, mussten wir uns in eine endlose Menschenschlange einreihen, um über eine nach beiden Seiten weit ausladende Außentreppe nach vielleicht einer guten Stunde die Kirche überhaupt betreten zu können. Die Stadt war restlos überfüllt mit Pilgern; es ging vor und in der Kirche laut zu, südländisches Temperament brach sich Bahn. Es gehört zum Pflichtprogramm jedes Pilgers, die Jakobus-Figur hinter dem Altar zu »umarmen«. Den meisten Mitgliedern unserer Gruppe blieb dieser Gestus ebenso wie mir als evangelisch-lutherisch geprägtem Pilger eher fremd. Auf derartige Handlungen wie auch auf das Sammeln von Pilgerherbergs-Stempeln kam es uns weniger an. Es blieb für uns dabei: Der meditative Pilgerweg von Astorga nach Santiago war das Ziel, nicht die lärmende, touristisch geprägte Stadt. Aber das berühmte *Weihrauchfass* hat es mir doch angetan. Als es von zwölf gestandenen Männern in liturgischer Kleidung kraftvoll in Bewegung gesetzt wurde und dann mit weit ausladenden Schwingungen und seiner weißen Weihrauchfahne im Querschiff der Kirche über die Köpfe der dicht gedrängt stehenden Pilger immer schneller hinwegschwebte, da gab es »Standing Ovations«, eine staunende Stimmung breitete sich aus und auch eine heitere Dankbarkeit für dieses wohlriechende Spektakel.

d) Auf dem Weg nach Trier

Seit mittelalterlichen Zeiten wird in Trier die Tunika Christi als Reliquie aufbewahrt, der sogenannte *Heilige Rock*, der nach Johannes 19,23 f als unzerteiltes Gewand ein Symbol ist für die Einheit der Christen. Im Vorfeld der vorletzten Heilig-Rock-Wallfahrt 1996 lud deshalb der damalige Trierer Bischof Hermann-Josef Spital die Evangelische Kirche im Rheinland ein, sich an dieser Wallfahrt zu beteiligen, die unter dem Motto stand: »Mit Jesus Christus auf dem Weg.« Der rheinische Präses Peter Beier nahm die Einladung an. Vor

Beginn der Wallfahrt fand ein ökumenisches Symposion in der Trierer katholischen Akademie statt und zum Tag der Ökumene machte sich eine etwa 20 Personen umfassende Gruppe auf den *ersten ökumenischen Pilgerweg*, der je von Köln nach Trier gegangen worden ist. Im Wallfahrtsjahr 2012 haben wir einen weiteren ökumenischen Pilgerweg von Prüm nach Trier unternommen.

Drei Ereignisse von unterwegs zeigen den Geist, der uns auf diesem Pilgerweg begegnet ist. Nach einem langen Tag von etwa 30 km Fußweg kamen wir in Cochem an der Mosel an. Müde und hungrig erwarteten wir das Abendessen. Stattdessen nahmen uns zunächst zwei Personen in Empfang – und *wuschen* jedem von uns *die Füße*. Das geschah ganz unprätentiös, ohne große Worte, sozusagen als Empfangsritual für müde Pilger. Jeder von uns kannte den Johannes-Bericht von der Fußwaschung Jesu und auf dessen Hintergrund sprach dieser Gestus der beiden Gastgebenden ganz besonders zu uns. Das anschließende Abendessen und Gespräch miteinander haben uns umso mehr erfreut.

Zum Sonntag kamen wir in einem kleinen Ort der katholischen Eifel an. Der dortige Priester hatte sich ebenfalls zu einem außerordentlichen Entgegenkommen entschlossen. Er lud uns *am Sonntagmorgen in seine katholische Kirche zu einem ökumenischen Wortgottesdienst* ein, in dem ich die Predigt hielt und wir miteinander den Friedensgruß austauschten.

Am vorletzten Tag unseres Weges traten wir aus einem langen unübersichtlichen Waldgebiet auf eine Lichtung – und standen *wie im Märchen* vor einer für uns gedeckten *Essenstafel*. Ein Ehepaar aus Trier, das von unserem Pilgerweg erfahren hatte, hatte diese Tischlein-deck-dich-Überraschung für uns vorbereitet.

Als wir in der Benediktiner-Abtei Sankt Matthias *ankamen*, läuteten ihre Glocken für unsere Pilgergruppe. Wir zogen in die Kirche ein und hielten vor dem Grab des Apostels Matthias eine Pilgerandacht, die in den Lobgesang einmündete: Großer Gott, wir loben dich. Dort, am Ziel unseres Pilgerweges, umarmten sich dann alle; einige waren so ergriffen, dass ihnen die Tränen kamen.

Auf diesen Pilgerwegen nach Taizé, Iona, Santiago und Trier habe ich die Erfahrung gemacht, dass auf solchen Wegen ganz andere, neue, überraschende und beglückende Begegnungen auf den Pilger warten, manchmal auch beschwerliche.

2. Theologische Einsichten

a) Wohl und Wehe christlicher Pilgerorte

Wie die verschiedenen Pilgerwege Jesu nach Jerusalem, die Festpilger zum Schawuot-Pfingst-Fest und die Reisen des Paulus nach Jerusalem erkennen lassen, gibt es in neutestamentlicher Zeit *zahlreiche Pilgerbewegungen nach Jerusalem*, dem eigentlichen und ersten Ort der Gottesbegegnung.

Das junge Christentum hat an *Jerusalem* als erstem Pilgerort der Christenheit festgehalten. Konstantins Mutter *Helena* hat nach der Überlieferung bei ihrem Besuch des Heiligen Landes die Kreuzreliquie Christi wiedergefunden und nach Westen bringen lassen. Für Juden ist die *Klagemauer* an der Westseite des ehemaligen Tempels bis heute der heiligste Ort der Erinnerung, des Gebets und der Hoffnung auf das Kommen des Messias. Jahrhundertelang hielten Juden in der Diaspora die Hoffnung auf Gottes Reich aufrecht mit dem Abschiedsgruß: »Nächstes Jahr in Jerusalem!«

Christen und Juden hoffen heute gemeinsam auf Gottes

künftiges Kommen und mit ihm auf das neue Jerusalem, in dem er bei den Menschen wohnen wird, nach christlicher Erwartung (Offb. 21,3) jedoch *ohne* den Tempel. So ist *Jerusalem* für Juden und Christen und viele andere Menschen bis heute der erste Pilgerort und das ursprüngliche Pilgerziel geblieben, an dem man Gott und seiner Offenbarung besonders nahe ist. Bis heute ist die Stadt von Israelis und Palästinensern umkämpft, aber ihre Überlieferungen von David und Jesus sind stärker und lassen die Hoffnung auf die künftige Stadt des Friedens – Gott sei Dank! – nicht zum Erliegen kommen.

Nach alter christlicher Überlieferung haben die beiden bedeutendsten Apostel der Christenheit, Paulus und Petrus, in *Rom* den Märtyrertod erlitten. Das hat diese Stadt schnell zu einem weiteren Pilgerort der Christen werden lassen. Die *Päpste und die Waldenser* haben das Ihre dazu beigetragen, dass die Stadt am Tiber bis heute ihre Ausstrahlung nicht verliert. In jüngster Zeit ist der Waldenser-Fakultät ein Melanchthon-Zentrum angegliedert worden, das die ökumenische Verbindung zu Evangelischen in aller Welt fördert. Auch *Santiago de Compostela* im Nordwesten Spaniens und *Trier* an der Mosel sind durch die *Apostelgräber* von Jakobus und Matthias zu Wallfahrtsorten seit dem Mittelalter geworden, unabhängig davon, ob sich die Tradition dieser Apostelgräber als zuverlässig erweist oder nicht. Nachdem vor 850 Jahren – 1164 – der deutsche Reichskanzler und Kölner Erzbischof Rainald von Dassel die Reliquien der sogenannten Heiligen Drei Könige von Mailand nach *Köln* hat bringen lassen, gehörte auch die Stadt am Rhein zu den bedeutendsten Wallfahrtsorten des Mittelalters.

Während der ursprüngliche Sinn christlicher Pilgerreisen zu Wallfahrtsorten darin bestand, den Offenbarungen Gottes, seinen Aposteln und Heiligen möglichst nahezukommen, änderte sich diese Zielsetzung zu Beginn des zweiten Jahrtausends deutlich. Es begann mit den *Kreuzzügen*, die als kriegerische Wallfahrten zur Rückeroberung der Ursprungsorte des Christentums einen Sturm der Begeisterung und der Gewalttätigkeit auslösten. Mit ihnen verbanden Päpste die Gewährung von *Ablässen,* deren Unwesen im späten Mittelalter immer mehr in den Vordergrund trat. *Wallfahrten* wurden aus Pilgerwegen in der Nachfolge der Apostel und Heiligen zu unterhaltsamen und verdienstlichen Leistungen angeblich frommer Menschen, die sich dadurch Befreiung von Strafen zu verdienen erhofften. Hinzu kamen Abenteuerlust von Vagabunden, die ihren Familien(-verpflichtungen) davonliefen, und ein blühender kommerzieller Handel mit angeblichen Reliquien, die die Wallfahrer von Pilgerorten auf Kosten einfacher Gläubiger und zur Hebung eigener Einkünfte mitbrachten und vermarkteten.

Gegen solche Entartung der Wallfahrten richtete sich die *Kritik der Reformatoren,* besonders von Martin Luther. In den Schmalkaldischen Artikeln von 1537 bringt Luther gegen die Wallfahrten vor, dass sie unnötig sind, nicht geboten, nicht geraten, dafür aber ungewiss, schädlich und gefährlich. »Warum vernachlässigt man denn den eigenen Pfarrer, Gottes Wort, Weib und Kind usw., obwohl diese nötig und geboten sind, und läuft den unnötigen, ungewissen, schädlichen Teufelsirrwischen nach?«[3] Weil Luther solche Ablassreisen auch zu der großen Reliquiensammlung des Kurfürsten Friedrichs des Weisen in Wittenberg vor Augen hatte, schrieb er dagegen seine *95 Thesen,* die zum Auslöser der Reformation wurden. In ihrem Gefolge kamen zumindest in evangelischen Gebieten religiöse Wallfahrten für Jahrhunderte zum Erliegen.[4]

b) Die Wiederentdeckung von Pilgerwegen in der zweiten Hälfte des 20. Jahrhunderts

Ein neues Verständnis von Pilgerwegen wurde bei der *Trierer Heilig-Rock-Wallfahrt 1996* deutlich, die unter dem Motto veranstaltet wurde: »Mit Jesus Christus auf dem Weg« (vgl. Joh. 14,6). Erstmals in der Geschichte dieser Wallfahrt lud der damalige Trierer Bischof *Hermann Josef Spital* den rheinischen Präses *Peter Beier* ein, sich mit der Evangelischen Kirche im Rheinland daran zu beteiligen. *Präses Beier* ist dieses Risiko eingegangen und hat sich in einer Predigt zu Johannes 14,6 im Trierer Dom auch dazu geäußert:

»Ich bin gern nach Trier gekommen. In der Freude darüber, dass wir unsere Füße gemeinsam auf einen Weg stellen. Einen Pilgerweg …. Wallfahrt! Als ob nicht jeder Weg zum Gottesdienst, der hoffentlich mit anderen gegangen wird, eine Wallfahrt durch die Diaspora der Metropolen oder die morgendliche Einsamkeit unserer Dörfer wäre. Als ob der kirchliche Kotau vor der Macht nicht eine fürchterlichere Götzendienerdienerei war und ist als der in alten Tagen vielleicht einmal mit dem Heiligen Rock verbundene Aberglaube. Als ob man der überaus freundlichen Einladung eines engagierten Bischofs nicht folgen sollte, der Jesus Christus, wie ihn die Heilige Schrift bezeugt, in die Mitte des Volkes Gottes rückt. Als ob ein ehrwürdiges Tuch, wo es mit dem Zeugnis der Heiligen Schrift gedeutet wird, als Zeichen der Einheit der Getauften in Christus, nicht nüchternen Bildcharakter gewinnen könnte.«[5]

Der mutige Präses hat sogar ein *Pilgerlied* als Gebet gedichtet, das Eingang in das Pilgerbuch von 1996 und in die Ergänzung zur Trierer Ausgabe des »Gotteslob« gefunden hat. Ich gebe den ersten und letzten Vers der sechs Strophen des Liedes wieder:

»Wir wichen aus, Dein Wort hält stand. / Am Ende aller Wege / sind wir uns selber unbekannt, / wie Fremde fremd im eigenen Land./ Den Segen auf uns lege.

Wir ziehn hinauf zur Heilgen Stadt, / schreib auf Dein Kreuz die Namen. / Brich uns das Brot, wir werden satt / von allem, was Dein Friede hat. / Hör uns und sprich das Amen.«[6]

Eine im Pilgern erfahrene evangelische Diakonin, die u. a. zweimal nach Trier gepilgert ist und dreimal auf dem spanischen Jakobsweg bis Santiago unterwegs war, hat ihre *Erfahrungen mit dem Pilgern* so zusammengefasst: »*Pilgern heißt für mich, ›Beten mit den Füßen‹. Zum Pilgern gehört der erste Schritt und die Sehnsucht, neue Erfahrungen zu sammeln; die Bereitschaft, sich für eine gewisse Zeit vom Alltag zu verabschieden und sich nur mit dem Nötigsten auf den Weg zu machen; Neugier und Offenheit für die Menschen, die man unterwegs trifft, für neue Erfahrungen mit Gott und mit sich selbst, für die Gastfreundschaft, die man erleben darf. Pilgerwege sind eine Zeit der Ruhe und der Stärkung zum Ausruhen, zum Nachdenken, zum Schlafen, zum Essen mit anderen, zum Gebet. Pilgern heißt auch, mühevolle Wegstrecken zu gehen und Kreuzerfahrungen zu machen. Wichtig ist dabei, nicht aufzugeben, sondern langsam weiterzugehen. Pilgern heißt schließlich Ankommen, den gemachten Weg bedenken und ein schrittweises Zurückkommen in den Alltag.«[7]*

3. Ökumenische Vorschläge

Die ökumenische Szene ist in den letzten Jahrzehnten im wörtlichen Sinne in Bewegung geraten. Gehen, Wandern und Laufen haben Konjunktur bekommen. Es ist wichtig, dieses Zeichen der Zeit zu erkennen und aufzugreifen: Es geht um eine *Verhaltensänderung* vom Sitzen zum Gehen, von der Statik zur Dynamik, vom Abwarten zum Besuchen. Nicht jeder Einzelne und jede Gemeinde kann sich gleich auf einen längeren Pilgerweg begeben. Aber jeder kann sich auf den Weg machen, am eigenen Ort und zu anderen Orten. »Ich bin der Weg«, sagt der johanneischen Jesus (14,6) zu seinen Nachfolgern; die ersten Christen werden in Damaskus »Anhänger des neuen Weges« (Apg. 9,2) genannt. Man versteht das in der Regel im übertragenen Sinn; man kann es aber auch wörtlich nehmen und *sich auf den Weg machen*, wenn man bedenkt, wie viele Wege Jesus und Paulus mit ihren Füßen zurückgelegt haben …

a) Wege am eigenen Ort

Im Verlauf des *Kirchenjahres* gibt es Gelegenheiten zu gemeinsamen Wegen. In der Fasten- bzw. Passionszeit hat am Freitag vor Palmsonntag der ökumenische *Jugendkreuzweg* seinen Ort. Seit Jahrzehnten gibt es dazu jährlich ein neues Thema, das in sieben Stationen mit Liedern, Meditationstexten und Bildern (Dias) entfaltet wird.[8] Man kann ihn auch zu anderen Zeiten, z. B. am Karfreitag, und mit anderen Gruppen gehen oder an *einem* Ort meditieren.

Während der meditativen Tage zu Karfreitag und Ostern in Altenberg bei Köln haben wir seit Langem die schöne Tradition, dass wir uns im Anschluss an die mit der Michaelsbruderschaft im Altenberger Dom gefeierte Osternachtliturgie gegen 7.00 Uhr morgens auf einen *Emmaus-Weg* begeben. Er führt Richtung Osten auf die Höhe, so dass wir, wenn sie denn scheint, der strahlend aufgehenden Sonne begegnen. Der Weg beginnt schweigend und wir lassen die stille, erwachende Natur auf uns wirken. An einem bestimmten »Lebensbaum« versammeln wir uns und beginnen zu singen: Jubilate Deo omnis terra (Taizé): Alle Welt jauchzt dem Herrn; Es tagt der Sonne Morgenstrahl; Lobet und preiset ihr Völker den Herrn etc. Dann werden kleine Gespräche munterer, andere gehen schweigend weiter, wir überqueren einen Bach, begrüßen den ersten Sonnenstrahl, fassen uns manchmal bei den Händen, singen wieder und kehren nach einer guten Stunde als heitere Ostergesellschaft zurück. Das Ganze mündet in ein festlich gestaltetes Osterfrühstück mit Musik, Gesang, Andacht, Eier-Titschen« und munteren Unterhaltungen. Einen solchen Emmausweg kann man auch am Nachmittag des Ostersonntags oder am Ostermontag unternehmen, z. B. zur Nachbargemeinde, die zum Essen und Trinken einlädt, was im nächsten Jahr dann in umgekehrter Reihenfolge verläuft.

Im Rheinland laden schon manche katholische Gemeinden evangelische Christen zur Teilnahme an der *Fronleichnamsprozession* ein. Wo das geschieht, hat sich der Charakter dieser Prozession verändert: nicht mehr der Kniefall vor der Monstranz oder eine konfessionelle Machtdemonstration steht im Vordergrund, sondern ein gemeinsames Zeugnis mit Singen und Beten für den gegenwärtigen Christus. Hin und wieder kam es schon vor, wie z. B. in Remagen, dass vor dem Portal der evangelischen Friedenskirche eine Statio von Mitgliedern der evangelischen Gemeinde gestaltet worden ist. An anderen Orten wird eine solche ökumenische Öffnung der Fronleichnamsprozession noch undenkbar sein. Aber solche Beispiele zeigen, wie sich auch eine ehedem antiprotestantische Unternehmung in einen ökumenischen Pilgerweg am Ort verwandeln kann.

Um die Jahrtausendwende herum hat die Kölner ACK Ökumenemonate in den Gemeinden angeregt, in denen man sich gezielt besucht, austauscht, kennenlernt und neue Projekte entwickelt. Ein Element ist dabei der *Taufbeckenweg*, auf dem die Teilnehmenden sich in jeder Kirche und Gemeinde um den jeweiligen *Taufort* versammeln und ihrer Taufe gedenken. So lernt man nicht nur die verschiedenen Kirchen und Gemeinden seines Stadtteils kennen, sondern erfährt auch auf unterschiedliche Weise die Gemeinsamkeit, die die eine Taufe unter Christen stiftet.

Eine weitere Möglichkeit von besonderen Wegen am eigenen Ort sind *Wege des Gedenkens* an Personen, Ereignisse oder Orte. So kann man z. B. der früher am Ort lebenden *Juden* gedenken, besonders am 27. Januar oder 9. November. Man kann an Personen wie in Köln an *Edith Stein* erinnern. Man kann *Orte des Widerstands* zusammen mit kommunalen Trägern aufsuchen. – Auf diese Weise kann man am je eigenen Ort Brückenwege, Taufbeckenwege oder Gedenkwege gehen, die jeweils ein eigenes Thema beleuchten, die Teilnehmenden miteinander zusammenbringen und öffentliche Aufmerksamkeit gewinnen.

b) Pilgerwege zu anderen Orten

(1) Der Lutherweg

Martin Luther hat zu den etablierten Wallfahrten seinerzeit, wie dargelegt, eine sehr kritische Haltung eingenommen, aber über das Pilgern sich durchaus zustimmend geäußert: »Zu der Zeit, da das Evangelium anging, saßen die Apostel und ihre Jünger nicht also auf Schlössern, Stiften und Klöstern, und marterten die Leute mit Briefen und Geboten zu sich, wie jetzt die Bischofsgötzen tun; sondern zogen um in die Länder als die Pilgrim, und hatten weder Haus noch Hof, weder Raum noch Stätte, weder Küche noch Keller.«[9] Angesichts der Wiederentdeckung des Pilgerns in unserer Zeit, noch dazu im Vorfeld des Reformationsgedenkens, verwundert es nicht, das sich die Tourismusämter der Lutherstädte in Deutschland zusammengetan und einen *Lutherweg* entworfen haben. Es gibt ihn in den Bundesländern Sachsen-Anhalt, Sachsen, Thüringen und Bayern. In *Sachsen-Anhalt*, wo die meisten Lutherorte liegen, verbindet der Lutherweg Luthers Geburtsort Lutherstadt Eisleben mit dem Ort seiner Kindheit und Jugend Mansfeld und seiner Hauptwirkungsstätte Lutherstadt Wittenberg. In *Thüringen* geht es um seine Klosterzeit in Erfurt, seinen Aufenthalt auf der Wartburg bei Eisenach sowie um Weimar und Naumburg, wo er zu Gast war. In *Sachsen* führt der Lutherweg zu Orten, wo die Reformation früh Fuß fasste wie Zwickau, Eulenburg und Torgau; in Torgau hat zudem Luthers Frau Katharina von Bora ihre letzten Lebensjahre verbracht. Schließlich führt der *bayerische* Lutherweg in das Coburger Land mit den Orten Neustadt, Bad Rodach und Coburg, auf dessen Veste Luther während des Augsburger Reichstages 1530 untergebracht war.

Dieser kürzlich eingerichtete Lutherweg ist für Wanderer und Pilger gedacht; es gibt auch schon einige Pilgerherbergen und Gemeindehäuser zum Übernachten.[10] Einzelpersonen, Jugend-, Gemeinde- und Ökumene-*Gruppen* können schon jetzt jederzeit sich tage- und wochenlang auf Abschnitte und Regionen des Lutherweges begeben. Auf diese Weise kann man sich der Reformation meditierend, singend und betend nähern. Darüber hinaus möchte ich anregen, dass vor und während des Jahres 2017 evangelische und katholische *Gemeinden*, Kirchenkreise und Dekanate, vielleicht sogar *Delegationen* von Landeskirchen und Diözesen an Wochenenden geeignete Abschnitte auf dem Lutherweg gemeinsam gehen und am Sonntag an einem der Lutherorte einen ökumenischen Besinnungstag über Wohl und Wehe der Reformation miteinander halten. So lernt man die Reformation nicht nur mit dem Kopf kennen, sondern auch mit Augen, Ohren und Füßen, vielleicht sogar mit Herzen, Mund und Händen.

(2) Auf Luthers Spuren nach Rom

Die einzige große Reise, die Luther in seinem Leben unternommen hat, führte ihn im November 1510 im Auftrag seines Augustiner-Eremitenordens nach Rom.[11] Warum sollten sich jüngere Menschen im Zusammenhang mit dem Reformationsgedenken 2017 nicht eine längere Auszeit nehmen und auf Luthers Spuren ganz oder teilweise den Weg von »unseres Herrgotts Kanzlei« (Magdeburg) zur »ewigen Stadt« (Rom) unter die Füße nehmen?

Noch wichtiger wären zwei andere Ereignisse im Reformationsjahr 2017: Zum Fest Peter und Paul (29. Juni), wenn in der Regel eine Delegation des Ökumenischen Patriarchats von Konstantinopel (Istanbul) nach Rom kommt, könnte eine Abordnung des *Lutherischen Weltbundes* in Genf zusammen mit Abgesandten des *Reformierten Weltbundes* und der *EKD*, beide in Hannover, in Rom pilgernd dazu stoßen und sich in der einen oder anderen Form die *Hände zur Versöhnung reichen*. Bei dieser Gelegenheit könnten die evangelischen Pilger dem *Papst* die offizielle (vorher vereinbarte) *Einladung* zu einem Besuch auf der Wartburg oder in Wittenberg, möglichst am 31. Oktober, überreichen; ein Unternehmen, das schon Papst Johannes Paul II. bei seinem dritten Deutschlandbesuch 1996 ins Auge gefasst hatte. Jedenfalls sind für das Jahr 2017 solche Wege, Reisen und Zeichen der Versöhnung zwischen Rom, Genf, Wittenberg und Hannover angesagt.

Vielleicht ist die Zeit nicht mehr fern, sich zu sogenannten *Dritten Orden*, Tertiariern, wie im späten Mittelalter in Gruppen zusammenzuschließen, die alltägliches, familiäres und geistliches Leben miteinander teilen und zu einer *ökumeni-schen Bewegung der »Schwestern und Brüder vom gemein-samen Leben«* heranreifen. Ansätze dazu gibt es bereits schon, z. B. bei den Sankt Egidio- und Fokolare-Gemeinschaften.

c) Der Pilgerweg der Gerechtigkeit und des Friedens

In Busan, der letzten 10. Vollversammlung des Ökumenischen Rates der Kirchen im November 2013, ist der Pilgerweg bzw. die Pilgerreise – *pilgrimage* – zum Leitwort der ganzen Versammlung geworden. Es geht dabei um einen Pilgerweg der Gerechtigkeit und des Friedens, also um einen Weg, dessen Qualität sich durch Gerechtigkeit und Frieden auszeichnet, die nicht erst an seinem fernen Ende in den Blick kommen, sondern von Anfang an seinen Charakter prägen. Die Botschaft von Busan steht unter dieser Einladung: »Schließt euch unserer Pilgerreise der Gerechtigkeit und des Friedens an.«[12]

Was ist mit diesem Pilgerweg gemeint? Generalsekretär *Olav Fykse Tveit* hat in seinem Bericht vor der Vollversammlung von der »*Spiritualität der Pilgerreise*« gesprochen. Er meint damit die Bereitschaft, sich vom Gott des Lebens zu neuen Herausforderungen und Aufgaben leiten zu lassen. Sie führen an Orte, »an denen Gewalt, Unterdrückung und Diskriminierung herrschen, die Schöpfung missbraucht wird und geistliche Trostlosigkeit spürbar ist. Solche Orte gibt es überall.«[13] Die Besonderheit dieses Pilgerweges liegt also darin, dass er nicht zu einem bestimmten Ort führt, sondern jeweils zu Orten, an denen Menschen auf der Schattenseite leben, an den Rändern, wo der Geist Gottes seine besondere Wirksamkeit entfaltet. *Martin Luther King* hat am 28. August 1963 einen solchen »*Marsch auf Washington*« angeführt und dort seinen Traum – I have a dream – von Gerechtigkeit formuliert.

In Busan ist *Gerechtigkeit* ebenfalls ausführlich thematisiert worden und zwar in wirtschaftlicher (Finanzen, Profitsucht), sozialer (Arm und Reich), medizinischer (Gesundheit und Krankheit) und ökologischer (Klimagerechtigkeit) Hinsicht.[14] *Frieden* hat es heute nicht nur mit Abrüstung von konventionellen und Atomwaffen zu tun, sondern auch mit ziviler Gewaltfreiheit und Versöhnungsinitiativen, also mit Strategien zur Konfliktvermeidung und gewaltfreier Konfliktlösung.[15] Eine der wichtigsten *Erklärungen*, die in Busan verabschiedet worden sind, handelt von dem »*Weg des Gerechten Friedens*«.[16] Sie beginnt – erstmals in der Geschichte der ökumenischen Bewegung – mit der Formulierung eines *Friedensbekenntnisses:* »Gemeinsam glauben wir …« Dann beschreibt sie den Pilgerweg des gerechten Friedens unter *vier Gesichtspunkten:*

»*Für gerechten Frieden in der Gemeinschaft – damit alle frei von Angst leben können;*
für einen gerechten Frieden mit der Erde – auf dass Leben erhalten wird;
für einen gerechten Frieden in der Wirtschaft – damit alle in Würde leben können;
für einen gerechten Frieden unter den Völkern – damit Menschenleben geschützt werden.«

Die Botschaft von Busan spricht von einer »*Reise der Verwandlung*«, auf die sich die Teilnehmenden begeben haben – nicht zuletzt mit der großen Friedensvigil an der Stacheldraht-Grenze zu Nordkorea – und ruft »alle Menschen guten Willens dazu auf, ihre von Gott gegebenen Gaben für Handlungen einzusetzen, die verwandeln«.[17] Im Hintergrund steht die neue Aufgabe für das 21. Jahrhundert, sich mit kleinen *Transformationen* an der »großen Transformation« unserer »Heimat Erde« zu beteiligen.[18]

Wie können sich nun *Gemeinden* an einem solchen Pilgerweg beteiligen? Sie können und sollten wieder zuerst bei sich selbst beginnen, indem sie eine *Willkommenskultur* für Menschen am Rande entwickeln, z. B. mit Essensausgaben, Suppenküchen, Kleiderkammern u. a. Sie können ihr besonderes Augenmerk auf Migranten und Asylanten richten und ihnen bei der Eingliederung behilflich sein, z. B. sie zu Ämtern begleiten oder den Kindern eine Hausaufgabenbetreuung anbieten. In den rechtsrheinischen Kölner Stadtteilen Höhenberg und Vingst werden seit Jahren die Kinder, die im Sommer nicht verreisen können, zu einem zwei- bis dreiwöchigen Sommercamp am Ort eingeladen, das den ganzen Tag mit Essen, Spielen, Unternehmungen bis zu täglichen Andachten gestaltet: das überregional bekannt gewordene *HöVi-Land* mit den Pfarrern Franz Meurer, Jörg Wolke, 50–70 Mitarbeitenden und hunderten begeisterter Kinder.[19]

Für den *Frieden* gibt es mindestens zwei große Themen: Versöhnung zwischen den Konfessionen und mit der Erde. Zur Versöhnung zwischen den Kirchen habe ich das Nötige schon ausgeführt.[20] im Blick auf die *Gewalt gegenüber der Schöpfung* brauchen wir eine Entwicklung und Schärfung unseres ökologischen Bewusstseins. Das reicht vom Stromverbrauch in Gemeindehäusern über eine Umwandlung von Parkplätzen in Gartenanlagen bis zu Fastenaktionen, die den eigenen Lebensstil verändern.[21] Der »Grüne Hahn« wird umweltbewussten und nachhaltig wirtschaftenden Gemeinden zuerkannt. Es geht dabei um den Aufbau von *Gemeindezentren als Häusern des Friedens* nach innen wie nach außen, um Oikodomé und ein »ökodomisches«, aufbauendes Verhalten. Gerechter Friede in den Gemeinden schließt Nachbargemeinden ebenso mit ein wie unsere Mitwelt von Pflanzen und Tieren. So können auf dem Pilgerweg der Gerechtigkeit und des Friedens unsere Gemeinden zu *Orten der Transformation* werden: zwischen Generationen und Konfessionen, zwischen Menschen, Pflanzen und Tieren und zuerst von uns selbst.[22]

Weiterführende Literatur

EMW (Hg.), Kommunitäten. In Gemeinschaften anders leben. Jahrbuch Mission 2007, Hamburg 2007
Geiko Müller-Fahrenholz, Heimat Erde. Christliche Spiritualität unter endzeitlichen Bedingungen, Gütersloh 2013
Jörg Podworny, Orte des Glaubens. Begegnungen mit Kommunitäten, geistlichen Werken und spirituellen Oasen, Wuppertal 2007

Anmerkungen

1 Zu Taizé: K. Spink, Frère Roger – Gründer von Taizé, Leben für Versöhnung, Freiburg i. B. 2005.
2 Zu Iona: R. Ferguson, Chasing the wild Goose. The Iona Community, Glasgow 1988.
3 Schmalkaldische Art. II, 2,3, in: H.-G. Pöhlmann (Hg.), Unser Glaube, Die Bekenntnisschriften der evangelisch-lutherischen Kirche, GTB 1289, Gütersloh 1991, 3. Auflage, Nr. 386, 457.
4 Zum Ganzen vgl. F. Sedlmeier/A. Heinz/W. Brückner/K. Baumgartner, Art. Wallfahrt, LThK 10, Freiburg 2001, Sp. 961–966.
5 In: MJCW 58.
6 In: S. Schmitt (Hg.), Pilgerbuch 1996, Trier 1996, 284.
7 A. Geburtig, Manuskript vom August 2014.
8 Das Material dazu erscheint im TVD-Verlag, Pf. 321111., 40426 Düsseldorf.
9 Fastenpostille 1525.
10 Einzelheiten bei: www.lutherweg.de
11 Vgl. dazu M. Brecht, Martin Luther, Bd. 1, a. a. O. 103 ff.
12 In: H.-G. Link u. a. (Hg.), Busan 2013, a. a. O. 63 f.

13 Busan 2013, S. 294, Z. 85.
14 Vgl. dazu Busan 2013, a. a. O. 195 ff.
15 Vgl. dazu Busan 2013, a. a. O. 205 ff.
16 Busan 2013, a. a. O. 387 ff.
17 Busan 2013, a. a. O. 63 f.
18 Vgl. dazu G. Müller-Fahrenholz, Heimat Erde, a. a. O. 24 ff.
19 Vgl. dazu J. Becker/F. Meurer/M. Stankowski, Von wegen nix zu machen … Werkzeugkiste für Weltverbesserer, Köln 2011.
20 S. o. Kapitel I, 68 ff.
21 Zu Einzelheiten vgl. G. Müller-Fahrenholz, Heimat Erde, a. a. O. 309 ff.
22 Vgl. dazu auch die Mainzer Botschaft der Ökumenischen Versammlung 2014: »Die Zukunft, die wir meinen – Leben statt Zerstörung«, vom 4. Mai 2014 (PDF).

VII. Konziliare Prozesse

Konziliarität war und ist von Anfang an ein Wesensmerkmal und Charakteristikum der Kirche. Es leitet sich her vom lateinischen *concilium*, das zunächst allgemein eine Vereinigung bezeichnet, dann das Zusammenkommen, schließlich eine konkrete einberufene Versammlung. In dieser Bedeutung ist das deutsche Lehnwort *Konzil* synonym mit dem aus dem Griechischen stammenden Wort *Synode*. Im kirchlichen Bereich handelt es sich in beiden Fällen um repräsentative Zusammenkünfte zur Beratung wichtiger Fragen des Glaubens oder der Kirchenordnung (faith and order). So wie es lokale, regionale, Provinzial- und Generalssynoden gab und gibt, so gab (und gibt) es ursprünglich auch lokale (z. B. in Alexandrien), regionale (z. B. in Afrika) und später allgemeine (1. Nizäa, 325) Konzile, die noch später »ökumenisch« genannt wurden.[1] Nach orthodoxer Auffassung gibt es bis heute nur *sieben* »ökumenische Konzile« (325–787), den sogenannten Konsens der fünf Jahrhunderte,[2] während es sich bei den folgenden 14 westkirchlichen »Konzilen« streng genommen um vom Papst einberufene »Generalsynoden« handelt. Diese Unterscheidung ist wichtig, damit man den Begriff »Konzil« nicht nur im heute üblich gewordenen römisch-katholischen Sinn versteht.

Der ursprüngliche Vorgang des Zusammenbringens und Zusammenkommens – *conciliare* – »gehört zur Eigentümlichkeit der christlichen Tradition und dient dazu, der Einheit der Kirche auf allen Ebenen – lokal, regional, universal – Ausdruck zu geben und die Qualität ihres Lebens und Zeugnisses im Blick auf Ursprung und Auftrag zu erhalten«[3]. Es handelt sich also bei konziliaren Vorgängen um ein Zusammenkommen im Blick auf Ursprung und Auftrag von Christen, das sowohl auf örtlicher wie auf überregionaler und weltweiter Ebene sinnvoll und nötig ist. Insofern kann man von konziliaren Versammlungen[4], konziliarem Ratschlag[5]und konziliarer Gemeinschaft[6] sprechen. Wenn dieses Kapitel unter der Überschrift *»konziliare Prozesse«* steht, dann ist damit die Dynamik des ökumenischen *Zusammenkommens* in den Blick genommen, die besonders auf Ursprünglichkeit und *ökumenischer* Zielorientierung des Christseins gerichtet ist. In diesem Sinne hat vor 40 Jahren Frère Roger zu einem »Konzil der Jugend« aufgerufen, das sich keineswegs nur in Taizé ereignen sollte, sondern bis heute bei jeder Zusammenkunft zum Jahreswechsel an einem anderen Ort wieder auflebt.

1. Konziliare Erfahrungen: Von Rom 1962 nach München 2010

a) Das Zweite Vatikanische Konzil

Bei vielen katholischen Christen hat das Konzil zumindest in unserem Land einen Bewusstseinswandel bewirkt, der seinesgleichen sucht. Es verbreitete sich zunehmend eine *Aufbruchsstimmung*, wie man sie zuvor nie gekannt hatte. Sie begann mit der Liturgiekonstitution von 1963, die die Volkssprache im Gottesdienst einführte und den Wortgottesdienst samt Predigt aufwertete. Nun wurde die Eucharistie um den Altar in der Mitte herum gefeiert. Es kam zum Dialog zwischen den Konfessionen und zu einer ungeahnten Öffnung zur Welt. Der Papst sprach nicht nur in seiner Eröffnungsrede von dem »Heilmittel der Barmherzigkeit« statt der »Waffe der Strenge«[6], er machte sich auch selber auf den Weg zu Strafgefangenen und bekundete ihnen Verständnis statt Verurteilung. So griff der neue Geist der Gemeinschaft innerhalb wie außerhalb der katholischen Kirche um sich. Dieser *konziliare Prozess des Fenster-Öffnens*, der Öffnung zu anderen Kirchen, Religionen und Menschen ist zwar schwächer geworden, aber bis heute nicht zum Erliegen gekommen. Papst Franziskus gibt ihm wieder neuen Schwung. Aber auch Papst Johannes Paul II. hat 1995 in seiner Enzyklika »über den Einsatz für die Ökumene« gleich zu Beginn unterstrichen: »Mit dem Zweiten Vatikanischen Konzil hat sich die katholische Kirche *unumkehrbar* dazu verpflichtet, den Weg der Suche nach der Ökumene einzuschlagen und damit auf den Geist des Herrn zu hören, der uns lehrt, aufmerksam die Zeichen der Zeit zu lesen.«[7] Das Konzil hat vor 50 Jahren einen ökumenischen Prozess angestoßen, der bis heute wirkt und nicht wieder rückgängig gemacht werden kann. Aus dem Abstand heraus sieht man deutlicher, dass das Konzil zum bedeutendsten kirchengeschichtlichen Ereignis im 20. Jahrhundert geworden ist.

b) Vollversammlungen des Ökumenischen Rates der Kirchen

Seit 1948 kommen Vertreter nicht-katholischer Kirchen alle sechs bis acht Jahre zu Vollversammlungen des Ökumenischen Rates der Kirchen zusammen, die mit Gottesdiensten, Predigten, Vorträgen, Ausschüssen, Debatten, Erklärungen und theologischen Abhandlungen durchaus *konziliaren Charakter* haben. An der Gründungsversammlung in *Amsterdam* waren 147 Kirchen, einschließlich der EKD, beteiligt. An der vorerst 10. und letzten Vollversammlung in Busan haben im Herbst 2013 Vertreter von 345 Kirchen teilgenommen. Dieses

Anwachsen der Mitgliedskirchen um mehr als das Doppelte ist in sich bereits ein konziliarer Prozess. Einige markante Stationen auf dem Weg seien kurz erwähnt: Bei der 3. Vollversammlung 1961 in *Neu-Delhi* trat die Mehrzahl der osteuropäischen orthodoxen Kirchen zusammen mit der Russisch-orthodoxen Kirche dem Ökumenischen Rat bei; auch der Internationale Missionsrat vereinigte sich mit dem Ökumenischen Rat. 1983 wurde während der 6. Vollversammlung in *Vancouver* erstmals ein ökumenischer Abendmahlsgottesdienst gefeiert, die sogenannte Lima-Liturgie, an der sich offizielle Vertreter der römisch-katholischen wie der orthodoxen Kirchen aktiv und sichtbar beteiligten. Dort wurde auch der Konziliare Prozess für Gerechtigkeit, Frieden und Bewahrung der Schöpfung aus der Taufe gehoben. 30 Jahre später stießen nun in *Busan* auch Abgesandte der Weltweiten Evangelischen Allianz (WEA), der Lausanner Bewegung und der Pfingstkirchen mit erstaunlichen Grußbotschaften dazu. So werden auch alte Gräben innerhalb des Protestantismus allmählich zugeschüttet. Die ökumenische Bewegung wächst mithilfe des »*Globalen Ökumenischen Forums*« seit 1998 sichtlich mit der charismatischen und Pfingst-Bewegung zusammen, so dass das ökumenische Anliegen nicht nur zahlenmäßig durch etwa 500 Millionen pfingstlich geprägte Christen gestärkt wird, sondern auch spirituell und theologisch.

c) Genf und Rom

Die Beziehungen zwischen Rom und Genf, Vatikan und Ökumenischem Rat der Kirchen sind seit dem Konzil *immer vielfältiger und intensiver* geworden. Seit den sechziger Jahren wird die Gebetswoche für die Einheit der Christen gemeinsam vorbereitet. 10 % der offiziellen Mitglieder der 120-köpfigen

Kommission für Glauben und Kirchenverfassung gehören der römisch-katholischen Kirche an und werden offiziell vom Vatikan ernannt; dadurch ist sie zum repräsentativsten theologischen Organ der Weltchristenheit geworden. Seit Jahrzehnten nimmt die katholische Kirche mit einer offiziellen Delegation von 25 Personen an den Vollversammlungen des Ökumenischen Rates teil. Drei bis vier katholische Personen, inzwischen auch Frauen, arbeiten regelmäßig und kontinuierlich in verschiedenen Genfer Abteilungen mit, z. B. im Ökumenischen Institut Bossey und in der Kommission für Weltmission und Weltevangelisation (CWME). Die Generalsekretäre des Ökumenischen Rates treffen in gewissen Abständen mit dem Papst im Vatikan zusammen. Obwohl die römisch-katholische Kirche keine offizielle Mitgliedskirchen des Ökumenischen Rates ist, beteiligt sie sich doch an seiner Arbeit intensiver als viele seiner Mitgliedskirchen. 50 Jahre nach dem Zweiten Vatikanischen Konzil wird es nun Zeit, dass das Verhältnis zwischen Ökumenischem Rat der Kirchen und Vatikan einen auch nach außen sichtbaren, verbindlichen Status erhält, der deutlich macht, wie nahe sich inzwischen Genf und Rom gekommen sind. Beispielsweise könnte die römisch-katholische Kirche den *Gaststatus einer befreundeten Kirche* erhalten und damit auch offizielles Rederecht bei den Vollversammlungen bekommen.

Bei seinem Besuch nach der Busan-Vollversammlung im Dezember 2013 bei *Papst Franziskus* hat *Generalsekretär Olav Fykse Tveit* von dem »Pilgerweg zu *Einheit*, Gerechtigkeit und Frieden« gesprochen. Das verdeutlicht, wie weit der *konziliare Prozess zwischen Genf und Rom* inzwischen gediehen ist.

d) Der Konziliare Prozess für Gerechtigkeit, Frieden und Bewahrung der Schöpfung

Während der 6. Vollversammlung in *Vancouver 1983* hatte Propst Heino Falcke für die Delegation aus der DDR den offiziellen Antrag eingebracht, zu prüfen, ob nicht der Zeitpunkt für ein Konzil des Friedens gekommen sei, wie es Dietrich Bonhoeffer 1934 vor Augen gestanden habe.[8] Dazu kam es zwar nicht, aber stattdessen zu einer Empfehlung: »Die Kirchen sollten auf allen Ebenen – Gemeinden, Diözesen, Synoden, Netzwerke christlicher Gruppen und Basisgemeinschaften – zusammen mit dem Ökumenischen Rat der Kirchen *in einem konziliaren Prozess zu einem Bund zusammenfinden*«[9]. Das war die Geburtsstunde des »Konziliaren Prozesses für Gerechtigkeit, Frieden und Bewahrung der Schöpfung«[10].

(1) West- und ostdeutsche Versammlungen

Er fand in den damaligen beiden deutschen Staaten, die 1983 durch die Nachrüstungsdebatte in Atem gehalten wurden, eine so starke Resonanz wie kaum in einem anderen Land. In Westdeutschland kam es 1988 zu zwei Foren in Königstein im Taunus und in Stuttgart. Daraus ging die »*Stuttgarter Erklärung*« hervor: »Gottes Gaben – unsere Aufgabe«.[11]

In Ostdeutschland wurde zur selben Zeit eine »*Ökumenische Versammlung in der DDR*« etabliert, die 1988/89 zu drei Vollversammlungen in *Dresden, Magdeburg und wieder Dresden* zusammenkam. An diesem Prozess beteiligten sich 19 meist in der ACK zusammengeschlossene Kirchen, unter ihnen die römisch-katholische Kirche. Das wurde als *neue konziliare Erfahrung* wahrgenommen: »Zum ersten Mal seit Jahrhunderten haben Vertreterinnen und Vertreter fast aller christlichen Kirchen in unserem Land gemeinsam gebetet, gefeiert, beraten und Beschlüsse gefasst. Zusammengebracht haben uns unser Glauben und die Bedrohungen von

Gottes Schöpfung … Die ökumenische Dynamik unserer Versammlung ist nicht umkehrbar … Eine Rückkehr hinter alte Mauern und in alte Spaltungen darf es nicht geben.«[12] Insgesamt hat diese ökumenische Versammlung nicht weniger als *zwölf Ergebnistexte* verabschiedet, die von einer theologischen Grundlegung bis zu Ökologie und Ökonomie reichen. Ihr Hauptanliegen war die »Umkehr in den Schalom Gottes«[13].

(2) 1. Europäische Ökumenische Versammlung in Basel

Auf europäischer Ebene kam es im Mai 1989 zur ersten Europäischen Ökumenischen Versammlung in Basel/CH mit über 500 Delegierten aus evangelischen, katholischen und orthodoxen Kirchen. Sie verabschiedete ebenfalls ein umfangreiches Dokument »*Frieden in Gerechtigkeit*«, das »auf einem noch nie da gewesenen Prozess der Konsultation und Partizipation in den europäischen Kirchen«[14] beruhte. Emotionaler Höhepunkt der Baseler Versammlung wurde der »*Dreiländermarsch*«, der an einem Nachmittag vom schweizerischen Basel ins deutsche Lörrach, dann über den Rhein ins französische Huningue und von dort wieder zurück nach Basel führte. Das Unerhörte für ostdeutsche und osteuropäische Teilnehmende bestand darin, dass sie an keinem der drei Grenzübergänge ihre Ausweise vorzeigen und Prozeduren über sich ergehen lassen mussten. Im Gegenteil: Sie wurden auf deutscher und französischer Seite mit Kuchentafeln und Musik in Empfang genommen. Mit diesen Erfahrungen kehrten die Delegierten in ihre Heimatländer zurück. Es ist sicher nicht zu viel behauptet, dass diese erste Europäische Ökumenische Versammlung in Basel ihren Beitrag zum Fall der Berliner Mauer und zur europäischen Wende 1989/90 beigesteuert hat.

Seinen offiziellen Abschluss erreichte der Konziliare Prozess für Gerechtigkeit, Frieden und Bewahrung der Schöpfung im März 1990 mit einer Weltkonvokation im südkoreanischen Seoul.

(3) Ein dreißigjähriger Prozess

Dieser Konziliare Prozess wurde von der »Dekade zur Überwindung von Gewalt« nach der Jahrtausendwende aufgenommen und wird in gewisser Weise jetzt vom »Pilgerweg der Gerechtigkeit und des Friedens« weitergeführt. Er hat auch zu den beiden weiteren Europäischen Ökumenischen Versammlungen 1997 in Graz und 2007 in Hermannstadt/Sibiu beigetragen. Schließlich gehört ebenfalls die 2001 verabschiedete *Charta Oecumenica* zu den Früchten des Prozesses. Man kann hier guten Gewissens die Ökumenische Versammlung in Mainz noch anfügen, die Anfang Mai 2014 unter der Losung zusammenkam: »Die Zukunft, die wir meinen – Leben statt Zerstörung« und dazu eine lesenswerte »*Mainzer Botschaft*« veröffentlicht hat.

Der dreißigjährige Konziliare Prozess für Gerechtigkeit, Frieden und Bewahrung der Schöpfung hat Gruppen, Gemeinden und Kirchen zusammengeführt, wie es früher nicht der Fall gewesen ist. Bemerkenswert ist an diesem Prozess, dass er Themen aufgegriffen hat, die bis dahin nicht zu den Klassikern von Konzilen und konziliaren Bewegungen gehört haben. Er hat damit *eine neue Dimension konziliarer Bemühungen* erschlossen. Dass diesen Themen auch in Zukunft die volle Aufmerksamkeit der ökumenischen Bewegung gehört und geschenkt werden muss, ist in Busan mit seinen verschiedenen Erklärungen dazu deutlich zutage getreten.

e) Ökumenische Kirchentage in Deutschland

Katholikentage und evangelische Kirchentage haben in Deutschland eine lange Tradition. Sie enthalten alle Elemente, die für *konziliare Veranstaltungen* wesentlich sind: Gottesdienste, Sakramentsfeiern, Vorträge, Gespräche, Meditationen, Beratungen und Beschlussfassungen für Resolutionen, dies allerdings nur in eingeschränktem Maß. Da für den konziliaren Charakter einer Zusammenkunft der Wille zur Einheit der Kirche und die Besinnung auf grundlegende Fragen des Christseins, nicht jedoch die hierarchische Repräsentanz ausschlaggebend sind, kann man Katholikentage und evangelische Kirchentage – zumindest seit dem letzten Konzil – durchaus als *konziliare Versammlungen auf der Basisebene* ansprechen. Denn sie bringen, ebenfalls zumindest teilweise, den gemeinsamen Willen der Gläubigen (consensus fidelium) zum Ausdruck. Je mehr sie ökumenisch orientiert sind, desto stärker wird ihr konziliarer Charakter.

(1) Augsburg 1971

Die erste Veranstaltung dieser Art war das *Ökumenische Pfingsttreffen in Augsburg* vom 3. bis 5. Juni 1971. Drei Elemente prägten dieses Augsburger Pfingsttreffen: *1. Gottesdienste* – zum Teil auch für evangelische und katholische Christen, *2. Bibelarbeiten, 3. Arbeitsgruppen.* In den sechs Arbeitsgruppen ging es um die Themen: Glaubensnot, Gottesdienst, Ehe, Lebenshilfe, ausländische Arbeitnehmer und Entwicklung. Die ersten beiden Themen hatten den bei Weitem größten Zulauf, auch die Abendvorträge zum Ökumenismus in der Sporthalle und zum Judentum in der Alten Synagoge, die wegen Überfüllung geschlossen werden musste.

In Augsburg herrschte ein enormer Gesprächsbedarf. Um nur *ein* Beispiel herauszugreifen: In der Arbeitsgruppe 2 »Gottesdienst« wurden sieben Diskussionsgruppen zu verschiedenen Aspekten gebildet, die Resolutionen ins Plenum einbringen konnten; insgesamt waren es 24! Zur *Abendmahlsfrage* formulierte eine Gruppe: »Wir fordern Kirchenleitungen und Synoden auf, gemeinsame Abendmahlsgottesdienste bzw. Eucharistiefeiern für ökumenische Gruppen und konfessionsverschiedene Ehepaare zuzulassen und als neuen Weg zu größerer Einheit zu empfehlen.«[15] Wenn man diesen und andere Texte von Augsburg heute noch einmal liest, ist man über zwei Entdeckungen überrascht: erstens wie weit die Problemstellungen schon damals gediehen waren und zweitens, wie wenig wir nach über 40 (!) Jahren über sie hinausgekommen sind.

(2) Berlin 2003

Es hat länger als eine Generation gedauert – 32 Jahre –, bis es zu einem weiteren ökumenischen Ereignis dieser Art gekommen ist: dem *ersten Ökumenischen Kirchentag in Berlin* vom 28. Mai bis 1. Juni 2003. Da nach den zahlreichen öffentlichen Äußerungen und Resolutionen von 1971 zur Abendmahlsfrage von Seiten der Kirchenleitungen keinerlei erkennbare Schritte oder Öffnungen unternommen wurden, überrascht es in keiner Weise, dass *die Frage der eucharistischen Gastfreundschaft* in Berlin wieder das brennendste ökumenische Thema war. Dazu erschien schon im Vorfeld eine Reihe zustimmender wie ablehnender Veröffentlichungen.[16] Während des ökumenischen Kirchentages gab es zum Thema ein theologisches Podium und »Gespräche zu Brot und Wein«, jeweils überfüllte Veranstaltungen. Man konnte aber auch überzeugende und in die Zukunft weisende *Abendmahlsfeiern* erleben. Dazu zähle ich die Feier der Lima-Liturgie in Schöneberg, aber auch die Gottesdienste mit offener Kommunion in der Gethsemane-Kirche am Prenzlauer Berg.

Es gab in Berlin auch andere ausgesprochen positive ökumenische Erfahrungen: Etwa die *Unterzeichnung der Charta*

Oecumenica durch die Mitgliedskirchen der ACK.[17] Es gab auch einen »Pilgerweg« von Kreuzberg über den Gendarmenmarkt zur Versöhnungskirche auf dem ehemaligen Todesstreifen der Bernauer Straße. Gern erinnere ich auch die Gospel-Bühne zwischen Marienkirche und Rotem Rathaus, die junge Menschen ebenso in ihren Bann schlug wie die Taizé-Nacht der 1000 Lichter im Tempodrom. Anschließend hieß es, dass dieser ökumenische Kirchentag die Bundeshauptstadt zumindest für die Dauer seiner fünf Tage »verändert«, sogar »verzaubert« habe.

(3) München 2010

Der *zweite Ökumenische Kirchentag* stand sieben Jahre später vom 12. bis 16. Mai 2010 in München zumindest äußerlich unter keinem so günstigen Stern. Während es in Berlin trocken war und meistens die Sonne schien, ließ sie sich in München überhaupt nicht blicken und ohne Regenschirm war man arm dran. Das tat aber der ökumenischen Gemeinschaft wenig Abbruch. Da stand eine *Menschenkette* vom katholischen Liebfrauendom bis zur evangelischen Matthäuskirche, die heiter und gelassen für ökumenische Gastfreundschaft demonstrierte. Vor allem möchte ich an den Gottesdienst auf dem Odeonsplatz erinnern, der nach der *orthodoxen Liturgie des Brotbrechens, der Artoklasia,* gefeiert wurde. An die 10 000 Teilnehmende saßen an Tischen beieinander und teilten Brot, Wein und Traubensaft im Namen Jesu Christi miteinander. Es war keine sakramentale Feier, aber der Geist des Teilens und der Gemeinschaft war mit Händen zu greifen.

In der Sankt Maximilian-Kirche gab es auch eine ökumenische *Taufgedächtnis-Feier* unter dem Motto: »Gemeinsame Hoffnungswege«. Am eindrücklichsten waren dabei wieder die Zeichenhandlungen: Wege aus vier Ecken der Kirche zum Taufstein, Übergießen geöffneter Hände an 15 Wasserschalen und zwei Kreise von 360° in der großen Kirche, die den Kanon sangen: »Ich will dir danken, weil du meinen Namen kennst, Gott meines Lebens.«

Das sind natürlich nur kleine Ausschnitte aus dem großen Münchener Ökumenischen Kirchentag. Aber sie machen deutlich, wie auch in München *der konziliare Geist der ökumenischen Gemeinschaft* sich ausgebreitet und den Menschen neue Erfahrungen miteinander und mit Gott geschenkt hat.

2. Theologische Einsichten

a) Die »Katholizität« des Zweiten Vatikanischen Konzils

Eine außerordentliche römische Bischofssynode hat aus dem Abstand von 20 Jahren heraus 1985 als Summe des Konzils festgehalten: »Die ›Communio‹-Ekklesiologie ist die zentrale und grundlegende Idee der Konzilsdokumente.«[18] Wie kommt sie zum Tragen? Im zweiten Kapitel der Kirchenkonstitution über »das Volk Gottes« ist auch von »*Katholizität*« die Rede. Sie bedeutet einerseits »*Weltweite*«, die darauf hinzielt, »die ganze Menschheit mit all ihren Gütern unter dem einen Haupt Christus zusammenzufassen in der Einheit seines Geistes«. Mit dieser »Weltweite« ist aber andererseits zugleich »*Verschiedenheit*« gegeben, die kein notwendiges Übel, sondern Reichtum der Gaben darstellt: »Kraft dieser Katholizität bringen die einzelnen Teile ihre eigenen Gaben den übrigen Teilen und der ganzen Kirche hinzu …, die Gemeinschaft miteinander halten und zur Fülle in Einheit zusammenwirken.« Dem »Stuhl Petri« wird in diesem Zusammenhang die Aufgabe zugewiesen, »die rechtmäßigen Verschiedenheiten (zu) schützen«. Zur »katholischen Einheit des Gottesvolkes«

gehören daher nicht nur römisch-katholische Christen, sondern auch »die anderen an Christus Glaubenden und schließlich alle Menschen überhaupt«[19].

Im Lichte dieser theologisch verstandenen Katholizität bedeuten *Spaltungen* unter den Christen ein Hindernis für die »Fülle der Katholizität« nach beiden Seiten, sowohl für die römisch-katholische Kirche selbst als auch für die »getrennten Brüder«. Um daher »zu jener Fülle der Einheit zu gelangen, die Jesus Christus will … mahnt dieses Heilige Konzil alle katholischen Gläubigen, dass sie, die Zeichen der Zeit erkennend, mit Eifer an dem ökumenischen Werk teilnehmen«[20]. Die Gemeinschaft, um die es dem Konzil zu tun ist, lebt also in dem Spannungsfeld von Einheit und Vielfalt bzw. Verschiedenheit. Allerdings ist diese Vielfalt »von einem bloßen Pluralismus zu unterscheiden. Insofern die Vielfalt wirklich Reichtum ausmacht und Fülle mit sich bringt, ist sie wahre Katholizität; der Pluralismus grundlegend verschiedener Meinungen führt jedoch zur Auflösung, Zerstörung und zum Verlust der Identität«. Diese »*katholische*« *Gemeinschaft* bezieht grundsätzlich alle Christen ein und verwirklicht sich in diesem weiten Feld durch ökumenischen Dialog, gegenseitige Fürbitte und gemeinsames Handeln, ist also nicht dominant, sondern *konziliar gedacht*. »Außerdem ruft die Gemeinschaft zwischen Katholiken und anderen Christen trotz ihrer Unvollkommenheit alle dazu auf, auf den verschiedenen Ebenen zusammenzuarbeiten«[21]; dabei werden ausdrücklich auch »konkrete Gemeinden« genannt.

b) »Konziliarität« bei Vollversammlungen des Ökumenischen Rates der Kirchen

(1) Uppsala 1968

Den wichtigsten vorkonziliaren Beitrag des Ökumenischen Rates leisten, wie dargelegt, seine Vollversammlungen. Auf der 4. *Vollversammlung in Uppsala 1968* wirkte sich die Öffnung des römischen Konzils zu den anderen Kirchen so weit aus, dass der Hauptbericht von Sektion I das Thema erörterte: »Der Heilige Geist und die Katholizität der Kirche.« Darin wird als Aufgabe der ökumenischen Bewegung erkannt, »die Christen in einer universalen Gemeinschaft zusammen (zu) führen ... Der ökumenische Rat der Kirchen ... (kann) als eine Übergangslösung bis zu einer schließlich zu verwirklichenden wahrhaft universalen, ökumenischen, konziliaren Form des gemeinsamen Lebens und Zeugnisses angesehen werden. Die Mitgliedskirchen des Ökumenischen Rates, die einander verpflichtet sind, sollten auf die Zeit hinarbeiten, wenn *ein wirklich universales Konzil* wieder für alle Christen sprechen und den Weg in die Zukunft weisen kann.«[22] Damit waren die Themen Konzil und Konziliarität auf die Tagesordnung der ökumenischen Versammlungen gesetzt, von denen sie bis heute nicht mehr verschwunden sind.

(2) Nairobi 1975

Es war zunächst wieder die Kommission für Glauben und Kirchenverfassung, die sich weiter mit der Frage der Konziliarität auseinandersetzte. Ihre Zielvorstellung, die sie für die künftige Einheit der Kirche 1973 in Salamanca unter dem Leitwort der »*konziliaren Gemeinschaft*« erarbeitet hatte, wurde von der 5. Vollversammlung in *Nairobi 1975* aufgenommen:

»*Die eine Kirche … ist als konziliare Gemeinschaft von Gemeinden (local churches) zu verstehen, die ihrerseits tatsächlich vereinigt sind. In dieser konziliaren Gemeinschaft hat jede der Gemeinden zusammen mit den anderen volle Katholizität, sie bekennt denselben apostolischen Glauben und erkennt daher die anderen als Glieder derselben Kirche Christi an, die von demselben Geist geleitet werden. Wie die Vollversammlung in Neu-Delhi ausführte, gehören sie zusammen, weil sie die gleiche Taufe empfangen haben und das gleiche Heilige Abendmahl feiern; sie erkennen die Mitglieder und die geistlichen Ämter der anderen Gemeinden an. Sie sind eins in ihrem gemeinsamen Auftrag, das Evangelium von Christus in ihrer Verkündigung und in ihrem Dienst in der Welt und vor der Welt zu bekennen. Zu diesem Zweck ist jede einzelne Gemeinde bestrebt, die angebahnten Beziehungen aufrechtzuerhalten und neue Beziehungen zu ihren Schwestergemeinden anzuknüpfen und diesen Beziehungen in konziliaren Zusammenkünften Ausdruck zu verleihen, wo immer die Erfüllung ihres gemeinsamen Auftrags dies erfordert.*«[23]

(3) Canberra 1991

Wie schon die Einheitsformulierung von Neu-Delhi 1961, so ist auch diese Erklärung von Nairobi 1975 darum bemüht, die »konziliare Gemeinschaft« nicht nur als ferne Utopie zu behandeln, sondern auf die *Ebene von Ortskirchen und Gemeinden* zu beziehen, die ihrerseits »konziliare Zusammenkünfte« einberufen, anberaumen und mit ihnen Erfahrungen sammeln können. Auf diesem Weg ist die 7. Vollversammlung *1991 in Canberra* noch einen Schritt weiter gegangen und hat »konziliare Formen des Zusammenlebens« entwickelt:

»*Das Ziel der Suche nach voller Gemeinschaft ist erreicht, wenn alle Kirchen in den anderen die eine, heilige, katholische und apostolische Kirche in ihrer Fülle erkennen können. Diese volle Gemeinschaft wird auf der lokalen wie auf der universalen Ebene in konziliaren Formen des Lebens und Handelns zum Ausdruck kommen. In einer solchen Gemeinschaft sind die Kirchen in allen Bereichen ihres Lebens auf allen Ebenen miteinander verbunden im Bekennen des einen Glaubens und im Zusammenwirken im Gottesdienst und Zeugnis, Beratung und Handeln.*«[24]

Die konziliaren Formen des Lebens und Handelns sollen also auch auf der *lokalen Ebene* und zwar in allen Bereichen ihres Lebens zum Ausdruck kommen. Auf diese Weise wird das wesentliche Element jeder Kirche »Konziliarität« bis in den gemeindlichen Bereich heruntergebrochen, damit auf der Basisebene »konziliare Formen« *eingeübt* werden können.

(4) Zusammenfassung: Konziliare Gemeinschaft

Konziliarität als Wesensmerkmal der Kirche beinhaltet also *drei Dimensionen*:

1. Sie ist die *Zielvorstellung* für eine künftige Einheit der heute noch getrennten Kirchen als »*konziliare Gemeinschaft*«. In ihr haben Gemeinsamkeiten ebenso Raum wie Unterschiede.

2. Es gibt *inhaltliche Bestimmungen* für die konziliare Gemeinschaft, auf deren Erfüllung die heutige ökumenische Gemeinschaft zusammen mit dem Ökumenischen Rat der Kirchen hinarbeitet. Dazu gehört u. a., denselben apostolischen Glauben zu bekennen, die eine Taufe wechselseitig anzuerkennen, miteinander das Mahl des Herrn zu feiern, die geistlichen Ämter gegenseitig anzuerkennen, sich als Glieder der einen Kirche Jesu Christi zu verstehen und gemeinsame Strukturen der Beratung und Entscheidungsfindung zu entwickeln.

3. In *konziliaren Formen* wird die konziliare Gemeinschaft vollzogen und schon jetzt *eingeübt*. Das geschieht mit gegenseitigen Besuchen, Zusammenkünften und Handlungsinitiativen.

So wird das große Ziel der konziliaren Gemeinschaft in schon heute nachvollziehbare und realisierbare Schritte umgesetzt. Was zwischen Antiochia und Jerusalem möglich war, soll nicht nur zwischen Genf und Rom möglich werden, sondern auch zwischen Hannover und Fulda, Düsseldorf und Köln, letztlich oder besser erstlich zwischen jeder evangelischen und katholischen Gemeinde, die konziliare Erfahrungen miteinander machen wollen. Das sind dann Hoffnungszeichen, die von einer *konziliaren Basisbewegung* gegen Ermüdungserscheinungen der allgemeinen ökumenischen Bewegung sowie gegen Ohnmachtserfahrungen an der Basis schon heute gesetzt werden können.

3. Ökumenische Vorschläge

Es liegt in der Natur der Sache, dass sich konziliare Themen nicht auf den Gemeindebereich beschränken. Genau besehen liegen die Dinge in diesem Fall umgekehrt, dass konziliare Vorgänge zuerst auf der gesamtchristlichen Ebene angesiedelt waren. Da es sich jedoch bei der Konziliarität um ein elementares Wesensmerkmal jeder Kirche handelt, hat es auch Auswirkungen auf die gemeindliche Basis-Ebene. Die Vorschläge, die ich in diesem Zusammenhang unterbreite, beginnen – wie es der Zielsetzung dieses Buches entspricht – mit dem Bereich des Gemeindelebens, gehen dann aber darüber hinaus, so dass eine konziliare Verzahnung verschiedener Ebenen von christlichem Leben in den Blick kommt.

a) Konziliare Zusammenkünfte

Von einer konziliaren Zusammenkunft kann man dann sprechen, wenn sie 1. repräsentativ für ihren jeweiligen Bereich ist, 2. der Gemeinschaft von Christen dient und 3. sich mit wichtigen Fragen des christlichen Lebens und Handelns befasst.

(1) Gemeinde-Ebene

Auf der Gemeindeebene sind an erster Stelle die Zusammenkünfte der verantwortlichen Pfarrerinnen und Pfarrer verschiedener Gemeinden zu nennen, die sogenannten *Konveniats*. Wenn sie nicht zu technischen Absprachen über notwendige Regelungen verflachen, sondern sich gemeinsamen theologischen, exegetischen oder spirituellen Themen widmen, haben sie durchaus konziliaren Charakter.

Ein größerer Kreis von Verantwortungsträgern kommt zusammen, wenn sich *die Leitungsgremien* von Gemeinden, Presbyterium, Pfarrgemeinderat bzw. Kirchenvorstand, begegnen. Das könnte zumindest einmal im Jahr geschehen und sollte auch zu einem Gespräch über ein die Gemeinden verbindendes Thema genutzt werden, z. B. ein Jubiläum, Gemeindefest, gemeinsames Seminar, Stadtteilinitiativen.

Gemeindeglieder werden insgesamt einbezogen, wenn man zu einer *ökumenischen Gemeindeversammlung* einlädt. Davon war bereits im Zusammenhang mit Gemeindepartnerschaften die Rede. Es gibt weitere Anlässe zu solchen Zusammenkünften, z. B. eine gemeinsame Initiative für Ausländer am Ort oder gegen rechtsextreme Umtriebe. Man kann auch eine gemeinsame Reise nach Israel oder zu einem einheimischen spirituellen Ort miteinander bereden. Wichtig ist, dass sich bei solchen Begegnungen zwischen verschiedenen Gemeinden ein positiver und kreativer Geist ausbreitet, der Freude an konziliarer Gemeinschaft aufkommen lässt.

(2) Stadt- bzw. Regionalebene

Hier haben *Ökumenetage* bzw. *Stadtkirchentage* ihren Ort. Sie werden von einem Vorbereitungskreis mit Mitgliedern aus verschiedenen Kirchen verantwortet und laden grundsätzlich alle Christen am Ort ein. In Köln haben zwischen 1984 und 2012 bereits zwölf solcher Ökumenetage stattgefunden, mit einem ökumenisch wichtigen Thema, dazu: Bibelgespräche, Vorträge, Diskussionen, Workshops, gemeinsamer Abschlussgottesdienst und manchmal ein Gang durch die Innenstadt mit dem Ökumenekreuz. Die Abstände zwischen den Tagen werden größer; aber sie sind inzwischen im öffentlichen Leben der Stadt fest etabliert. In letzter Zeit wird der Versuch unternommen, die Ökumenetage auf den Pfingstmontag zu platzieren. Wenn dabei eine *öffentliche Erklärung* verlesen, diskutiert und schließlich verabschiedet wird, kann man einen konziliaren Eindruck gewinnen.[25]

(3) Überregionale und Bundesebene

Das ist der Bereich, wo *konziliare Versammlungen* im engeren Sinn zu verorten sind. Auf dieser Ebene haben auch schon eine ganze Reihe konziliarer Zusammenkünfte stattgefunden. Ich habe von einigen berichtet und stelle hier nur noch einmal alle tabellarisch zusammen:

1971 Ökumenisches Pfingsttreffen in Augsburg
(1971 bis 1975 Gemeinsame Synode der Bistümer in der BRD in Würzburg)
1989 1. Europäische Ökumenische Versammlung in Basel
1997 2. Europäische Ökumenische Versammlung in Graz
2003 1. Ökumenischer Kirchentag in Berlin
2004 1. Europatag in Stuttgart
2007 3. Europäische ökumenische Versammlung in Hermannstadt/Sibiu
2. Europatag in Stuttgart

2010 2. Ökumenischer Kirchentag in München
2012 3. Europatag in Brüssel
      Konziliare Versammlung in Frankfurt/Main
2014 Ökumenische Versammlung in Mainz
      Konziliarer Ratschlag in Frankfurt/Main

An dieser Reihe fällt auf, dass in den siebziger, achtziger und neunziger Jahren jeweils nur *eine* Ökumenische Versammlung stattgefunden hat, während es seit der Jahrtausendwende schon neun solcher Zusammenkünfte gewesen sind. Das ist ein ausgesprochen erfreuliches Zeichen für das *Anwachsen der konziliaren Bewegung*. Weitere Ereignisse werfen bereits ihre Schatten voraus:

2015 43. Internationaler Kongress der IEF in Prag zur Erin-
      nerung an den 600. Todestag des Reformators Jan Hus
2016 Pan-orthodoxes Konzil in Konstantinopel
      4. Europatag in Mitteldeutschland
2017 Wittenberger Ökumenische Versammlung der IEF
      Rheinische Ökumenische Versammlung in Koblenz am
      Pfingstmontag

b) Konziliare Strukturen

(1) Gemeinden

Wenn sich konziliare Zusammenkünfte in regelmäßigen Abständen wiederholen, dann kann aus ihnen eine konziliare Struktur werden. Das kann auf der *Gemeindeebene* sich so entwickeln, wenn ökumenische Konveniats zu einer Dauereinrichtung in bestimmten Abständen werden, wenn Presbyterium und Gemeindekirchenrat sich jährlich treffen oder wenn jährlich eine ökumenische Gemeindeversammlung stattfindet. In solchen Fällen verfügen Gemeinden über eine kleine, aber wichtige konziliare Struktur, die wegen ihrer Regelmäßigkeit über ökumenische Durststrecken hinweghilft.

Auch *soziale* Unternehmungen, wie eine ökumenisch verantwortete Kleiderkammer oder Suppenküche oder das seit Jahren stattfindende Kölner Sommerlager HöVi-Land können ebenso zu gemeindlichen konziliaren Strukturen werden wie auf *spiritueller* Ebene z. B. ein regelmäßiges ökumenisches Friedens- oder Taizé-Gebet. Am wichtigsten ist auf Ortsebene *ein verlässlicher und verantwortlicher ökumenischer Arbeitskreis*, der – wie in Wuppertal-Wichlinghausen – die ökumenischen Belange beider Gemeinden zu seiner Hauptaufgabe gemacht hat, sie regelt, fördert und ausbaut.

(2) Städte und Regionen

Auf der *mittleren, übergemeindlichen Ebene* erweisen sich, zumindest in Städten, ökumenische *Arbeitskreise und Arbeitsgemeinschaften* als ausgesprochen hilfreich. Den evangelisch-katholischen Arbeitskreis für Ökumene im Stadtbereich Köln gibt es seit über 30 Jahren. Er ist mit seinen Kölner Ökumenetagen inzwischen zu einer konziliaren Institution in der Stadt geworden, die von Stadtdechant und Stadtsuperintendent gefragt und gefördert wird.

(3) Arbeitsgemeinschaft Christlicher Kirchen (ACK)

Die einzige konziliare Struktur, die es in unserem Land auf städtischer, regionaler und *bundesweiter* Ebene gibt, ist die *Arbeitsgemeinschaft Christlicher Kirchen (ACK)*. Sie ist auf Bundesebene schon 1948 gegründet worden und hat heutzutage 16 Voll- und 4 Gastmitglieder. Ihr Herz schlägt in der *Ökumenischen Centrale in Frankfurt/Main* mit 4 hauptamtlichen Mitarbeitern aus 4 verschiedenen Kirchen. Ihre Vollversammlung tritt zweimal jährlich unter der Leitung eines Bischofs zusammen. Ihr theologisches Flaggschiff ist der *Deutsche Ökumenische Studienausschuss (DÖSTA)*, der seit

Jahrzehnten seine wegweisenden Studien veröffentlicht. Er gibt außerdem zusammen mit einem großen Herausgeberkreis seit über 60 Jahren die Vierteljahreszeitschrift »*Ökumenische Rundschau*« heraus.

Fragt man jedoch nach ihrem öffentlichen Einfluss und – als Indikator dafür – nach ihrem Bekanntheitsgrad, dann stellt sich schnell heraus, dass man, falls überhaupt, die Vorsitzenden der beiden großen Kirchen, Deutsche Bischofskonferenz und EKD, namentlich kennt, während der bischöfliche Leiter der ACK nur einem sehr begrenzten Kreis bekannt ist. Das sagt etwas aus über die Machtverhältnisse in Deutschland zwischen evangelischer und katholischer Kirche einerseits und ihrem Zusammenschluss mit 14 anderen Kirchen in der ACK andererseits. Mit anderen Worten: Im Vergleich zu den konfessionellen Schwergewichten nimmt sich die ACK mit ihren zahlreichen anderen Kirchenmitgliedern strukturell, finanziell und medial wie ein Fliegengewicht aus.

(4) Schlussfolgerungen

1. Wenn die konziliaren Strukturen auf der *Basisebene* von Gemeinden nicht erweitert werden, so dass sie auch öffentliches Gewicht erhalten, wird sich an der dünnen konziliaren Luft auf Kirchenleitungsebene nicht viel ändern. Der konziliare Prozess zwischen den Kirchen wird entweder von Gemeinden und Gruppen/Initiativen/Verbänden vorwärts gebracht oder er wird versanden. Das ist eine der Einsichten aus dem ökumenischen Weg in unserem Land während der vergangenen 50 Jahre.

2. Die Vollversammlung der *ACK auf Bundesebene* braucht mehr Spielraum und Kompetenzen. Bisher ist sie ein Beratungsgremium, das die Kirchen in keiner Weise verpflichten oder gar binden kann. In unserer Zeit der ökumenischen Stagnation und Ermüdung bedarf es jedoch struktureller Hilfen, um den ökumenischen Impulsen und Initiativen der ACK

stärkeres Gehör und Gewicht zu verschaffen. Die ACK braucht mehr personelle, finanzielle und strukturelle Unterstützung, wenn sie zum Träger des konziliaren Prozesses in unserem Land werden will und soll.

3. Zwischen *evangelischer und katholischer Kirche* müssen auf der Ebene von Deutscher Bischofskonferenz und EKD konziliare Strukturen geschaffen werden, die dem öffentlichen Gewicht dieser beiden Kirchen entsprechen. Das ist gerade im Vorfeld und bei den Vorbereitungen für das Gedenkjahr 2017 außerordentlich wichtig Daher rege ich an, rechtzeitig über *gemeinsame Symposien, Stellungnahmen und Synoden* auf verschiedenen Ebenen des kirchlichen Lebens nachzudenken.

c) Konziliare Gemeinschaften

Drei Merkmale gehören zu einer konziliaren Gemeinschaft: 1. Sie lebt dauerhaft oder gelegentlich an einem bestimmten Ort zusammen (stabilitas loci).[26] 2. Ihre Mitglieder gehören unterschiedlichen Kirchen an (ökumenische Diaspora). 3. Ihre Berufung liegt darin, für die Gemeinschaft von Christen und die Einheit der Kirchen zu beten und zu arbeiten (Ora-et-labora-Prinzip). Solche Gruppen können sich auch auf der *Gemeindeebene* bilden, wenn dort Menschen regelmäßig zu ökumenischen Gebetskreisen zusammenkommen, z. B. beim Gebet für die Stadt oder die »Fürbitte für unseren Ort«, oder wenn sie sich verbindlich für Arme und Flüchtlinge einsetzen. Es gibt ökumenische Hauskreise und Basisgemeinden, die zu verbindlicher Gemeinschaft zusammenkommen. Das sind Ansätze zu konziliarer Gemeinschaft, denen man nur wünschen kann, dass sie in Zukunft noch zunehmen werden, mit Menschen, »die mit Ernst Christen sein wollen«, wie Luther sie genannt hat.

Konziliare Gemeinschaften im engeren Sinn greifen über die ortsgemeindliche Ebene hinaus. Drei Arten solcher Gemeinschaften haben sich bislang herauskristallisiert: (1) überkonfessionelle Kommunitäten, (2) ökumenische Gemeinschaften und (3) konziliare Bewegungen.

(1) Überkonfessionelle Kommunitäten

Zwei – Taizé und Iona – habe ich vorgestellt.[27] Die *kommunitäre Bewegung* ist gerade in (Mittel-)Europa verbreitet.[28]

Bei *Kommunitäten* zeigt sich ihre konziliare Orientierung sowohl in der verschiedenen konfessionellen Herkunft ihrer Mitglieder als auch in der ökumenischen Weite ihrer Stundengebete wie in der Vielfalt ihrer Angebote für Gäste. Mit ihren täglich mehrfachen Gebeten füreinander, für die Kirchen und die ökumenische Bewegung insgesamt sind sie das pulsierende Herz der konziliaren Erneuerungsbewegung.

(2) Ökumenische Gemeinschaften

Konfessionsverbindende Paare und Familien

Von den Foyers Mixtes in Frankreich ist schon die Rede gewesen.[29] In Deutschland sammelten sich konfessionsverschiedene Ehepaare seit den sechziger Jahren im Benediktinerkloster Neresheim zu regelmäßigen Tagungen im Frühjahr und Herbst. Daraus ist 1999 das *»Netzwerk Ökumene: konfessionsverbindende Paare und Familien in Deutschland«* hervorgegangen. Ihre Treffen zeichnen sich dadurch aus, dass die teilnehmenden Paare ein elementares Interesse an der Überwindung der Kirchentrennungen mitbringen und ihre Kinder mit eigenem Programm in die Tagungen einbezogen werden. Sie verlaufen auf diese Weise lockerer und ganzheitlicher als übliche ökumenische Tagungen. Außerdem bietet das Netzwerk verschiedene Wochenenden im Benediktinerkloster Nütschau bei Hamburg und im Kinderschloss Mansfeld bei Eisleben an. Es verfügt über regionale

Ansprechpartner, einen Leitungskreis und bischöfliche Paten.[30]

Das deutsche Netzwerk ist von Anfang an *international* verbunden mit den Foyers Mixtes in Lyon sowie mit der Association of Interchurch Families (AIF) in England. Eine erste internationale Weltkonferenz für konfessionsverbindende Familien fand *1998 in Genf* statt, an der Personen aus 13 Ländern teilnahmen; eine zweite folgte *2003 im italienischen Rocca di Papa*. Konfessionsverbindende Paare und Familien sind oft die Hauptleidtragenden der Kirchenspaltung. Dank ihrer zahlreichen Initiativen sind sie aber inzwischen *vom Problemfall zum Promotor* und Modell zwischenkirchlicher Verständigung geworden.

Internationale Ökumenische Gemeinschaft (IEF)

Man kann die Internationale Ökumenische Gemeinschaft (IEF) als *Kind des Zweiten Vatikanischen Konzils* bezeichnen. Sie ist aus der International League for Apostolic Faith and Order (ILAFO) hervorgegangen, einer Gemeinschaft, die 1950 in Oxford auf anglikanische Initiative hin gegründet wurde und sich seitdem für die Verständigung zwischen orthodoxen, katholischen und reformatorischen Christen einsetzte. Auf der Gründungsversammlung der IEF wurde 1967 das sogenannte *Fribourg-Statement* in der Schweiz verabschiedet:

»Durch Gebet, Studium und Aktion sucht die IEF, der Bewegung zur sichtbaren Einheit der Kirche zu dienen, in Entsprechung zu dem ausdrücklichen Willen Jesu Christi und auf die Weise, die Er will. Die IEF … sucht ökumenische Verbindungen zwischen Laien und Geistlichen und bejaht, dass der Zugang durch gemeinsames Gebet und liturgischen Gottesdienst ein ideales Mittel ist, um Vereinigung mit Gott und mit unseren christlichen Gefährt/inn/en zu entwickeln.«[31]

Diese Erklärung macht deutlich, dass der Schwerpunkt der IEF auf der *spirituellen* Ökumene liegt. Bei ihren Tagungen spielen Andachten, Bibelgespräche, Vorträge und vor allem Gottesdienste eine wichtige Rolle. Es sind in aller Regel *Abendmahlsgottesdienste*, bei denen – mit Ausnahme orthodoxer Liturgien – eucharistische Gastfreundschaft gewährt wird.[32]

Gegenwärtig ist die IEF in *fünf westeuropäischen* Ländern vertreten (Belgien, Deutschland, England, Frankreich, Spanien) und ebenfalls in *fünf osteuropäischen* (Polen, Rumänien, Slowakei, Tschechien, Ungarn). Ihre *konfessionelle Bandbreite* reicht von anglikanischen über alt- und römisch-katholische, freikirchliche, lutherische und reformierte bis zu orthodoxen Mitgliedern.

Im Mittelpunkt der IEF stehen die alle zwei Jahre stattfindenden einwöchigen *internationalen Konferenzen*, die jeweils in einem anderen europäischen Land an unterschiedlichen Orten mit 200 bis 300 Teilnehmenden durchgeführt werden. In *Deutschland* fanden solche Tagungen bisher in Coburg (1983), Vierzehnheiligen (1989), Friedrichroda (1998) und Trier (2006) statt; die nächste ist 2017 in Wittenberg vorgesehen. Jährlich gibt es deutsche und andere Regionaltagungen. An manchen Orten wie z. B. Köln treffen sich die IEF-Mitglieder zu monatlichen Zusammenkünften jeweils in der Wohnung eines Mitglieds. Ziel dieser internationalen konziliaren Gemeinschaft mit Schwerpunkten in Deutschland, England und Tschechien ist es, mit Fürbitten, Gottesdiensten und Solidaritätsaktionen konfessionelle Fremdheit abzubauen und *spirituelle Gemeinschaft* aufzubauen. Ihr Motto lautet: »Heute die Kirche von morgen leben.«

Miteinander für Europa

Am Sonntagnachmittag nach der Unterzeichnung der Gemeinsamen Erklärung zur Rechtfertigungslehre in Augsburg am 31. Oktober 1999 haben sich Vertreter verschiedener Kommunitäten und geistlicher Gemeinschaften im ökumenischen Lebenszentrum *Ottmaringen* getroffen, um darüber zu beraten, welche Auswirkungen dieses einmalige Ereignis für das Zusammenleben von Christen in Deutschland und Europa haben könnte und sollte. Daraus ist die *Bewegung »Miteinander für Europa«* entstanden, die bei uns vor allem in Süddeutschland beheimatet ist und zu der inzwischen mehrere 100 ökumenischen Gruppen und Gemeinschaften gehören. An der ersten großen Begegnung im Mai 2004 in Stuttgart nahmen rund 9 000 Menschen teil; bei der Abschlusskundgebung 2007 ebenfalls in Stuttgart kamen schon an die 20 000 Teilnehmende zusammen. Am 12. Mai 2012 wurde in Brüssel ein Europatag veranstaltet und für den Sommer 2016 ist ein europäischer Kongress in Ostdeutschland geplant.

Diese Bewegung setzt sich für eine lokale, regionale und internationale Vernetzung von geistlichen Gemeinschaften ein, für Versöhnung und gesellschaftliches Engagement. Sie steht besonders ein für eine *europäische Wertegemeinschaft*, wie sie 2007 mit dem siebenmaligen Ja formuliert worden ist: Ja zum Leben in allen seinen Phasen, zu Ehe und Familie, zur Schöpfung, zu einer bedürfnisorientierten Wirtschaft, zu Solidarität mit den Armen und Benachteiligten, zu Frieden und zur Verantwortung für unsere Gesellschaft.[33] Im *Brüsseler »Manifest« von 2012* wird die europäische Vision u. a. so beschrieben:

»In unserem Miteinander haben wir erlebt, dass Einheit möglich ist, eine Einheit, die die eigene Identität nicht verwischt, sondern stärkt ... Ein Europa, das in versöhnter Vielfalt geeint ist, wird eine Kultur des Zusammenlebens verwirklichen, eine Kultur, die die Welt braucht ... Gemeinsam bekräftigen wir hier in Brüssel, wo wir an die Anfänge des europäischen Traums erinnert werden, unseren Einsatz für ein geeintes und gastfreundliches Europa, in dem Freiheit,

Barmherzigkeit und Solidarität das Zusammenleben prägen.«[34]

Angesichts von Europamüdigkeit und verschiedenen politischen Separationsbestrebungen hat das christliche »Miteinander für Europa« seine wichtige Aufgabe erkannt, die *humanistischen, jüdischen und christlichen Traditionen* unseres Kontinents zu Säulen für das Zusammenleben in Europa zu machen.

(3) Konziliare Bewegungen

Die konziliaren Prozesse auf den verschiedenen Ebenen münden schließlich in umfassende konziliare Bewegungen ein. Es ist ja schon deutlich geworden, dass seit dem Beginn des 21. Jahrhunderts große konziliare Zusammenkünfte in erstaunlichem Maß zugenommen haben. Gegenwärtig sehe ich drei übergreifende konziliare Bewegungen in Deutschland und Europa. Zu ihnen gehört auf jeden Fall das eben beschriebene Netzwerk »*Miteinander für Europa*«. Es wird von einem deutschen und einem internationalen Koordinatorenkreis getragen. Zu seinen Unterstützern gehört nicht nur die Focolare-Gründerin Chiara Lubich (†), Andrea Riccardi, der Leiter der Gemeinschaft Sant Egidio, ist ebenfalls dabei, auch Kardinal Walter Kasper und der frühere italienische Ministerpräsident Romano Prodi. Aber auch evangelische Leitfiguren wie Thomas Römer vom CVJM, Ulrich Parzany von Pro Christ und Altbischof Wolfgang Huber aus Berlin setzen sich für diese Bewegung ein.

Zweitens nenne ich die *internationalen Treffen*, die die Kommunität von *Taizé* seit Jahren *zum* jeweiligen *Jahreswechsel* in einer großen europäischen Stadt veranstaltet. An diesen mehrtägigen internationalen Zusammenkünften nehmen jeweils 40 000 bis 50 000 meist junge Menschen teil. Sie übernachten größtenteils bei einheimischen Familien, führen Gespräche in den Ortsgemeinden und feiern große Gottesdienste miteinander. Seit Roger Schutz diese Bewegung ins Leben rief, steht sie unter der Leitidee eines europäischen »*Pilgerwegs des Vertrauens*«.

Schließlich gehören in diesem Zusammenhang auch die deutschen Evangelischen Kirchentage und Katholikentage und ganz besonders die beiden *Ökumenischen Kirchentage* von 2003 und 2010, deren Reihe spätestens 2021 fortgesetzt werden soll. Denn inzwischen geht es auf jedem dieser Kirchentage, von denen jährlich einer stattfindet, ökumenisch zu, was die Teilnehmenden, die Themen und die Referenten bzw. Prediger betrifft. Die Beteiligung aus dem Ausland, das kirchliche Veranstaltungen dieser Größenordnung nirgendwo kennt, nimmt ebenfalls zu. In Prozessionen, manchmal auch Demonstrationen, Kundgebungen und Gottesdiensten kommt eine ökumenische Willensbekundung und *konziliare Willensbildung* zum Ausdruck, die von der kirchlichen und gesellschaftlichen Öffentlichkeit je länger desto weniger überhört werden kann. Wir sind noch nicht an dem Punkt angekommen, wo diese *drei konziliaren Bewegungen* in unserem Land oder gar in Europa zusammenfinden, aber wir haben es bei ihnen bereits mit verheißungsvollen konziliaren Prozessen zu tun, deren Auswirkungen auf die kirchlichen Landschaften noch nicht abzusehen sind.

Weiterführende Literatur

Aktion Sühnezeichen/Friedensdienste (Hg.), Ökumenische Versammlung für Gerechtigkeit, Frieden und Bewahrung der Schöpfung. Dresden – Magdeburg – Dresden, Berlin 1990

O. H. Pesch, Das Zweite Vatikanische Konzil (1962–1965) Vorgeschichte, Verlauf, Ergebnisse, Nachgeschichte, Würzburg 1994, 3. Auflage

H.-G. Link/G. Müller-Fahrenholz (Hg.), Hoffnungswege. Wegweisende Impulse des Ökumenischen Rates der Kirchen aus sechs Jahrzehnten, Frankfurt/Main 2008

L. Vischer/U. Luz/Chr. Link, Ökumene im Neuen Testament und heute, Göttingen 2009

G. Proß (Hg.), Ein Zeichen der Hoffnung. Brüssel, 12. Mai 2012. Dokumentation einer Veranstaltung von »Miteinander für Europa«, München 2012

Anmerkungen

1 Vgl. H. J. Sieben, Art. Konzil I, LThK VI, 1997, 3. Auflage, Sp. 345 ff.

2 Consensus quinquesaecularis.

3 A. Karrer, Art. Konziliarität, EKL 2, ³1989, Sp. 1428.

4 Die letzte fand in Deutschland vom 18. bis 20. Oktober 2012 in Frankfurt/Main zum Thema statt: »Zeichen der Zeit – Hoffnung und Widerstand.«

5 Der letzte fand in Deutschland vom 17. bis 19. Oktober 2014 in Frankfurt/Main zum Thema statt: »gott. macht. sprache.«

6 Das Konzil, a. a. O. S. 28.

7 Enzyklika Ut Unum Sint, a. a. O. Z. 3, 6.

8 Vgl. D. Bonhoeffer, Gesammelte Schriften I, München 1958, 218 f.

9 In: W. Müller-Römheld, Bericht aus Vancouver 1983. Offizieller Bericht der 6. Vollversammlung des ÖRK, Frankfurt/Main 1983, 116.

10 Dazu: H. Falcke, Über die Mauer hinweg miteinander unterwegs. Die ökumenische Bewegung und die Kirchen in der DDR; U. Duchrow, Ökumene und kapitalistisches Imperium: Der Konziliare Prozess für Gerechtigkeit, Frieden und die Befreiung der Schöpfung, beide in: H.-G. Link/G. Müller-Fahrenholz (Hg.), Hoffnungswege, a. a. O. 88 ff; 291 ff.

11 In: Sekretariat der Deutschen Bischofskonferenz (Hg.), Europäische Ökumenischen Versammlung »Frieden in Gerechtigkeit« (zitiert: FiG), AH 70, Bonn 20. Mai 1989, 59 ff.

12 Wort der Ökumenischen Versammlung, in: Aktion Sühnezeichen (Hg.), Ökumenische Versammlung für Gerechtigkeit, Frieden und Bewahrung der Schöpfung. Dresden – Magdeburg – Dresden. Eine Dokumentation, Berlin 1990, 16 ff.

13 Alle genannten Texte sind in der Dokumentation von Anm. 17 enthalten.

14 In: FiG, S. 9 ff; Zitat S. 8.

15 Augsburg 1971, 243.

16 Dazu s. o. Kapitel IV, 142 ff.

17 Dazu: Berlin 2003, a. a. O. 46 ff.

18 Schlussdokument 1985, II C1, Zeitfragen 35, a. a. O. 21.

19 Kirchenkonsitution, Z. 13, in: KKK 138 f.

20 Ökumenismusdekret, Z. 4.10 und 1, in KKK 234 ff.

21 Schlussdokument 1985, a. a. O. 22, 24 f.

22 In: N. Goodall/W. Müller-Römheld (Hg.), Bericht aus Uppsala. Offizieller Bericht über die 4. Vollversammlung des ÖRK, Genf 1968, Z. 19, 14.

23 In: H. Krüger/W. Müller-Römheld (Hg.), Bericht aus Nairobi 1975. Offizieller Bericht der 5. Vollversammlung des ÖRK, Sektion II: Die Einheit der Kirche – Voraussetzungen und Forderungen, Frankfurt/Main 1976, S. 26; zu »konziliare Gemeinschaft« vgl. Chr. Link, in: L. Vischer/U. Luz/Chr. Link, Ökumene im Neuen Testament und heute, Göttingen 2009, 316 ff.

24 In: W. Müller-Römheld (Hg.), Im Zeichen des Heiligen Geistes. Offizieller Bericht der 7. Vollversammlung des ÖRK 1991 in Canberra/Australien; Erklärung: Die Einheit der Kirche als Koinonia: Gabe und Berufung, Frankfurt/Main 1991, 174.

25 Vgl. die Dokumentation des vorerst letzten 12. Kölner Ökumenetages am Pfingstmontag 2012: F.-J. Bertram (Hg.), Ökumene lebt vom Aufbruch – Jetzt!, KÖB Nr. 55, Köln Dezember 2012, mit einer Übersicht über alle 12 Kölner Ökumenetage, 114 ff.

26 Vgl. dazu J. Podworny, Orte des Glaubens. Begegnungen mit Kommunitäten, geistlichen Werken und spirituellen Oasen, Wuppertal 2007.

27 S. o. 202 ff.

28 Einige von ihnen sind beschrieben in: Evangelisches Mis-

sionswerk Hamburg (EMW) u. a. (Hg.), Kommunitäten. In Gemeinschaften anders leben, Jahrbuch Mission 2007, Hamburg 2007.

29 S. o. 171 ff.

30 Einzelheiten unter www.netzwerk-oekumene.de

31 In: H.-G. Link (Hg.), Heute die Kirche von morgen leben *(zit. HKL)*. Deutsche Region der Internationalen ökumenischen Gemeinschaft (IEF), Köln Mai 2010, 15.

32 Vgl. dazu die IEF-Erklärung von 2007: »Eucharistisches Teilen«, in: HKL, 16 ff.; und: »Esst und trinkt *alle* davon. Gemeinsame Erfahrung in der IEF mit Feiern des Abendmahls/der Eucharistie (2000), in: HKL, 27 ff.

33 In: G. Proß (Hg.), Miteinander für Europa *(zit. MfE)*. Ein Zeichen der Hoffnung, Brüssel 12. Mai 2012. Dokumentation, München 2012, 39.

34 In: MfE, 33 f.

Ausblick auf das Jahr 2017:
Alte konfessionelle Selbstbeweih-
räucherung – oder:
Ein neuer ökumenischer Beginn?

Sucht man nach einem *Schlüsseldatum*, das den Beginn der Neuzeit markiert, dann eignet sich dafür der 31. Oktober 2017 durchaus, obwohl an diesem Tag möglicherweise nichts weiter geschehen ist, als dass ein völlig unbekannter Augustiner-mönch namens Martin Luther einen Brief an Erzbischof Albrecht von Mainz geschrieben hat, dem er 95 Thesen zur Frage von Ablass und Gnade beigefügt hat.[1] Warum? Ob Brief oder Thesenanschlag: Mit dem Verschicken bzw. Veröffent-lichen seiner 95 Thesen am 31. Oktober 2017 hatte Luther einen Stein ins Wasser geworfen, dessen gewaltiger Wellen-schlag ihn selbst am meisten überrascht hat. Damit begann die reformatorische Bewegung, die nicht mehr aufzuhalten war und so gut wie alle Gebiete des Lebens erfasste: Finanzen (Tetzels Ablassbriefe!), Wirtschaft (Fugger), Recht (Kirchen-bann und Reichsacht), Kultur (Buchdruck, Musik), Staat (Friedrich der Weise) und natürlich an erster Stelle das kirch-liche Leben selbst. Insofern ist es angemessen, die Reforma-tion als einen weltgeschichtlichen Einschnitt zu begreifen und das Symboldatum ihres Beginns vor 500 Jahren, den 31. Oktober 2017, in unserem Land als einmaligen staatlichen Feiertag zu begehen.

I. Wohl und Wehe der Reformation

Für die Kirchen, und insbesondere die aus der Reformation hervorgegangenen, geht es an erster Stelle um *drei Kernthemen*, denen sie sich 2017 stellen müssen: 1. die Wiederentdeckung des wesentlichen Inhalts des Evangeliums, 2. die Erneuerung der Kirche an Haupt und Gliedern und 3. die Auswirkungen auf das gesellschaftliche Umfeld. Vom *Evangelium* ist bereits in den Thesen 62 und 55 von 1517 die Rede. In Auseinandersetzung mit der spätmittelalterlichen Lehre vom Schatz der Kirche, die die Grundlage der Ablasstheorie bildet, formuliert Luther: »Der wahre Schatz der Kirche ist das hochheilige Evangelium von der Herrlichkeit und Gnade Gottes ... Wenn man den Ablass (der das Geringste ist) mit *einer* Glocke, *einer* Prozession und *einem* Gottesdienst feiert, so muss das Evangelium (das das Höchste ist) mit *hundert* Glocken, *hundert* Prozessionen, *hundert* Gottesdiensten gepredigt werden.«[2] Darin liegt das gute Recht des *Grundlagentextes der EKD zum 500-jährigen Gedenken*, dass er sich auf die Reformation als »religiöses Ereignis« konzentriert und ihr zentrales Thema »Rechtfertigung« in den Mittelpunkt rückt. Er erläutert die »Kernpunkte reformatorischer Theologie« anhand der fünf reformatorischen Zuspitzungen: allein Christus (solus Christus), allein aus Gnade (sola gratia), allein im Wort (solo verbo), allein aufgrund der Schrift (sola scriptura) und allein durch den Glauben (sola fide).[3] In dieselbe Richtung weist der Ratsvorsitzende *Nikolaus Schneider*, wenn er nicht müde wird, die Reformation als Wiederentdeckung des Evangeliums von Jesus Christus zu preisen und die anderen Kirchen, allen voran die römisch-katholische, einlädt, die Reformation als Christus-Fest mit zu begehen: »Wir wollen in der Freude über die geistlichen Gaben der Reformation das Jubiläum in ökumenischer Weite feiern.«[4]

Davon ist allerdings in den Ausführungen der EKD-Schrift herzlich wenig zu verspüren. Im Gegenteil: die *Gemeinsame Erklärung zur Rechtfertigungslehre* (GER) wird weder erwähnt noch zitiert, sondern in einem einschränkenden Nebensatz lediglich als Pflichtübung auf sie angespielt, während der Hauptsatz von bleibenden »kirchentrennenden Differenzen« spricht[5]. Statt den kirchen- und ökumenegeschichtlichen Stellenwert der Gemeinsamen Erklärung zur Rechtfertigungslehre zu würdigen, sich auf ihren Inhalt zu beziehen und aus ihm weitere Folgerungen abzuleiten,[6] wird sie vom Rat der EKD an den Rand gedrängt und damit die damalige Kritik der Professoren im Nachhinein bestätigt. Das überrascht und befremdet und legt die Vermutung bzw. Befürchtung nahe, dass der Rat der EKD den Akt der Unterzeichnung der Gemeinsamen Offiziellen Feststellung, durch den »die katholische Kirche und der Lutherische Weltbund die GER in ihrer Gesamtheit ... bestätigen«[7], sich nicht wirklich zu eigen gemacht hat. Hier werden auch Brüche zwischen der EKD und dem Lutherischen Weltbund (LWB) bzw. der Vereinigten Evangelisch-Lutherischen Kirche in Deutschland (VELKD) sichtbar, deren Aufarbeitung zu den allerersten innerprotestantischen Aufgaben im Blick auf das Jahr 2017 gehört. Wer im eigenen Haus die »Spaltungen« nicht bewältigt hat, ist nicht gut in der Lage, »die Überwindung von Spaltungen ... vor allem im Blick auf die römisch-katholische Kirche« zuwege zu bringen.

Wichtiger als diese innerprotestantischen Differenzen sind neben positiven die negativen *Auswirkungen der Reformation auf das gesellschaftliche Umfeld*, die die EKD-Schrift weitgehend ausblendet. Es soll jedoch nicht verschwiegen werden, dass im Zusammenhang mit dem Themenjahr der Lutherdekade 2013 zu »Reformation und Toleranz« das offizielle EKD-Magazin auch die »Schatten der Reformation« (selbst-)kritisch thematisiert hat. Kürzlich hat sich der Hamburger mennonitische Theologe *Hans-Jürgen Goertz* in einer kritischen Stellungnahme zum EKD-Grundlagentext dazu geäußert.[8] Zu den langen Schatten der Reformation zählen ihre Intoleranz schon im eigenen Lager zwischen Lutheranern und Reformierten, Luther und Zwingli in Marburg 1529, der soziale Bruch im Bauernkrieg 1525 sowie die Verfolgung bis hin zur Ermordung von Täufern im 16. Jahrhundert, um nur die längsten Schatten zu nennen. Der Oxforder Kirchenhistoriker *MacCulloch* beschreibt die Ereignisse der Reformation mit der Distanz eines Australiers und der Ironie eines Engländers, wenn er die wirre Zeit nach 1521 unter der Überschrift »Die Jahre des Karnevals« abhandelt, im Blick auf die gescheiterten Religionsgespräche von der »vertagten Wiedervereinigung« spricht, während er die Verhärtungen nach dem Schmalkaldischen Krieg als »verworfene Wiedervereinigung« kennzeichnet und im ganzen zweiten Teil seines Buches »Die Teilung Europas« im Gefolge der Reformation darstellt.[9] Auch Goertz macht dem EKD-Text zum Vorwurf, dass er »weit hinter den theoretischen Einsichten der Geschichtswissenschaft und ethnologisch reflektierter Erinnerungskultur zurück (bleibt)«[10]. Die Geschichtsvergessenheit, mit der man 1980 zum Jubiläum des Augsburger Bekenntnisses die Mennoniten einlud, ihre eigene Verurteilung mitzufeiern,[11] darf sich 2017 wirklich nicht wiederholen, wenn man sich die reformatorische »Lerngeschichte« auf die eigenen Fahnen schreibt. Es dient der Glaubwürdigkeit und ökumenischen Ehrlichkeit, wenn man die Schattenseiten der Reformation nach innen (Zwingli) und außen (Servet), links (Bauern, Täufer) und rechts (Katholiken) sowie auch nach oben (landesherrliches Kirchenregiment) deutlich zur Sprache bringt. Nur so lassen sich die problematischen Auswirkungen der Reformation auf das gesellschaftliche Umfeld (selbst-)kritisch aufarbeiten.

Am wichtigsten ist jedoch in unserem Zusammenhang das verhängnisvolle Ergebnis der Reformation: der bis heute nicht überwundene Bruch zwischen Altgläubigen und Reformatoren, die mit dem Augsburger Reichstag 1530 praktisch besiegelte Kirchenspaltung. Luther verfolgte bekanntlich das Ziel einer »*Reform der Kirche an Haupt und Gliedern*«, das er 1520 in seiner Schrift »An den christlichen Adel deutscher Nation: Von des christlichen Standes Besserung«[12] ausführlich darlegt. Trotz seiner frühen und scharfen Kritik an Papst und Papsttum dachte Luther nicht im Traum daran, seine Kirche jemals zu verlassen. Er hat es auch nie getan, sondern ist am 3. Januar 1521 mit der Bulle Decet Romanum Pontificem von *Papst Leo X.* exkommuniziert, also aus seiner eigenen Kirche ausgestoßen worden. Die darauf folgende Entwicklung der Ereignisse kann und braucht hier nicht weiter verfolgt zu werden, jedenfalls standen sich am Ende der ersten reformatorischen Auseinandersetzungszeit beim Augsburger Religionsfrieden 1555 zwei etablierte, politisch anerkannte und rechtlich abgesicherte Kirchentümer gegenüber, die bis zum heutigen Tag existieren. Damit begann das Zeitalter des *Konfessionalismus*, während Luthers Ziel einer Reform der *ganzen* Kirche nicht erreicht worden war. Insofern ist die Reformation kirchenpolitisch und territorial auf *halbem Weg* stecken geblieben; wir haben es also mit einer bis heute *unvollendeten* Reformation zu tun. Es ist wichtig, sich diese Grundsituation heute klarzumachen, damit man nicht dem Missverständnis erliegt, im Jahr 2017 den Beginn einer neuen Kirche zu sehen, die es unter allen Umständen zu verteidigen und aufrecht zu erhalten gäbe. Zu feiern ist 2017 lediglich und entscheidend die Wiederentdeckung eines wesentlichen Aspektes des Evangeliums, während die aus der Reformation hervorgegangene Kirchenspaltung zutiefst zu bedauern und – als heutige Aufgabe! – zu überwinden ist. Die Reformation war und ist als umfassende Bewegung ein zweischneidiges

Ereignis, dessen vielschichtige Seiten 2017 bedacht und zur Sprache gebracht werden müssen.

II. Katholische und evangelische Aufarbeitung

Wie sind die evangelische und die katholische Kirche mit der seit über 450 Jahren bestehenden öffentlichen Kirchenspaltung umgegangen? Was haben sie für die Überwindung dieser Situation getan? Ich kann und will diese Fragen nicht umfassend beantworten, sondern nur Gesichtspunkte im Blick auf das Zweite Vatikanische Konzil vor 50 Jahren und das bevorstehende Reformationsgedenken beisteuern.

Es ist schon oft bemerkt worden, dass die *katholische* Kirche sich mit dem *Zweiten Vatikanischen Konzil* den Anliegen der Reformation geöffnet und – etwas plakativ formuliert – Luther nach über 400 Jahren das von ihm ersehnte Konzil erhalten hat. Das trifft zwar nur teilweise – cum grano salis – zu, aber viele Themen und Erklärungen des Konzils weisen in diese Richtung. Gleich die erste »Konstitution über die heilige Liturgie« hat den *Wortgottesdienst* entscheidend aufgewertet und die *Volkssprache* im Gottesdienst eingeführt. Die Erklärung »über die göttliche Offenbarung« spricht praktisch nur über die Bibel Alten und Neuen Testamentes, über das Evangelium und die Evangelien mit dem Spitzensatz: »Das Lehramt ist nicht über dem *Wort Gottes*, sondern dient ihm.«[13] Die Kirchenkonstitution hebt die Bedeutung der Taufe als gemeinsame Grundlage aller Christen hervor. Es gibt ein eigenes Dekret über das »*Laienapostolat*«[14]. Das Ökumenismusdekret behandelt die nicht-katholischen Christen nicht mehr als Häretiker, sondern als »*getrennte Brüder*« und spricht von »getrennten Kirchen und kirchlichen Gemeinschaften im Abendland«[15]. Die Erklärung über das Verhältnis der Kirche zu den nichtchristlichen Religionen enthält das kirchengeschichtlich einmalige Kapitel zur Revision der Beziehungen zum *Judentum*.[16] Es gibt ebenfalls eine »Erklärung über die *Religionsfreiheit*«, die im 16. Jahrhundert für *keine* Kirche denkbar war und in der die katholische Kirche über ihren eigenen Schatten gesprungen ist. Schließlich nenne ich noch die »pastorale Konstitution über die Kirche in der Welt von heute« mit ihren wegweisenden Aussagen zur *Würde der menschlichen Person*, zu Ehe, Kultur, Wirtschaft und schließlich zu Frieden und Völkergemeinschaft.[17]

Dass in den genannten Texten auch andere Dinge zu lesen sind, ist selbstverständlich, und dass es auch ganz andere Konzilstexte und -themen gibt, z. B. über Bischöfe und Priester, ist ebenso zutreffend. Dennoch bleibt es eine kirchengeschichtlich bisher einmalige Öffnung, wie sich das Zweite Vatikanische Konzil Themen und Einsichten der Reformation zugewandt und viele von ihnen aufgenommen hat. Die katholische Kirche hat mit dem Zweiten Vatikanischen Konzil einen Schritt auf Reformation und evangelisches Christentum zu unternommen, der *in historischer Sicht einmalig* genannt werden muss.

Was hat die *evangelische* Kirche in unserem Land getan, um die Kirchenspaltung zu überwinden? Diese Frage ist wesentlich schwieriger zu beantworten, weil es in der evangelischen Kirche, wie jeder weiß, weder ein Lehramt noch ein Konzil, geschweige denn einen Papst gibt. Sie hat sich an der Erstellung der ökumenischen »Einheitsübersetzung« der Bibel beteiligt, sie hat ihre Abendmahlsgottesdienste grundsätzlich katholischen und anderen Christen geöffnet, sie stellt das Kirche-Sein der römisch-katholischen Kirche nicht infrage. Die EKD gibt zusammen mit der Deutschen Bischofskonferenz die Reihe »Gemeinsame Texte« zu wichtigen ethischen und gesellschaftlichen Fragen heraus. Und in den Gemeinden tun viele evangelische Christen und Pfarrer, was sie nur können, um die konfessionellen Gräben zuzuschütten.

Das alles ist erfreulich und soll nicht gering geachtet werden. Wenn es aber 2017 *um die Fragen von Kirchenspaltung und Kirchengemeinschaft* geht, dann stehen noch andere Themen auf der ökumenischen Tagesordnung. Natürlich kann die EKD nicht lehramtlich sprechen wie der Vatikan. Aber warum befasst sich nicht einmal eine EKD-Synode thematisch mit den Beziehungen zur katholischen Kirche, über den jährlichen Bericht des Catholica-Beauftragten hinaus? Warum gibt es keine Europäische Evangelische Synode? Wer kann, will und muss im Medienzeitalter für den deutschen, europäischen und weltweiten Protestantismus sprechen? Warum werden so wenig überzeugende Versuche unternommen, die provinziellen Grenzen der deutschen Landeskirchen wenigstens durchlässiger zu machen und im eigenen Lager die EKD zu einer »Kirche im eigentlichen Sinn« aufzuwerten? Dann hätte auch die katholische Seite zumindest ein klares Gegenüber und einen kompetenten Ansprechpartner.

Nachdem die katholische Kirche in und seit dem Zweiten Vatikanischen Konzil einen derart beachtlichen Schritt auf die reformatorischen Kirchen zu getan hat, ist es nun an der Zeit, dass die *evangelischen Kirchen ihrerseits entsprechende Schritte auf die katholische Kirche zu tun.* In welcher Hinsicht? Der evangelische Wortgottesdienst ist eine aus dem Spätmittelalter hervorgegangene Sonderform des Prädikanten-Gottesdienstes, während die Grund- und Vollgestalt des christlichen *Gottesdienstes* seit altkirchlicher Zeit aus Wort und Sakrament besteht.[18] Nachdem sich die katholische Kirche der Bibel und dem Wortgottesdienst zugewandt hat, wäre nun die Entsprechung dazu, wenn sich die evangelischen Kirchen verstärkt den Sakramenten *Taufe und Abendmahl* zuwendeten, damit ihre Wortlastigkeit überwänden und die Ganzheitlichkeit der Zeichendimension wieder entdeckten.

Die 4. Weltkonferenz für Glauben und Kirchenverfassung hat schon vor über 50 Jahren 1963 in Montreal eine Zuordnung statt einer Entgegensetzung von *Schrift und Tradition* gefunden: Müsste die evangelische Kirche nun nicht ein entspannteres und vertieftes Verhältnis zur Tradition entwickeln und damit ihre Kurzatmigkeit überwinden? Luther hat sich gegenüber der Kirche seinerzeit oft auf die *Alte Kirche*, ihre Strukturen und Bekenntnisse berufen. Die evangelische Kirche braucht wieder diesen Zugang zur Alten Kirche, etwa im Blick auf das *Grundbekenntnis von Nizäa-Konstantinopel (381)* und für die Beziehungen zwischen *Schriftkanon, Glaubensregel und Bischofsamt*. Man kann aus dem Neuen Testament ebenso wie aus der Kirchenkonstitution des Konzils lernen, dass die *Kirche* nicht nur eine menschliche Organisation ist, sondern eine göttliche Schöpfung des Heiligen Geistes. Luther, die Reformatoren und das Augsburger Bekenntnis haben immer wieder an ein *Konzil* appelliert. Darauf sollte auch die heutige evangelische Kirche drängen und sich an die sieben altkirchlichen Konzile (325–787) erinnern, die die Grundlage der ungeteilten Christenheit darstellen.

Das Gedenkjahr 2017 ist eine Gelegenheit, diese liegen gebliebenen Themen aufzunehmen, um die Grundlage für eine Verständigung mit der katholischen Kirche zu verbreitern, wenn unseren evangelischen Kirchen an einer Annäherung wirklich gelegen ist. Hier tut sich ein weites Feld für theologische Konsenserklärungen auf. Hier ist die *EKD-Synode* mit theologischer Kompetenz gefragt. Hier müsste der *Rat der EKD* Zeichen setzen und Initiativen ergreifen. Wenn das Haupt der Kirche nicht mit Schritten zu Umkehr und Erneuerung beginnt, wie sollen es dann die Glieder tun? Was heißt heute Erneuerung der evangelischen Kirche an Haupt und Gliedern?

III. Vorschläge für evangelische und katholische Gemeinden

Der Ausblick auf das Jahr 2017 hat sich bisher auf die Reformationsbewegung als ganze und auf die beiden aus ihr hervorgegangenen Konfessionskirchen konzentriert. Jetzt kehren wir wieder zur *Gemeindeebene* zurück und fragen: Was können Ortsgemeinden dazu beitragen, dass es im Jahr 2017 zu einem *Durchbruch* in den Beziehungen zwischen evangelischer und katholischer Kirche kommen kann? Die Gemeinden sind und bleiben die Basis jeder Kirche und die Übereinstimmung der Glaubenden – der consensus fidelium– war in altkirchlicher Zeit die ausschlaggebende Größe für das, was in der Kirche geschah und galt und was nicht, z. B. bei Bischofswahlen. Auf diese »*Macht von unten*« sollten sich heute unsere Gemeinden zurückbesinnen und sie ökumenisch in die Waagschale werfen. Im Blick auf das Jahr 2017 greife ich sieben Vorschläge dafür heraus, wie evangelische und katholische Gemeinden ihren ökumenischen Beitrag dazu leisten können, Vorschläge, die ich in den sieben Kapiteln erläutert habe:

1. Gemeinden erkunden gemeinsam, was es mit »*Rechtfertigung*« auf sich hat. Sie befassen sich mit entsprechenden Gleichnissen Jesu, dem Galaterbrief des Paulus und der Gemeinsamen Erklärung zur Rechtfertigungslehre. Sie können das in Gesprächsgruppen und Reihenpredigten tun.[19]

2. Gemeinden finden sich zu regelmäßigen ökumenischen *Friedens- und Versöhnungsgebeten* zusammen, in denen sie die eigenen und die weltweiten Nöte zur Sprache bringen und um Versöhnung zwischen evangelischen und katholischen Kirchen im Jahr 2017 beten. Das kann in der Form von Vesper-, Taizé- oder Friedensgebeten geschehen.[20]

3. Gemeinden feiern einmal jährlich ihre Grundlage und Verbundenheit in der einen Taufe mit einem gemeinsamen

Taufgedächtnisgottesdienst, der eine entsprechende Zeichenhandlung einschließt. Dafür eignen sich besonders das Epiphaniasfest zum Jahresbeginn, die Osternacht bzw. der Pfingstmontag oder der Buß- und Bettag.[21]

4. Gemeinden entwickeln eine Mahlkultur, indem sie nichtsakramentale *Agapefeiern* einführen, die man mit dem *Bibel-Teilen* gut verbinden kann. Das kann in Hauskreisen, Gemeindegruppen oder zu bestimmten Anlässen für ganze Gemeinden in Gemeindehäusern geschehen.[22]

5. Gemeinden machen sich auf den Weg zu einer *Gemeindepartnerschaft* mit dem Ziel, sie spätestens im Jahr 2017 verbindlich abzuschließen.[23]

6. Gemeinden beteiligen sich an dem *Pilgerweg der Gerechtigkeit und des Friedens* an ihrem eigenen Ort, indem sie ein gemeinsames Projekt z. B. für Ausländer aufbauen oder mit dem »Grüner Hahn« zur Heilung der Schöpfung in ihrem Bereich beitragen.[24]

7. Gemeinden bereiten für 2017 einen *Tag der Ökumene* vor oder beteiligen sich an einem *Stadtökumenetag,* um so in ihrem Bereich etwas von dem Segen und der Kraft konziliarer Zusammenkünfte zu erfahren.[25]

Um über ein fatalistisches und faules »Schön wäre es, aber ...« hinauszukommen, ist das erste, was Gemeinden brauchen, die sich auf diesen Weg zum Jahr 2017 einlassen, eine *ökumenische Initiativgruppe,* die im Auftrag der Pfarrer und Leitungsgremien der beteiligten Gemeinden selbstständig an die Arbeit geht, um den Ausgangspunkt für den jeweiligen ökumenischen Weg am Ort zu finden und dann zielstrebig umzusetzen.

IV. Vorschläge für die evangelische und katholische Kirche

Was lässt sich im Jahr 2017 für das *Zueinanderfinden* der evangelischen und katholischen Kirche in unserem Land erreichen? *Zwei Holzwege* kann man von vornherein ausschließen. Die früher üblichen selbstgerechten evangelischen Veranstaltungen, besonders beliebt am Reformationstag selbst, nach der Melodie: »Ein feste Burg ist unsere Kirche – wir sind doch die besseren Christen« – so verliefen die Reformationsfeiern jahrhundertelang bis in die jüngere Nachkriegszeit hinein! – sind antiquiert, abgestandenen, unkreativ, kurz: für unsere Zeit in keiner Weise mehr angemessen. Auf der anderen Seite ist es unrealistisch zu erwarten, dass sich die evangelische und katholische Kirche im Jahr 2017 in die Arme fallen.

Was ist für die Beziehungen zwischen den beiden großen Kirchen 2017 drin und dran? 50 Jahre nach dem Zweiten Vatikanischen Konzil ist die Situation zwischen evangelischer und katholischer Kirche dadurch gekennzeichnet, dass sie sich *nicht mehr* nur in Trennung miteinander befinden, aber *noch nicht* in Kirchengemeinschaft eintreten können. Wo befinden sie sich genau im Zwischenfeld zwischen Exkommunikation und Kommunion? Wie lässt sich der gegenwärtige Stand des Miteinanders der beiden großen Kirchen sichtbar zum Ausdruck bringen? Hier sehe ich eine Parallele zu zwei Gemeinden auf dem Weg zu einer verbindlichen Partnerschaft miteinander. Der *Schritt von einem vielfältigen zu einem verbindlichen Miteinander* ist der schwierigste. Ich möchte unsere beiden »großen« Kirchen ermutigen, im Jahr 2017 den Schritt zu einer verbindlichen »*ökumenischen Kirchenpartnerschaft in Deutschland*« miteinander zu wagen, wie es schon viele Gemeinden getan haben: »Wir haben uns getraut!« Dazu möchte ich noch einmal drei Vorschläge zur Diskussion stellen:

1. Ein gemeinsames Schuldbekenntnis

»Heilung der Erinnerungen«[26] heißt eines der Gebote unserer Zeit – healing wounded history. Nicht nur zwischen Regionen und Ländern in Europa – Schottland, Spanien, Irland, Ukraine! – ist die Verständigung äußerst zerbrechlich, auch zwischen unseren Kirchen kann es schnell wieder zu Zerwürfnissen kommen, wie die Auseinandersetzungen um die Gemeinsame Erklärung zur Rechtfertigungslehre einerseits und Dominus Jesus andererseits ausgerechnet um die Jahrtausendwende 1999/2000 gezeigt haben. Wenn nicht bei jeder künftigen (Streit-)Frage über das Wie? der Verständigung zugleich das Dass der gegenseitigen Infragestellung den Dialog belasten soll, muss eine Ebene der *Aufarbeitung der Verletzungen* erreicht werden, hinter die auch Scharfmacher auf beiden Seiten nicht zurückfallen können. Mit der historischen Skizze von lutherischer Reformation und katholischer Antwort[27] ist ein guter Anfang gemacht worden. Davon ausgehend und darauf aufbauend ist nun eine konfessionell gemischte deutsche Gruppe gefragt, die wichtigsten gegenseitigen Verwundungen vom 16. bis zum 20. Jahrhundert – Luthers Exkommunikation, Dreißigjähriger Krieg, Unfehlbarkeit und Kulturkampf, Machtkämpfe in der Bundesrepublik u. a. m. – so aufzuarbeiten, dass sie von beiden Seiten benannt und bekannt werden können. Das Ziel einer solchen »*historischen Versöhnungskommission*« liegt darin, im Jahr 2017 ein gemeinsames Erkennen und Bekennen von Schuld voreinander und vor Gott zuwege zu bringen. Dazu habe ich bereits im Vorfeld des Berliner Ökumenischen Kirchentages einen kleinen Vorschlag unterbreitet.[28] Jedenfalls ist das Gedenkjahr 2017 der geeignete Zeitpunkt, um miteinander zumindest die Schatten der Vergangenheit hinter sich zu lassen.

2. Eine gemeinsame Kirchenpartnerschaftserklärung

Das Aufarbeiten der Wunden der Vergangenheit hat den Zweck, gemeinsam nach vorn schauen und gehen zu können, ohne sich ständig durch den Blick zurück zu behindern. Darum muss ein gemeinsames Schuldbekenntnis durch eine Erklärung ergänzt werden, wo die beiden Kirchen nun stehen und wohin sie miteinander gehen. Dem dient eine gemeinsame *ökumenische Kirchenpartnerschaftserklärung*, die man auf der regionalen Ebene von Diözesen und Landeskirchen abschließen kann, aber noch besser auf der Ebene von Deutscher Bischofskonferenz und Rat der EKD. Auf drei Fragen muss eine solche Erklärung Antwort geben:

1. Welches sind die *Grundlagen,* die uns verbinden?
2. Welche *Aufgaben* liegen noch ungelöst vor uns?
3. Welche *nächsten Schritte* werden wir miteinander tun?

a) Die *anglikanische* Gemeinschaft hat schon am Ende des 19. Jahrhunderts eine Grundsatzerklärung über die Grundlagen einer Wiedervereinigung der Christen verabschiedet: das Chicago-Lambeth-*Quadrilateral von 1888*.[29] An die dort genannten vier »essentials« kann man sehr gut anknüpfen und sie mit einigen weiteren Gemeinsamkeiten verbinden, so dass sich folgende sieben »*gemeinsamen Grundlagen*« ergeben:

1. Die Heilige *Schrift* Alten und Neuen Testamentes;
2. das gemeinsame Verständnis des *Evangeliums,* wie es in der Gemeinsamen Erklärung zur Rechtfertigungslehre von 1999 niedergelegt ist;
3. die beiden auf Jesus Christus zurückgehenden grundlegende *Sakramente* Taufe und Abendmahl/Eucharistie;
4. die beiden altkirchlichen *Glaubensbekenntnisse*: das ökumenische Glaubensbekenntnis von Nizäa-Konstantinopel (381) und das sogenannte Apostolikum;

5. die Grundstruktur des christlichen Gottesdienstes mit dem Dreiklang von Anbetung, Wortgottesdienst und Sakramentsfeier;

6. die Anerkennung der sieben altkirchlichen *Konzile* (325–787) als Grundlage der ungeteilten Kirche des ersten Jahrtausends;

7. ein Amt der *pastoralen Aufsicht*, sei es a) das historische Bischofsamt, oder b) eine kollegiale Kirchenleitung, oder c) eine synodale Kirchenleitung, oder d) ein ökumenisches Konzil.

Der letztgenannte Punkt 7 ist sicher der schwierigste Verständigungspunkt. Über ihn haben sich bisher auch die anglikanische und die evangelische Kirche noch nicht voll verständigen können.[30] Dennoch sollte es auch an diesem unerlässlichen Punkt mit Hilfe der Erkenntnisse der Kommission für Glauben und Kirchenverfassung zu »gemeinsame(n) Formen des Lehrens und der Entscheidungsfindung« von 1978 möglich sein, zu einer Verständigung zu gelangen, wie sie dort empfohlen wird: »Alle Kirchen akzeptieren eine Art pastoraler Aufsicht.«[31]

Man könnte die aufgeführte Liste der sieben Gemeinsamkeiten noch *ergänzen* durch weitere Übereinstimmungen im Blick auf die Verbindung zum *Judentum*, die Verpflichtung zu *Caritas und Diakonie* sowie zu gemeinsamem *Zeugnis in der Öffentlichkeit*. Wichtig ist aber vor allem, dass der oft zitierte zutreffende Satz: »Was uns miteinander verbindet, ist stärker als das, was uns noch trennt«[32], mit konkretem Inhalt gefüllt wird, damit sich ein öffentliches *Zusammengehörigkeitsbewusstsein* entwickeln und so den Reden derer entgegengewirkt werden kann, die – oft wider besseres Wissen – den Eindruck erwecken, wir stünden ökumenisch ganz am Anfang und müssten neu von Vorne beginnen[33] – eine ökumenische Entmutigungsstrategie!

b) Ähnliches gilt für die noch *ungelösten Aufgaben* zwischen den Kirchen. Es ist wenig hilfreich, wenn die EKD-Schrift »Rechtfertigung und Freiheit« ganz allgemein von bleibenden »kirchentrennende(n) Differenzen über das Verständnis des Amtes und der Sakramente«[34] spricht. So wird ebenfalls der irrige Eindruck erweckt, als blieben auch nach 50 Jahren die entscheidenden kirchentrennenden Differenzen bestehen, seien mithin nicht lösbar – eine ökumenische Differenzstrategie. Soweit ich sehen kann, sind es genau *vier Themenbereiche*, die noch trennend zwischen der evangelischen und katholischen Kirche stehen:

1. Die noch nicht vollzogene offizielle Anerkennung der *evangelischen Kirchen* als Glieder der einen Kirche Jesu Christi, also als »Kirchen im eigentlichen Sinn«;

2. die noch nicht vollzogene Anerkennung der *evangelischen ordinierten Ämter*, obwohl sie in der inhaltlichen apostolischen Tradition stehen. Ungeklärt ist *nur* das Verhältnis zwischen apostolischer Tradition und apostolischer Sukzession.[35]

3. Unfehlbarkeit und Jurisdiktionsprimat des *Bischofs von Rom* und seine denkbare Funktion als Sprecher der Christenheit[36];

4. die beiden *Mariendogmen* von der unbefleckten Empfängnis Marias (1854) und von der leibhaftigen Aufnahme Marias in den Himmel (1950)[37].

Man muss diese noch kirchentrennenden Fragen nicht gelöst haben, aber man sollte sie benennen als noch zu bewältigende Aufgaben, um Klarheit zu schaffen, was für die Kirchengemeinschaft noch präzise zu tun ist. Dazu zählt auch eine Klärung darüber, welche Differenzen zwischen den Kirchen tragbar sind und welche nicht. Das Kriterium dafür ist die Frage der Kirchentrennung bzw. Kirchengemeinschaft. Denn viele Unterschiede zwischen der evangelischen und der katholischen Tradition sind keineswegs kirchentrennend, sondern sogar einander ergänzend und insofern bereichernd für das Leben innerhalb der Kirchen. Wenn noch nicht *alle* Fragen gelöst sind, so sind es doch schon *viele*; wenn noch keine Kirchengemeinschaft erreicht werden kann, so kann man doch eine *Kirchenpartnerschaft* eingehen. Die Alles-oder-Nichts-Befürworter sind die Totengräber der jetzt erreichbaren ökumenischen Verbindlichkeit, weil sie sie verhindern wollen.

c) Schließlich braucht eine Erklärung über die Partnerschaft zwischen der evangelischen und katholischen Kirche nicht nur gute Absichtserklärungen, vielmehr *präzise Absprachen*, welche Schritte man als erste und nächstliegende miteinander unternehmen will. Das dient der Glaubwürdigkeit und Verbindlichkeit einer Partnerschaft.

Um die ökumenischen Annäherungen auf Gemeindeebene zu unterstützen, können Kirchenleitungen gemeinsam und öffentlich erklären, dass ab 2017 der *Pfingstmontag* als »Tag der ökumenischen Begegnung« offiziell eingeführt wird.

Um selber einen Beitrag zur Intensivierung der Beziehungen beizusteuern, können die Kirchen sowohl auf Regional- als auch auf Bundesebene beschließen, nach 2017 alle drei Jahre auf der Leitungsebene zu einer *ökumenischen Synode* zusammenzukommen.

Um die konziliare Dimension des christlichen Zusammenlebens zu stärken, können kirchliche Leitungskreise *konziliare Versammlungen* anregen und anberaumen, wie es Präses Beier 1996 in seiner Empfehlung für das Jahr 2000 getan hat: »Im Jahr 2000. Kommt im Rheinland zusammen. Wagt den Versuch einer ersten rheinisch-ökumenischen Synode. Macht wird sie nicht haben. Aber Vollmacht vielleicht. Zum Dialog. Zur Versöhnung. Mitten in getroster Verzweiflung. Der Wind geht scharf. Immer ist Endzeit. Und was werden wir unserem Richter sagen?«[38]

3. Ein gemeinsames Fest der Versöhnung

Neben Schuldbekenntnis und Partnerschaftserklärung ist das dritte Element für 2017 ein »*Fest der Versöhnung*«, in dem die beiden ersten Themen zusammenkommen und aufgehoben sind. Was gibt es 2017 zu feiern?

1. Die Wiederentdeckung maßgebender Dimensionen des *Evangeliums* vor 500 Jahren;
2. der *Annäherungsprozess* der beiden Kirchen seit über 50 Jahren;
3. die *Versöhnung* zwischen ihnen mit dem Ausblick auf eine gemeinsame Zukunft.

Nach 500 Jahren kann man ein Fest der Versöhnung allerdings nicht wie ein übliches Gemeindefest gestalten. Es müssen schon bestimmte Elemente darin enthalten sein:

– Ein *Versöhnungsgottesdienst* zu Beginn, in dem Schuldbekenntnis und Vergebungszusage zum Ereignis werden;
– eine *ökumenische Versammlung*, in der ein Rückblick auf die vergangenen 50 oder auch 500 Jahre mit konkreten Wünschen und Zusagen für die nächsten Jahre verbunden wird;
– eine *Feier* mit viel Musik, Gesängen und auch Tänzen, damit sich die Freude über den epochalen Einschnitt Gehör und Bewegung verschafft.

Man sollte ein solches Fest auf *verschiedenen Ebenen* feiern: in Gemeinden und Regionen, aber auch zentral. *Gemeinden* können das Fest der Versöhnung mit einem Ökumenetag und dem Abschluss von bzw. Erinnern an eine örtliche Partnerschaft etwa am Pfingstmontag 2017 begehen. *Regionen* können zu einem regionalen oder Stadtkirchentag oder zu einer ökumenischen Versammlung zusammenkommen mit einem Taufgedächtnis und der Unterzeichnung einer Kirchenpartnerschaft, beispielsweise am Wochenende nach Fronleichnam (15. Juni) oder nach dem Festtag Peter und

Paul (29. Juni). Auf *Landesebene* können der Rat bzw. die Synode der EKD zusammen mit der Deutschen Bischofskonferenz z. B. am ersten oder letzten Oktoberwochenende 2017 oder auch am Buß- und Bettag (22. November) zu einem Christus-Fest nach Frankfurt/Main, Hamburg, Köln oder München einladen, einen Versöhnungsgottesdienst feiern, eine Kirchenpartnerschaft unterzeichnen und einen Sängerwettstreit zum Lobe Gottes auf dem Römerberg (Frankfurt/Main), vor dem Rathaus (Hamburg), auf dem Roncalliplatz (Köln) oder dem Marienplatz (München) veranstalten.

Das ist natürlich alles Zukunftsmusik. Viele werden sie für unrealistisch halten. Ich möchte mit diesen Vorschlägen andeuten, was 2017 denkbar ist, damit die Phantasie auf lokaler, regionaler und landesweiter Ebene zu weiteren Planspielen anregen und eine Diskussion darüber anstoßen, was und wie wir im Gedenk-, Jubiläums- und Versöhnungsjahr 2017 miteinander feiern wollen. Denn es zeichnet sich schon heute ab, dass wir auf ein ungewöhnliches Ereignis zugehen, dass wir ökumenisch nutzen sollten, so gut wir es vermögen. In diesem Zusammenhang lade ich schon jetzt alle Interessenten ein, an der *Wittenberger Ökumenischen Versammlung* vom 21. bis 28. August 2017 teilzunehmen, die von der Internationalen Ökumenischen Gemeinschaft (IEF) mit verschiedenen Kooperationspartnern ausgerichtet wird. Sie steht unter dem vorläufigen Thema: »Das Evangelium: der wahre Schatz der Kirche(n) – Von der Spaltung zur Gemeinschaft.«

Letztlich ist für die Verwirklichung dieser und anderer Gedanken, Ideen und Vorschläge entscheidend, ob und dass unter uns geschieht, was auf dem *Weg nach Emmaus* geschehen ist, dass durch die Gegenwart des Auferstandenen träge in brennende Herzen umgewandelt werden. Darum bitten wir mit den Worten *Martin Luthers*:

»Du ewiger, barmherziger Gott,
Du bist ein Gott des Friedens, der Liebe und der Einigkeit,
nicht des Zwiespalts.
Weil aber Deine Christenheit Dich verlassen hat
und von Deiner Wahrheit gewichen ist,
hast Du sie sich teilen und trennen lassen,
auf dass sie mit ihrer vermeintlichen Weisheit
in der Uneinigkeit zuschanden würde
und zu Dir, der Du die Einigkeit liebst, zurückkehre.

Wir armen Sünder,
denen Du solches gnädiglich verliehen hast zu erkennen,
bitten und flehen Dich an,
Du wollest durch den Heiligen Geist alles Zertrennte
                                             zusammenbringen,
das Geteilte vereinigen und ganz machen,
auch uns geben, dass wir zu Deiner Einigkeit umkehren,
Deine einige ewige Wahrheit suchen,
von allem Zwiespalt abweichen,
dass wir eines Sinnes, Wissens und Verstandes werden,
der gerichtet sei auf Jesus Christus, unseren Herrn,
damit wir Dich, unseren himmlischen Vater,
mit einem Munde preisen und loben mögen,
durch unseren Herrn Jesus Christus im Heiligen Geist.«[39]

Anmerkungen

1 Vgl. dazu. M. Brecht, Luther I, a. a. O. 187 f.
2 In: K. Bornkamm/G. Ebeling, Luther I, a. a. O. 33; vgl. M. Brecht,
   Luther I, a. a. O. 192.
3 Kirchenamt der EKD (Hg.), Rechtfertigung und Freiheit (zit. RuF).
   500 Jahre Reformation 2017. Ein Grundlagentext des Rates der
   EKD, Gütersloh 2014, 11, 24 ff, 48–93.
4 RuF, 9.

5 »Die Überwindung von Spaltungen bleibt … reformatorische Aufgabe. Sie besteht inzwischen vor allem im Blick auf die römisch-katholische Kirche, mit der die Rechtfertigungslehre zwar gemeinsam formuliert werden kann, aber kirchentrennende Differenzen über das Verständnis des Amtes und der Sakramente bleiben.« In: RuF, 39.

6 S. o. Kap. I, S. 61 ff.

7 In: F. Hauschild u. a., GER 920.

8 Die Schatten der Reformation sind lang, in: Die Brücke. Täuferisch-Mennonitische Gemeindezeitschrift 5/2014, 26 f; Kirchenamt der EKD (Hg.), Schatten der Reformation. Der lange Weg zur Toleranz, EKD-Magazin zum Themenjahr 2013 »Reformation und Toleranz«, Hannover 2013, bes. 4–25.

9 D. MacCulloch, Die Reformation 1490 bis 1700, München 2003, 213 ff, 307 ff, 362 ff, 421 ff.

10 A. a. O. 26.

11 Vgl. Augsburger Bekenntnis Deutsch, Art. 8 und 16.

12 In: K. Bornkamm/G. Ebeling, Luther I, a. a. O. 150 ff.

13 Z. 10, in: KKK 372.

14 In: KKK, 389 ff.

15 In: KKK, 246 ff.

16 Z. 4, KKK, 357 ff.

17 In: KKK, 449 ff.

18 Vgl. dazu Augsburger Bekenntnis Deutsch, Art. 7.

19 S. o. Kapitel. I, 72 ff.

20 S. o. Kapitel II, 102 ff.

21 S. o. Kapitel III, 126 ff.

22 S. o. Kapitel IV, 180 ff; Kapitel II, 99 ff.

23 S. o. Kapitel V, 186 ff.

24 S. o. Kapitel VI, 220 ff.

25 S. o. Kapitel VII, 242 ff.

26 S. o. Kapitel I, 68 ff.

27 In: Vom Konflikt zur Gemeinschaft, a. a. O. 26 ff.

28 In: H.-G. Link, Die Zeit ist reif, 2003, 59–61.

29 Vgl. dazu A. Stockbridge, Die Kirche von England. The History of a Mystery, Münster 2010, 88 f.

30 Dazu Kirchenamt der EKD (Hg.), Die Meißener Erklärung. Eine

Dokumentation, EKD-Texte Nr. 47, Hannover 1993, 45, Z. 16; 51, Z. 6.

31 In: G. Müller-Fahrenholz, Bangalore 1978. Sitzung der Kommission für Glauben und Kirchenverfassung. Berichte, Reden, Dokumente, BÖR 35, Frankfurt/Main 1979, 249; vgl. auch 248: »Deshalb ist Autorität ein konziliares Ereignis auf allen Ebenen und kommt durch die Synoden in besonderer Weise zum Ausdruck.«

32 In: K. Lehmann/W. Pannenberg (Hg.), Lehrverurteilungen – kirchentrennend?, a. a. O. 196.

33 Das trifft bedauerlicherweise auch auf den derzeitigen Leiter des Päpstlichen Rates zur Förderung der christlichen Einheit, Kardinal Kurt Koch, zu, wenn er von der Notwendigkeit spricht, ein Dokument zu Kirche, Abendmahl und Amtsfrage zu erstellen, als ob es Lima 1982 mit römisch-katholischer Beteiligung und offizieller Stellungnahme vom 21. Juli 1987, VAS 79, nie gegeben hätte!

34 A. a. O. 39.

35 Dazu sagt die Amtserklärung von Lima: »Es sollte … ein Unterschied zwischen der apostolischen Tradition der ganzen Kirche und der Sukzession des apostolischen Amtes (innerhalb dieser apostolischen Tradition) gemacht werden.« In: Taufe, Eucharistie und Amt, Amtserklärung IV: »Sukzession in der apostolischen Tradition«, § 34 K, a. a. O. 42.

36 Dazu: Die Gruppe von Farfa Sabina, Gemeinschaft der Kirchen und Petrusa mt, Lutherisch-katholische Annäherungen, Frankfurt/Main 2010.

37 Vgl. Dazu H.-G. Link, Gemeinschaft der Heiligen. Zum Dialogdokument »Communio Sanctorum«, in: Salzkörner. Materialien für die Diskussion in Kirche und Gesellschaft 6/6, 11. Dezember 2000.

38 Wo stehen wir heute in der katholisch-evangelischen Ökumene?, in: Mit Jesus Christus auf dem Weg, a. a. O. 14.

39 Betbüchlein von 1522, in: H.-G. Link u. a. (Hg.), Mit Gottes Volk auf Erden. Ökumenischer Fürbittkalender, Frankfurt/Main 1989, 44. Woche: BRD/DDR, 269 f.